MARC ROCHE

Elżbieta II

Ostatnia królowa

przełożył Grzegorz Przewłocki

Cet ouvrage, publié dans le cadre du Programme d'aide à la publication
BOY-ŻELEŃSKI, a bénéficié du soutien du Service de Coopération
et d'Action Culturelle de l'Ambassade de France en Pologne et de
Culturesfrance / Ministère français des Affaires étrangãres et européennes.

Książka ta, wydana w ramach Programu Wsparcia Wydawniczego
BOY-ŻELEŃSKI, korzysta z pomocy Wydziału Kultury Ambasady Francji
w Polsce i Culturesfrance / francuskiego Ministerstwa Spraw Zagranicznych
i Europejskich.

Mojej matce

Spis rzeczy

Wstęp
Dziesięć rozdziałów życia Elżbiety II

Siergiej Pawlenko, rosyjski malarz mieszkający w Londynie, namalował najpiękniejszy oficjalny portret Elżbiety II. Brzoskwiniowa cera, jasne spojrzenie niebieskich oczu, wyrazista twarz, biała rękawiczka, którą królowa trzyma nonszalancko w prawej dłoni na tle ciemnobłękitnego aksamitnego płaszcza i gwiaździste insygnia Orderu Podwiązki. Królowa emanuje naturalnym dostojeństwem. Niemal posągowa, stoi na szerokich schodach pałacu Buckingham, pokrytych czerwonym aksamitem, oświetlona z góry światłem padającym przez szklaną ścianę i mierzy mnie nieprzeniknionym, tajemniczym wzrokiem. Ledwie zarysowany uśmiech przypomina mi Monę Lizę. Choć jestem republikaninem, muszę przyznać, że ta kobieta mnie fascynuje.

Po raz pierwszy spotkaliśmy się w roku 1991. Byłem wtedy sprawozdawcą na szczycie Wspólnoty Brytyjskiej w Harare. Gdy królowa pojawiła się pod baldachimem ustawionym na trawniku brytyjskiego Wysokiego Komisariatu w stolicy Zimbabwe, wszyscy na jej widok zamarli. Towarzysząca jej dama poleciła mi zwracać się do Jej Wysokości „Ma'am" (angielska wersja francuskiego „Madame"). To mnie uratowało.

– Jak się pan ma?
– Dobrze, Ma'am.

– Jak długo pracuje pan w Anglii?

– Od 1985 roku, Ma'am.

– I dobrze się pan u nas czuje?

– Znakomicie, Ma'am.

– Czy Francuzi interesują się Wspólnotą Brytyjską?

– Tak, Ma'am. Mamy podobną organizację: Frankofonię.

– Podobną, lecz nie taką samą.

Milczenie. Zanim podjąłem konwersację, królowa znikła. Nagły koniec spotkania z chodzącą legendą.

Powrót do wrażeń. Królowa jest dużo niższa, niż mi się wydawało. Jej uścisk dłoni jest delikatny. Głos nosowy, końcówki zdań właściwie niesłyszalne. Sprawia wrażenie osoby dosyć znużonej otoczeniem.

Czyżbym był rozczarowany? Wręcz przeciwnie. Widziałem się z nią później jeszcze pięć razy, gdy pełniła swoje funkcje publiczne, i za każdym razem byłem pod ogromnym wrażeniem. Zauroczyła mnie kobieta czy jej królewski urząd? Właściwie nigdy nie udało mi się tego rozgraniczyć.

Pięć spotkań na dwadzieścia dwa lata pracy korespondenta w Londynie to niby niewiele, ale moim zdaniem jest to całkiem spora liczba.

Tyle że stanowczo za mała, aby pojąć istotę osobowości tej, która stała się wcieleniem całej współczesnej historii Wielkiej Brytanii i świata.

Najstarsza spośród europejskich monarchów, rozmawiała ze wszystkimi tuzami polityki światowej, od Churchilla po de Gaulle'a, Kennedy'ego i Nehru. Jest jednocześnie głową państwa, Kościoła anglikańskiego i najwyższym zwierzchnikiem sił zbrojnych.

Odnosimy nieodparte wrażenie, że tę najczęściej fotografowaną i malowaną monarchinię na Ziemi oglądamy jakby w gabinecie figur woskowych. Jej wizerunek widnieje na znaczkach pocztowych i banknotach, a inicjały ER (Elizabeth Regina) zdobią gmachy ministerstw, skrzynki pocztowe, operę Covent Garden i czerwone mundury halabardników w płaskich kapeluszach Tudorów. Paszporty, deklaracje podatkowe, prawa jazdy są wydawane w jej imieniu. Więźniowie przebywają w więzieniach z woli Jej Wysokości.

Za jej panowania kraj odnosił sukcesy i przeżywał udrękę niepowodzeń, udowadniając, że zawsze się może odrodzić na nowo i dzielnie podążać do przyszłej pomyślności.

W odróżnieniu od prezydentów, wybieranych w powszechnym głosowaniu, i monarchów kontynentalnych, Elżbieta II żyje pod złotym kloszem, odizolowana od realnego życia zwykłych śmiertelników. Unika mediów. Nie zwierza się nawet swoim nielicznym przyjaciółkom. Jakim prześwietnym pamiętnikarzem byłby ten żywy komputer, gdyby nie musiał być królową!

W dzienniku, który niewątpliwie zabierze ze sobą do grobu, nie zapisuje sekretów; nikt nigdy nie wyczytał nic z jej twarzy, kryjącej przecież niejedną tajemnicę. Jest nieporuszona w najdramatyczniejszych chwilach i opanowana podczas męczących obowiązków.

Nawet najbardziej zdeklarowani republikanie krytykują system, ale rzadko samą królową. Ona jest poza wszelkim podejrzeniem. Wobec tak zdecydowanej jednomyślności Brytyjczyków zewnętrzny obserwator wciąż się waha pomiędzy niezrozumieniem a podziwem dla monarchii. Niezrozumieniem zaprzeszłego splendoru, niepasującego do nowoczesnego świata. Podziwem dla drogi, którą Najjaśniejsza Pani przemierzyła niemal bezbłędnie dzięki swemu wielkiemu poczuciu obowiązku.

Film *Królowa* Stephena Frearsa zawdzięcza sukces przede wszystkim temu, że Helen Mirren w roli Elżbiety II perfekcyjnie kreuje dwie różne bohaterki: królową i kobietę. Aktorka znakomicie oddała niepowtarzalny blask pokrytej patyną Korony Brytyjskiej. Jeszcze dziesięć lat temu Mirren była gorliwą republikanką. Tymczasem została nobilitowana, otrzymała tytuł szlachecki i dzisiaj nie kryje podziwu dla królowej. Świadczy o tym hołd, jaki złożyła Jej Wysokości podczas ceremonii wręczania Oskara dla najlepszej aktorki: „Przez pół wieku Elżbieta Windsor umiała zachować godność, poczucie obowiązku... i fryzurę. Składam hołd jej odwadze, wytrwałości, i dziękuję, bo wiem, że bez niej nie byłoby mnie tutaj. Panie i Panowie – daję wam moją królową".

Drugim powodem napisania tej książki była chęć upamiętnienia dziesiątej rocznicy śmierci księżnej Diany, 31 sierpnia 1997 roku w Paryżu. „Królowa ludzkich serc" miałaby dzisiaj czterdzieści sześć lat. Wydaje się, że brytyjska pamięć zbiorowa wyparła już tę czarną kartę „drugiej epoki elżbietańskiej", uwalniając Elżbietę II od głównych zarzutów, które jej wtedy stawiano. Raport Stevensa – opublikowany 14 grudnia 2006 roku – wykluczył uparcie podtrzymywaną przez Mohameda Al Fayeda teorię spisku, rzekomo zaplanowanego przez Windsorów, którzy jakoby chcieli się pozbyć księżnej Diany, i oczyścił monarchinię z podejrzeń. Do tego jeszcze przewidywane wtedy odejście Tony'ego Blaira z Downing Street 10 zdecydowanie zmieniło pejzaż polityczny wokół lokatorki pałacu Buckingham. Z okazji obchodów sześćdziesięciolecia ślubu królowej (w roku 2007) Anglia kolejny raz uległa elżbietomanii.

Wreszcie emocje wyborów prezydenckich we Francji skłoniły mnie do postawienia sobie pytania: co powoduje, że monarchia angielska nieodmiennie pozostaje ponad wszelkim zamieszaniem politycznym? We Francji powstanie republiki przerwało ciągłość polityczną. Ale francuscy republikanie zawsze mieli skłonności monarchistyczne. Ponoć milczenie monarchy mówi więcej niż wszystkie przemówienia prezydenta. Czy z tego wynika, że Piąta Republika jest jakimś przedziwnym amalgamatem monarchistyczno-republikańskim? Odmienność monarchii brytyjskiej, jej zamki, klejnoty, konie, mundury, kapelusze i tym podobne rzeczy częściej budzą we Francji podziw niż kpinę. Ubiór, szkolnictwo, rozrywki, specyficzne poczucie humoru i styl życia Albionu wciąż kusi francuską burżuazję i drobnomieszczaństwo. Tą anglomanią zakłopotany jest nawet książę Edynburga, małżonek królowej, który mi kiedyś powiedział, że Francuzi są naprawdę zabawni: „Wielbicie cudzą monarchię, a pozbyliście się własnej".

Ambicją mojej książki jest próba zrozumienia tego, jak delikatna, nieśmiała, skromna młoda brunetka o dość powierzchownym wykształceniu po pół wieku królowania zdobyła tak wielki osobisty autorytet. Nikt się przecież tego nie spodziewał. Jednak dzięki naturalnej godności, całkowitemu oddaniu pełnionej funkcji oraz inteligencji tej kruchej kobiecie, arystokratce z urodzenia, ale mieszczance pod względem upodobań, udało się umocnić najbardziej anachroniczną instytucję świata, jaką jest monarchia brytyjska. Wszystko wskazuje na to, że nawet kiedy Elżbiety II zabraknie, monarchia będzie trwała. Na pewno jednak w nieco innej formie niż ta, którą ona jej nadała. Stąd tytuł mojej książki: *Ostatnia królowa*. Nie ostatnia z rodu, lecz ta, którą prezydent Mitterrand z podziwem nazwał „prawdziwą królową".

Niełatwo jest pisać o królowej. Dowodzi tego także ostrzeżenie, jakiego doradca królewski udzielił niegdyś autorowi biografii Jerzego V: „Nie został pan powołany do pisania o człowieku, lecz o legendzie". Biografowie muszą zachować równowagę pomiędzy współpracą z Pałacem, która jest nieodzowna, a dbałością o wolność wypowiedzi. Trudno bowiem nie poddać się emocjom, gdy odźwierny pałacu Buckingham szepcze do ucha strzegącemu bramy policjantowi: „Pana Roche'a nie musimy legitymować. Znamy go osobiście". Takie powitanie w Pałacu może sprawić, że jego lokatorkę opisze się tak, jak by sobie tego życzyła, a nie tak, jak się ją widzi.

Inny kłopot to źródła informacji. Na ogół w sprawach królewskich jest tak, że ci, co wiedzą, nie mówią, a ci, co mówią, nie wiedzą. Królowa nigdy nie udziela wywiadów. To milczenie sprzyja powstawaniu plotek, rozchodzeniu się pogłosek i niemożliwych do sprawdzenia informacji z drugiej ręki.

Wreszcie biografia *à l'anglaise*, opatrzona litanią dat, faktów i nazwisk, może zniechęcić do lektury. Dlatego zdecydowałem się na opowieść złożoną z dziesięciu rozdziałów, zbudowaną wokół legendy, która podobnie jak gwiazdy na niebie nie daje się pochwycić. Dla ułatwienia lektury pominąłem wszelkie tytuły szlacheckie i inne. Ich posiadaczy proszę zatem o wybaczenie.

Królowa jest przyjaciółką Francji, podobnie jak wiele osób z jej otoczenia. Czy pozwoliła na udzielanie mi pomocy w tym przedsięwzięciu? Niewątpliwie tak. Nie jest to w żadnym razie biografia autoryzowana przez samą Elżbietę II. Takiej nigdy nie było i nie będzie.

Londyn, kwiecień 2007

I
Elżbieta II – królowa i kobieta

W pałacu Buckingham codzienny piętnastominutowy rytuał, który rozpoczyna się punktualnie o dziewiątej rano, nie zmienił się od 1843 roku. Po wypiciu kawy z odrobiną koniaku Alistair Cuthberston ze straży szkockiej, ubrany w kilt, gra na dudach w ogrodzie, pod oknami prywatnych apartamentów królowej. Przenikliwa szkocka melodia – *Sovereign Piper* – rozpoczyna dzień Jej Wysokości Elżbiety II.

W towarzystwie księcia Filipa królowa je śniadanie. Tosty, marmolada z pomarańczy, płatki w czarce firmy Tupperware, herbata Darjeeling z chmurką mleka, i to wyłącznie od krów rasy jersey z Windsoru. Królowa przywiązuje wielką wagę do drobiazgów. Monarszą parę obsługuje tuzin służących. Wszystko odbywa się zgodnie z wymyślną choreografią, dzięki której unikają kolizji i nie niszczą dywanów, bo nakazano im poruszać się po ich obrzeżach. Jeżeli napotkają wzrok któregoś z gospodarzy, natychmiast się zatrzymują i pochylają głowę. Para królewska je w ciszy i powoli. Przez stary odbiornik radiowy słucha, podobnie jak cztery miliony poddanych, „Thought of the Day" – codziennych refleksji, swoistych kronik moralnych radia BBC 4. Potem, wymieniając kilka rutynowych uwag, królowa i jej małżonek pogrążają się w lekturze ulubionych dzienników, które najprawdopodobniej zostały wyprasowane, by nie brudziły palców: dla niego „Daily Telegraph", a „Racing Post" – gazeta wyścigów konnych – dla niej. Elżbieta z żalem opuszcza przytulną atmosferę tej wysepki prywatności na Wyspie, aby podjąć codzienne monarsze zadania.

Teraz królowa jest w pracy. Okna jej ogromnego biura o jasnozielonozłotych ścianach z beżowobrązowym kominkiem wychodzą na Constitution Hill i Green Park. Od zakończenia wojny, siedząc cały czas przy tym samym biurku w stylu chippendale, prowadzi korespondencję i czyta niektóre listy przekazane jej przez damy dworu.

Przed nią kilka czarno-białych fotografii rodzinnych, suszka z bibułą, dwa kałamarze, papier listowy z jej herbem, nóż do papieru z królewskim monogramem i lak do pieczęci. Dokumenty oficjalne podpisywane są czarnym atramentem, korespondencja prywatna – zielonym. Pracuje sama, bez sekretarek. Personel biura, czternaście osób, jest ulokowany na parterze, a rolę gońców pełni dwóch tytularnych paziów.

Godzina jedenasta. Wchodzi prywatny sekretarz. „Dzień dobry, Wasza Wysokość" – mówi ten odpowiednik dyrektora gabinetu, pochylając głowę. Potem już zwraca się do niej „Ma'am". Protokół wymaga, by stał, dopóki królowa nie zaproponuje, żeby usiadł. Razem przeglądają najważniejsze tajne dokumenty, przechowywane w słynnych kasetach z szufladami umieszczonych w walizie z purpurowej skóry. Królowa otwiera ją kluczykiem, którego jedyny egzemplarz jest tylko w jej posiadaniu. Następnie omawiają planowane wystąpienia, inauguracje, audiencje, podróże.

Terminarz królowej jest niezmienny. Nic nie jest w nim przypadkowe, wszystko podporządkowane stałym terminom, które nie uległy zmianie od początku panowania Elżbiety II. Jej zajęcia są drobiazgowo rozpisane, niczym partytura. Królowa ma w roku dwadzieścia tygodni wakacji, czyli cztery razy tyle co przeciętny Brytyjczyk. Jedną z najważniejszych dat w jej kalendarzu jest 21 kwietnia, dzień jej urodzin, zarezerwowany na doroczne zgromadzenie kapituły Orderu Podwiązki. W czerwcu odbywają się konkursy hipiczne – Derby Epsom i Royal Ascot, których nigdy nie opuszcza. Oficjalnie jej urodziny obchodzone są w tym samym miesiącu podczas Trooping the Colour – tradycyjnego przeglądu grenadierów straży. Głównym wydarzeniem lipca są *garden parties*: trzy w Londynie i jedno w Szkocji – przyjęcia, na które zaprasza się trzydzieści dwa tysiące osób. Jesień jest zdominowana przez obchody rocznicy zawieszenia broni z 1918 roku – odbywają się one przy Pomniku Nieznanego Żołnierza w Whitehall – otwarcie sesji parlamentu, na której królowa wygłasza mowę inauguracyjną, oraz spotkanie z korpusem dyplomatycznym.

Do tego dochodzą wizyty szefów państw – dwie w roku – oraz wyjazdy na prowincję i poza Wielką Brytanię.

Dziś wieczorem Jej Wysokość udaje się królewskim pociągiem w dwugodzinną podróż do Stafford. Nocować będzie w swoim bordowo-szarym wagonie ozdobionym królewską koroną, na bocznicy, w pobliżu tego miasta w Midlands. Równie dobrze mogłaby tam lecieć helikopterem zamiast spędzać noc w pociągu, w polu. Przybycie królowej koleją robi jednak dużo większe wrażenie, zwłaszcza że miasto obchodzi właśnie osiemsetlecie nadania mu przywilejów królewskich. Takie drobiazgi sprawiają, że w oczach poddanych wielkość Windsorów trwa nienaruszona.

Na peronie, gdzie czekają na nią miejscowi dygnitarze, Elżbieta II pojawia się w kostiumie koloru zmiksowanych malin – może bardziej odpowiednim na początku wiosny, ale przede wszystkim dobrze widocznym dla tłumu. Poły jej żakietu i kapelusz obciążone są kawałkami ołowiu, by nie poddawały się wiatrowi. Przewieszona przez ramię torebka nie krępuje ruchów. W geście pozdrowienia w jakiś dziwny sposób macha dłonią. Dama dworu wyjaśnia mi, jak to się robi: „Tak jakby pan odkręcał żarówkę".

Ta uroczystość nie interesuje akredytowanych królewskich kronikarzy, znużonych nadmiarem podobnych ceremonii. Za to miejscowa prasa stawia się w komplecie. Orszak jest bardzo skromny, składa się z trzech samochodów i dwóch motocyklistów, i to nie na sygnale. Brązowy bentley królowej bez tablic rejestracyjnych jest tak skonstruowany, by tej niewysokiej kobiecie ułatwić wysiadanie. Przez szybę widać szkocki pled, którym dama dworu okryje jej kolana.

Szary terenowy mercedes z orszaku królowej, z dziesiątkami bukietów żonkili ofiarowanych przez publiczność i upchniętych na podłodze, przypomina ruchomą kwiaciarnię. Dama dworu trzyma się blisko adiutanta Royal Navy, który zawsze towarzyszy królowej i pełni funkcję szefa protokołu. Do tego dochodzi zastępca osobistego sekretarza i pracownik biura koordynującego wizyty. Miejsce obok szofera zajmuje pałacowy operator filmowy. Czteroosobowa obstawa jedzie trzecim wozem. Zwracam uwagę na brak ministrów i zaproszonych gości, którzy w podobnych sytuacjach zawsze towarzyszą francuskiemu „republikańskiemu monarsze" z Pałacu Elizejskiego.

– Widzę Purple One i Purple Five – mruczy w walkie-talkie ochroniarz z Royalty Protection Departament, podczas gdy królowa i książę Edynburga wchodzą do gotyckiego kościółka pod wezwaniem Maryi Panny ze Stafford. Widoczna obstawa składa się z trzech mężczyzn i kobiety, którym towarzyszy oficer z jednostki antyterrorystycznej. Są też policjanci w cywilu. Znaczek z inicjałami ER w klapie wskazuje, że są to wybrani funkcjonariusze, uzbrojeni, w przeciwieństwie do *bobbies*, rozstawionych na głównych skrzyżowaniach. Tylko im protokół pozwala mieć w obecności królowej rozpięte kurtki, na wypadek gdyby musieli użyć glocków. Według pewnego byłego ochroniarza królowa ściśle stosuje się do zaleceń policji. Strzelcy wyborowi starają się jednak nie przebywać zbyt blisko głowy państwa. Jej bezpośrednia ochrona składa się z ośmiu oficerów policji, którzy zmieniając się, towarzyszą Jej Wysokości całą dobę, by w porę zapobiec ewentualnym zamachom.

Podczas przygotowań do królewskiej wizyty sprawa bezpieczeństwa jest zawsze najważniejsza. Oficjalny program podróży do Stafford – „biblia", jak mówią w Pałacu – ma dziesięć stron. Wizyta była zaplanowana z dwuletnim wyprzedzeniem; jedna minuta królewskich odwiedzin to trzy godziny przygotowań. Dwie ekipy wywiadowców ustalają najdrobniejsze szczegóły. Przy wyborze miasta trzeba się też liczyć z wrażliwością i uczuciami poddanych: nie wolno wyróżniać tych z Południa ani tych z Północy, dużych miast czy prowincji, lewicowych lub prawicowych. Wizyta musi propagować cztery aspekty dzisiejszej monarchii: królewski splendor, prostotę demokracji i jedności narodowej, potrzebę służby społecznej oraz ideę sukcesu zawodowego. Trzeba też znaleźć jakiś znaczący gest, który sprawi poddanym radość i trafi do wieczornych wiadomości BBC. Ze względu na wiek królowej i jej małżonka liczba imprez podczas wizyty jest ograniczona do czterech. Jej Wysokość odciążono nieco w funkcjach reprezentacyjnych. W 2006 roku miała w Wielkiej Brytanii czterysta dwadzieścia pięć zobowiązań, a nie pięćset dziewięć jak w roku 1996.

Market Square, staffordzki rynek z ratuszem, udekorowano małymi powitalnymi chorągiewkami w barwach Wielkiej Brytanii.

– Dużo ludzi. Ładna pogoda. Królowa wygląda dostojnie – szepcze mi do ucha zachwycona dama dworu.

Dostojna i niedostępna. Sama jest babką, dumną ze swoich siedmiorga wnucząt, ale nie całuje dzieci, co najwyżej się do nich uśmiecha. Jak przystało na wytrawną dyplomatkę, ściska tylko kilkoro z nich. Programowe spotkanie z mieszkańcami ogranicza się do kilkusekundowej kurtuazyjnej wymiany zdań.

– Miło panią widzieć – rzuca staruszce z trwałą ondulacją, w niemodnym kostiumie, która wręcza jej skromne tulipany.

Powitanie zwykłych ludzi ma być proste jak dziecięcy wierszyk. Wszystkie spojrzenia zatrzymują się na jej twarzy. „Niech żyje królowa" – wołają rozgorączkowani poddani, wymachując chorągiewkami. Królowa jest znakomita w byciu dostępną i jednocześnie bardzo zdystansowaną. Zbliża się do publiczności, lecz nie na tyle, by można ją było dotknąć. Jest po prostu królową.

Miasto zostało na tę okoliczność gruntownie wysprzątane. Latarnie błyszczą w wiosennym słońcu.

– Podczas jej wizyt zawsze czuje się drażniący zapach świeżej farby i nowej wykładziny – podśmiewa się jakiś dworzanin.

Aby stopić lody i wprawić publiczność w dobry nastrój, a przede wszystkim zagłuszyć trzask aparatów fotograficznych reporterów z miejscowej prasy, orkiestra wojskowa intonuje słynne *Let it be*. Gdy królowa opuszcza plac, wszyscy wracają do domów, szczęśliwi, że ją widzieli choć przez kilka sekund.

Obiad odbywa się w ratuszu. Pałac zasugerował trzy różne menu. Ratusz wybrał mus z wędzonego łososia, kurczaka z grzybami i ciasto pomarańczowe. Oczywiście posiłek musi być lekki. Krwiste mięsa, owoce morza i przyprawy (broń Boże czosnek!) są niedopuszczalne. Nie należy zbytnio obciążać królewskiego żołądka, ponieważ „biblia", która przewidziała wszystko, przyznaje królowej tylko pięć minut na odświeżenie się. Jej Wysokość nie lubi nic zmieniać, więc na początek zawsze kropla ginu Dubonnet z wodą mineralną Malvern. Jeżeli pije kieliszek wina, to tylko riesling, ze względu na niską zawartość alkoholu.

Zgodnie z protokołem przy zakąsce królowa rozmawia z sąsiadem z prawej strony, przy głównym daniu – z tym po lewej, a przy deserze z obydwoma. Ledwie rozmówca otworzy usta, ta doskonała znawczyni wszelkich niuansów pochodzenia społecznego od razu wie, z jakiego się wywodzi środowiska i do jakich szkół chodził. Zwraca też uwagę na takie szczegóły, jak buty, krawat, kołnierzyk koszuli, skarpetki. Jako arystokratka królowa ma świetne rozeznanie w zawiłościach dotyczących klas społecznych – prawdziwy szósty zmysł.

Teraz monarchini otwiera studio produkcji telewizyjnej na Uniwersytecie Staffordshire.

– Królowa nie znosi mieć przed oczami filmujących ją kamer – ktoś z otoczenia Jej Wysokości uprzejmie beszta dwóch studentów, którym powierzono zadanie sfilmowania tego wydarzenia. Wszystko jasne. Elżbieta II traktuje media jako zło konieczne i gdy tylko zostaną włączone kamery zawsze się uśmiecha.

W sali Staffordshire County Showground kroi dwudziestoośmiokilogramowy tort urodzinowy w wiktoriańskim stylu, ofiarowany przez tę wiejską organizację z okazji jej osiemdziesiątych urodzin. Jest tu u siebie. Towarzystwo już niemłode, przywiązane do tradycyjnych brytyjskich wartości, w odświętnych strojach, starannie uczesane. W tej kwintesencji patriotycznej Anglii, opartej na bogobojności i szacunku dla władczyni, najwyraźniej panuje monarchistyczna euforia. Z tymi ludźmi, należącymi do jej pokolenia, łączą ją takie cechy, jak opanowanie, skromność, emocjonalny dystans i dobre wychowanie.

Królowa z nabożeństwem i w ciszy wypija filiżankę herbaty, ale nie tyka ciasta Battenberg, którego kolor dziwnie przypomina odcień jej kapelusza. Szkoda, bo ciasto jest wyśmienite.

Praca królowej to również takie zajęcia, jak wręczanie odznaczeń. Wojskowi w galowych mundurach, orkiestra straży królewskiej, pluton groźnych nepalskich Gurków i halabardnicy w strojach z czasów Tudorów już czekają w sali balowej pałacu Buckingham, nad którą górują monumentalne organy. Królestwo obnosi się z całym swoim przepychem przy okazji uroczystości wręczania medali. Ten rytuał, niezmieniany od roku 1876, królowa powtarza około dwudziestu razy w roku. Przyznawanie nagród według rejestru godności to sposób wychodzenia Elżbiety II do ludu. Dziś królowa odznaczy setkę zasłużonych poddanych. Przy boku monarchini Lord Szambelan, czyli hrabia Peel, wnuk drugiego premiera królowej Wiktorii, wyczytuje donośnym głosem nazwisko odbiorcy, który zastyga przed władczynią w wojskowej postawie na baczność. Lekkie skinienie głowy panów i dygnięcie pań. Jednym wprawnym ruchem ręki Elżbieta dekoruje szczęśliwego wybrańca. Królowa ma niebywałą pamięć do nazwisk. Podczas ostatniego weekendu przeczytała przygotowane przez odpowiednie służby fiszki zawierające informacje o każdym z odznaczonych. Czerwonym atramentem podkreśliła dwa lub trzy znaczące zdarzenia. Teraz masztalerz podpowiada jej słowa przydatne podczas krótkiej konwersacji. Oto pojawia się przed nią projektant mody Julien Macdonald, w czarnej satynowej koszuli z rozpiętym kołnierzykiem i z ogromnym diamentowym wisiorem. Niewzruszona ekstrawagancją ubioru królowa mówi o pięknie kamieni szlachetnych. A zna się na kamieniach. W końcu jej imperialna korona jest ozdobiona czterema rubinami, szesnastoma szafirami i aż dwoma tysiącami ośmiuset siedemdziesięcioma trzema diamentami. Następny w kolejce jest znany kucharz Garry Rhodes. Wygląda jak gwiazda rocka. Królowa, która jada tyle co ptaszek, dziękuje słynnemu szefowi kuchni, którego książki z przepisami cieszą się wielkim powodzeniem, za to, że inspiruje wszystkich, którzy pragną „powrotu tradycyjnej kuchni angielskiej". Ten mistrz *fish and chips* oraz nowego puddingu rozpoczynał karierę jako pałacowy kuchcik, a to przecież łączy.

Dialog ma zawierać dwa pytania. Jeżeli po pierwszym pytaniu rozmówca plącze się i jąka onieśmielony, Elżbieta kończy wymianę zdań łaskawym uśmiechem i przechodzi do następnej osoby. Jeżeli dialog zostaje nawiązany, pada drugie pytanie. Ale nigdy następne. Jej Wysokość jest wyrozumiała dla gaf popełnianych z powodu tremy, niezgrabnego ukłonu czy wyciągnięcia ręki w niewłaściwym momencie.

Większość tytułów szlacheckich i odznaczeń przyznaje Downing Street. Pałac musi przyjąć tę listę bez zastrzeżeń. W gestii królowej są trzy odznaczenia, które Elżbieta II nadaje sama: Order Podwiązki, Order Zasługi oraz Wiktoriański Order Królewski. Te trzy ordery stały się najbardziej zaszczytnymi odznaczeniami w królestwie z powodu skandali towarzyszących nadawaniu „godności" politycznych. Szczególny prestiż ma Order Podwiązki. Według legendy podczas przyjęcia wydanego przez Edwarda III w 1348 roku hrabina Salisbury, tańcząc z królem, zgubiła podwiązkę. Monarcha podniósł ją, wołając: „Hańba temu, kto źle o tym myśli!" I od razu, na miejscu, powołał kapitułę Orderu Podwiązki, złożoną z dziedzicznych książąt i dwudziestu parów.

Ceremonia w pałacu Buckingham trwa godzinę. Królowa nie daje najmniejszych oznak znudzenia, zniecierpliwienia czy zmęczenia. „Jestem przyzwyczajona do stania, mam wrażenie, że stoję całe życie" – wyznała swemu portreciście podczas pozowania. Czyżby miała na myśli skostniałą anachroniczność swej funkcji? W każdym razie technikę stania ma opanowaną do perfekcji: stopy trzeba ustawić równolegle do siebie, by ciężar ciała mógł się rozłożyć równomiernie.

Nogi równolegle, ciężar ciała równomiernie rozłożony. Nasza królowa atletka ma okazję zastosować tę zasadę podczas tradycyjnego letniego *garden party*. Przed nią osiem tysięcy odświętnie ubranych gości stłoczonych na trawniku pałacu Buckingham. W Bow Room, pomieszczeniu w kształcie półksiężyca, ozdobionym dywanem w kolorze cukierkowo różowym, udekorowanym porcelaną Wedgwooda i portretami dalekich krewnych królowej Wiktorii, Elżbieta, niczym sportowiec w blokach, czeka, by wystartować do pochodu. Godzina szesnasta – królowa ukazuje się na podeście.

Zapada cisza. Rozlega się hymn państwowy. Gdy ucichnie ostatnia nuta *God Save the Queen* [*Boże, chroń królową*], Elżbieta wchodzi w tłum. Posługując się łokciami i tubalnymi głosami, *beefeaters*, halabardnicy w płaskich kapeluszach Tudorów i z pikami w dłoniach torują jej drogę wśród publiczności. Niedopuszczalne są jakiekolwiek przepychanki wokół królowej, tak jak te wokół francuskiego prezydenta w Pałacu Elizejskim z okazji święta 14 lipca. Protokół jest nad wyraz rygorystyczny. Mistrz ceremonii przedstawia królowej wybranych gości. Tematy krótkich rozmów są oczywiście neutralne. Stojącą obok mnie dyrektorkę prowincjonalnego szpitala królowa wypytuje o region, z którego ta pochodzi, i czy to, co robi, jest trudne. „To interesujące! Bardzo dobrze" – kwituje. Rozmówczyni chłonie jej słowa, coś bełkocze i dziękuje: *Thank you, Ma'am*, wykonując półukłon. Ale królowa jest już kilka metrów dalej, powtarzając swoje zadanie z godną podziwu wprawą.

Znakomita choreografia: obierając różne drogi, pięcioro Windsorów w jednej chwili stawia się przed królewskim namiotem, nad którym powiewa obszyty lamówką sztandar z głowami Maurów. Część oficjalna zakończona. Królowa powraca do swojej kasty, by spokojnie wypić herbatę. Zaproszony plebs już jej nie zobaczy.

Ale przyjęcie trwa dalej. Dziś goście wypiją dwadzieścia siedem tysięcy filiżanek herbaty, sześć tysięcy szklanek mrożonej kawy i dwanaście tysięcy szklanek lemoniady, zjedzą dwadzieścia tysięcy kanapek (ser z ogórkiem, pasztet z wątróbek lub rybny) i siedemnaście tysięcy ciastek. Obsługuje ich czterystu kelnerów. Bufety udekorowano bukietami róż, mieczyków i margerytek. Dwie orkiestry grenadierów grają na zmianę lekkie melodie. Najpóźniej o osiemnastej znów rozlegnie się hymn państwowy, przypominając, że pora kończyć uroczystość. W porównaniu z Windsorami Ewingowie z Dallas przyjmują gości jak teksańscy wieśniacy.

*

Królowa przywiązuje wielką wagę do wizerunku monarchii. Jest perfekcyjna w przestrzeganiu etykiety i protokołu. Nie ma mowy o jakichkolwiek odstępstwach. Żadnego obejmowania, uścisków dłoni, a tym bardziej pocałunków – królowa zawsze trzyma dystans. Oprócz rodziny i innych monarchów nikt nie ośmieliłby się zwrócić do niej zdrobnieniem Lilibet, którego używali jej rodzice. Nawet najbliżsi przyjaciele mówią „Ma'am". Po prywatnej kolacji nikt nie może pójść spać przed nią. To ona zawsze wychodzi pierwsza. W Balmoral, letniej rezydencji królewskiej w Szkocji, tylko ona może usiąść w ulubionym fotelu królowej Wiktorii. Pod każdym względem pozostaje wierna przepisom Waltera Bagehota, konstytucjonalisty i dziennikarza, który w XIX wieku skodyfikował monarchię brytyjską: „Mityczny respekt i religijne oddanie stanowią fundament prawdziwej monarchii".

To królowa może się do nas zbliżyć, nigdy odwrotnie. Nie wolno zwracać się do niej, jeśli nie odezwie się pierwsza. Dewiza *Nemo me impune lacessit* [Nikt bezkarnie mnie nie dotknie] jest w końcu szkockim odpowiednikiem *Honni soit qui mal y pense*. Gdy kiedyś premier Australii Paul Keating ośmielił się położyć rękę na jej plecach, zgromiła go tak wymownym spojrzeniem, że podobno do dziś jest wstrząśnięty. W takich sytuacjach królowa robi *Piggy face* – minę snobistycznej świnki z *Muppet Show*. Miss Piggy to rzeczywiście przezwisko Elżbiety, nadane przez jej personel. „Tak jak w dawnych monarchiach europejskich królowa ma tę wspaniałą umiejętność, że jednym spojrzeniem daje do zrozumienia, że ten i ów posuwa się za daleko" – mówi król Grecji Konstantyn, od 1974 roku przebywający na wygnaniu w Londynie, z którym królowa jest bardzo blisko. Jeżeli Elżbiecie II proponują coś, co jej nie odpowiada, nigdy nie mówi nie. Pytanie: „Myśli pan, że to byłoby właściwe?" oznacza weto.

Królowa jest w istocie janusową osobowością – ma dwa oblicza, których nigdy nie ukazuje jednocześnie. Jedno – zdystansowane i zimne, drugie – uprzejme i wesołe. Ale nigdy nie wiemy, z którym się zetkniemy. Operator, który rejestrował jej słynne wystąpienie w przeddzień pogrzebu Diany, opowiada, jak wspólnie przygotowywali nagranie. Najwyraźniej zadowolona, królowa długo żartuje. Po kilku minutach, gdy już jest na wizji, wygląda tak, jakby tej wcześniejszej chwili nigdy nie było. Jeżeli skorupa etykiety pęka, jak to się zdarzyło wśród przyjaciół w najgorszych godzinach *annus horribilis* 1992, szybko umie się wziąć w garść, odnajduje uśmiech i udaje, że nic się nie stało. Pod wieloma względami przypomina bohaterkę Anouilha – „niepocieszoną, lecz wesołą", osobę, która nie pozwala sobie na rozczulanie się z powodu nieszczęść życiowych. Ten pancerz, który sama sobie wykuła, tylko pogłębia samotność nierozerwalnie związaną z jej urzędem.

Podczas pożaru zamku w Windsorze 20 listopada 1992 roku bezradna wobec rozmiaru szkód Elżbieta przygląda się zgliszczom ukochanej rezydencji. Nikt nie ośmiela się jej pocieszać. Obecny przy niej książę Andrzej ani przez chwilę nie pomyślał, żeby ją objąć.

„Zawsze konieczna jest osłona – wyjaśnia Robert Lacey, autor bestsellera *Majesty*. – To mechanizm obronny, stalowy pancerz. Ona wie, że jej miejsce jest na szczycie, że reprezentuje nadrzędne interesy narodu. Ta zbawienna osłona pozwoliła jej wyjść bez szwanku z kryzysów. Diana nie rozumiała, że należy się trzymać z daleka od plebsu". Żeby zachować mityczność instytucji, królowa musi pozostać tajemnicą. W przeciwnym razie tron mógłby się stać zwykłym krzesłem.

*

Za oficjalnym wizerunkiem królowej kryje się jednak kobieta. Kobieta najszczęśliwsza, uśmiechnięta, odprężona, kiedy znajdzie się na wsi, z dala od świata zewnętrznego. W każdy piątek po południu brązowy helikopter Sikorsky przenosi królową do Windsoru. Pracować i mieszkać w Londynie, a weekendy spędzać na wsi – to marzenie każdego Anglika. Ale nie wszyscy mają szczęście posiadać rezydencję tak blisko stolicy.

Nigdy nie mówiąc tego wprost, Elżbieta daje do zrozumienia, że gdyby mogła wybierać, chętnie zamieniłaby swoje królewskie życie na proste życie na wsi. Mimo że ze strony matki monarchini przynależy do wielkiej arystokracji, jest też znakomitym przykładem *squirecracy*, szlachty ziemskiej. Dzieli z nią upodobanie do rozległych przestrzeni, miłość do koni i psów, do polowań, pikników i bukietów polnych kwiatów. W Windsorze, w prywatnych apartamentach, małżonkowie wypijają przed kolacją szklaneczkę – najczęściej ginu z tonikiem. Po skromnym posiłku, czasami z kieliszkiem białego wina, królowa rozwiązuje krzyżówkę z „Timesa" (i robi to w niecałe cztery minuty!), układa puzzle albo ogląda telewizję. Lubi seriale, szczególnie *EastEnders*, który porusza zupełnie dla niej egzotyczne aspekty życia angielskiego społeczeństwa. Kładzie się wcześnie, rzadko po jedenastej.

Wychowana na Biblii, podobno wiele razy czytała *Raj utracony* Miltona, wierzy w Eden – biblijny raj – który utożsamia z wiejską scenerią życia niewinnego, prostego, zacnego, z klimatem dzieciństwa. Ale jej koncepcja wsi różni się od wyobrażeń dzisiejszych *yuppies* pozujących na arystokratów, od ich wymyślnych imprez w pseudopałacach, modnych samochodów terenowych i podobnego manifestowania bogactwa. Jej świat *country* to dawne siedziby z liczną służbą, polowania z psami i bale debiutantek. Świat białych chrześcijańskich Anglosasów, pełen rytuałów i tradycyjnych przekonań. Jedyną organizacją, do której Elżbieta należy, jest Women's Institute – wiejski ruch kobiet, który narodził się w 1915 roku po to, „by Anglia pozostała zielona i pełna uroku". Świat, który przeminął, w którym wymieniało się między sobą przepisy kulinarne i śpiewało nabożne pieśni, dziergając koronkę lub robiąc na drutach.

Tak jak jej matka, raz w roku królowa uczestniczy w zebraniu sekcji Instytutu Kobiet w West Newton koło Sandringham, jednego z jej pałaców, w hrabstwie Norfolk. Tutaj nadal do właścicielki zamku mówi się „lady", do żony lekarza „madame", a do chłopki po nazwisku. „Jeździ konno, bywa na konkursach hipicznych, spaceruje z psami i interesuje się szkockim tańcem ludowym" – tak według strony internetowej Pałacu Buckingham Jej Wysokość spędza wolny czas na wsi. Czy poczucie komfortu psychicznego odnajduje właśnie wśród czworonogów? Jej miłość do koni jest powszechnie znana i szczególnie widoczna na hipodromie w Ascot, gdzie kilka lat temu spotkałem ją przyglądającą się gonitwie o Nagrodę Króla Jerzego VI. Drogę na padok blokuje tłum. Zupełnie przypadkowo, zaskoczony, znalazłem się tuż przy królowej na chwilę przed gonitwą.

– Dzień dobry. Przyjechał pan koleją? – zadaje banalne pytanie, jakby chciała wyrazić zrozumienie dla mąk osób podróżujących koleją.

– Nie, samochodem, Ma'am.

Pełnym dezaprobaty spojrzeniem obrzuca mój włoski garnitur w kolorze musztardowym, który nie najkorzystniej wyróżnia się pośród blezerów i tweedów mężczyzn z towarzystwa. Lekkie zaciśnięcie nozdrzy wskazuje na królewskie zdziwienie.

– Sądzę, że to będzie ładna gonitwa, Ma'am.

Pogodna do tej pory twarz nagle posępnieje, jakby przeżycia hipiczne były wyłącznie jej prywatną sprawą. Na padoku Elżbieta II jest ekspertem. Naprawdę rozumie końskie rodowody i od razu dostrzeże pęciny, zad i kłąb dobrej klaczy. Uwielbia tory wyścigowe, tętent kopyt, parskanie galopujących zwierząt i zapach końskiego nawozu.

Trzynastego czerwca 1981 roku Elżbieta bierze udział w Trooping the Colour, święcie flagi państwowej. Niezrównoważony siedemnastolatek oddaje do królowej sześć strzałów z pistoletu. Siedząc jak amazonka na swojej czarnej klaczy birmańskiej, królowa jako doświadczony jeździec ze stoickim spokojem opanowuje przerażonego wierzchowca. „To nie strzały mnie wystraszyły, tylko moja własna kawaleria" – powie z właściwą sobie brytyjską flegmą. Chłopak, który zresztą korzystał z państwowego programu pomocy socjalnej dla młodzieży, został skazany na pięć lat więzienia za zdradę stanu, zgodnie z obowiązującym prawem z roku 1842.

Ponadosiemdziesięcioletnia monarchini wyprostowaną sylwetkę zawdzięcza długoletniemu uprawianiu jazdy konnej. Do niedawna jeździła we wszystkie weekendy, a w czasie wakacji codziennie. Zapalona amatorka wyścigów, śledzi transmisje w telewizji lub ogląda nagrania zawodów, których nie mogła zobaczyć na żywo. Oprócz osobistego sekretarza i męża tylko trener koni czystej krwi i kilku hodowców zna numer jej telefonu komórkowego. Mogą do niej dzwonić w każdej chwili. W ciągu ponad pół wieku panowania tylko trzy razy spędzała wakacje za granicą. Francuską Normandię i amerykański stan Kentucky odwiedziła przede wszystkim po to, by nabyć konie pełnej krwi do królewskich stajni, a stan Wyoming

– na zaproszenie dyrektora swoich królewskich stadnin. Żartem mawia: „Tylko ze względu na arcybiskupa Canterbury nie jestem co niedziela w Longchamp*". Pierwszego konia, szetlandzkiego kucyka, ofiarował jej w 1932 roku dziadek, Jerzy V. W 1947 roku Aga Khan podarował księżniczce w prezencie ślubnym pierwszego konia czystej krwi, którego nazwała Astrakhan. Wzorując się na królewskim sztandarze, Elżbieta wybrała własne barwy stroju jeździeckiego: szkarłatny kasak, bufiaste purpurowe rękawy i czarny toczek. Po śmierci ojca w 1952 roku nowa królowa odziedziczyła jego stadniny i około trzydziestu koni wyścigowych. Po latach może się poszczycić zwycięstwami w czterech (z pięciu!) najważniejszych wyścigach. Do hipicznego wielkiego szlema brakuje jej tylko Derby Epsom. W 1974 roku podczas gonitwy o Nagrodę Diany w Chantilly była świadkiem triumfu swojego konia Highclere, który o dwie długości pokonał faworytkę, klacz Comtesse de Loir.

Po koronacji Elżbiety w zawodach brała udział już tylko księżniczka Anna – złota medalistka olimpijska – oraz wnuczka królowej Zara Phillips – mistrzyni świata w konkursach hipicznych. Z władców brytyjskich jedynie Karol II odniósł zwycięstwo w wyścigu konnym. Było to w roku 1671 podczas Town Stale w Newmarket, a w nagrodę dostał… trzy funty kiełbasy.

Oprócz koni także psy są nieodłączną częścią jej świata. Osobiście szczotkuje i czesze swoich dziewięć psów rasy corgi i dorgi. Od rana do wieczora chodzą za nią. Królewska linia corgi powstała w roku 1933 w wyniku skrzyżowania dziarskiego Dookie z Pembrookshire z nieśmiałą Jane. Elżbieta, jeśli tylko nie przebywa za granicą, osobiście karmi swoje psy. Codziennie spaceruje w ich towarzystwie. Uwielbia też swoje psy myśliwskie – czarne labradory. Psy obecne są podczas obiadów odbywających się w małym gronie różnych osobistości. Gospodyni często przerywa rozmowę, by zwrócić się do psów albo dać im pod stołem kawałek bułki. W czasie przymiarek krawieckich sama zbiera szpilki magnesem, aby ukochane zwierzęta się nie zraniły. Zwierzę nigdy nie jest winne. Jeżeli corgi ugryzie służącego lub doradcę, to znaczy, że ten go prze-

---

* Słynny paryski tor wyścigów konnych.

straszył. Królowa potrafi pisać długie listy kondolencyjne po śmierci psa. Trudno jej natomiast zredagować parę słów wsparcia podczas ciężkiej choroby chrześniaka. Doświadczył tego jej dawny współpracownik. Królowa pozostawała głucha na jego listy opisujące poważne kłopoty rodzinne, ale po śmierci jego labradora, który zjadł trutkę na szczury, pocieszała go w długim liście. Nawet koty, których jako wielbicielka psów właściwie powinna nie znosić, zasługują na jej współczucie. Na szesnaste urodziny, odpowiadające setnym urodzinom człowieka, kocur Flook dostał od Jej Wysokości telegram gratulacyjny. Elżbieta jest również miłośniczką gołębi, które hodują przeważnie prości ludzie z północnej Anglii. Ma hodowlę gołębi pocztowych w Sandringham i jest na bieżąco informowana o ich wynikach w zawodach.

Elżbieta II może spać spokojnie, zwierzęta nigdy jej nie zawiodą.

Jest takie powiedzenie: „Rugby jest grą łobuzów, w którą gra szlachta, a piłka nożna grą szlachty, w którą grają łobuzy". Królowa prezesuje Walijskiej Federacji Rugby [Welsh Rugby Union]. Jej wnuk William, kolejny amator rugby, jest wiceprezesem. Jego brat Harry zdobył dyplom trenera Rugby Union, by móc uczyć tej gry w szkole. Nie zapominajmy też, że ich kuzyn Peter Phillips, syn księżniczki Anny, był członkiem szkockiej drużyny juniorów. Dobrze wychowane środowisko graczy i kibiców rugby idealnie odpowiada Jej Wysokości. Jest ono szkołą skromności w porównaniu z dzisiejszą pogonią za sukcesem, typową dla piłki nożnej, i wybuchającymi wokół niej skandalami, do których przyczyniają się narkotyki, gwałty, afery korupcyjne i chuligaństwo. Wydaje się jednak, że królowa docenia Arsenal, którego zawodników i działaczy przyjęła w pałacu Buckingham w lutym 2007 roku. „Chyba wiedziała, kim jestem, wspomniała coś o królu Juanie Carlosie..." – mówił w wywiadzie radiowym rozgrywający Arsenalu Hiszpan Cesc Fabregas. Windsorowie lubią sporty elitarne. Książę Karol jest wielkim amatorem polo i krykieta. Podobnie jak diuk Windsoru, Andrzej jest fanatykiem golfa. Książę Kentu gra w tenisa. Książę Filip żegluje. Panie z rodziny Windsorów tradycyjnie bardziej interesują się zajęciami w wiejskich plenerach. Krykiet, choć to gra arystokratyczna, nie odpowiada królowej. Jej zdaniem jest zbyt powolny i rządzi się zbyt skomplikowanymi regułami. I chociaż Elżbieta gardzi okrągłą piłką, zmusiła się do odwiedzenia drużyny narodowej i obejrzenia niektórych meczów Pucharu Świata, a także do przyjęcia w pałacu Buckingham gwiazdy futbolu Thierry'ego Henry'ego i jego kolegów z Arsenalu.

Elżbieta II nie jest intelektualistką. W przeciwieństwie do siostry i matki nie interesuje się sztuką, z wyjątkiem fotografii. Jej rozrywki kulturalne są raczej prozaiczne. Raz w roku udaje się do londyńskiego Dominion Theatre z okazji Variety Show Performance. Największe gwiazdy estrady występują tu na cele dobroczynne, takie na przykład jak walka z rakiem. Najwyraźniej źle znosi oklaski, którymi publiczność reaguje na jej pojawienie się w loży królewskiej. Uśmiech, szybki gest dłonią – i siada najszybciej jak to możliwe. Po spektaklu udaje się za kulisy, by z nieruchomą twarzą podać dłoń aktorom z *Goło i wesoło*, spektaklu o życiu bezrobotnych z Sheffield, którzy organizują męski striptiz. Ileż to razy musiała znosić *Land of Hope and Glory* Elgara lub *pas de deux* z *Jeziora Łabędziego*? Nie przepada za operą ani za muzyką klasyczną, chociaż to tradycyjna rozrywka wyższych klas. Woli operetki Gilberta i Sullivana, bo te kompozycje są angielskimi odpowiednikami utworów Offenbacha. Jest kinomanką, wielbicielką amerykańskiej klasyki filmowej, a teatr ją nudzi. Mimo że jest uosobieniem angielskości, sztuki Szekspira są dla niej zbyt długie i ponure. Właścicielka jednej z największych bibliotek na tej planecie czyta wyłącznie oficjalne dokumenty i telegramy Foreign Office. W przeciwieństwie do królowej Wiktorii, która przy łóżku zawsze miała książki Taine'a i historyka Guizota, Elżbieta nie interesuje się literaturą i filozofią. Oprócz P.D. James i Agathy Christie jej ulubionym autorem jest Dick Francis – akcja jego powieści kryminalnych zawsze rozgrywa się w środowisku koniarzy. Czyta tylko wydania w twardych okładkach, nigdy kieszonkowe. Wielkie problemy filozoficzne zupełnie nie interesują tej przyziemnej osobowości, której zasada życiowa jest prosta: nie szukać skomplikowanych wyjaśnień zwykłych spraw.

W malarstwie Elżbieta II – właścicielka jednej z najwspanialszych kolekcji obrazów na świecie (Royal Collection) – jak przyznała to publicznie, najbardziej ceni Holbeina i Rembrandta. Lubi akwarele Thomasa Sandby'ego (1721–1798), znanego z widoków Windsoru i Tamizy. Choć ma słabość do porcelany, nie ma żyłki kolekcjonera. Lubi też impresjonistów, po matce odziedziczyła Moneta. Próżno jednak w Sandringham czy Balmoral szukać Bacona, Hockneya czy Luciana Freuda. Dla Elżbiety sztuka nowoczesna skończyła się w XIX wieku.

*

Kiedy królowa przebywa w Windsorze, nosi stroje sportowe. W nich czuje się najlepiej. Na weekend wybiera ubrania ze szkockich materiałów, nieprzemakalną kurtkę Barboura i obuwie na płaskim obcasie. Do tego dorzuca szal od Hermesa, dyskretną broszkę lub naszyjnik z pereł. Robi lekki makijaż. Na zdjęciach z młodości zawsze jest ubrana klasycznie, wygodnie i raczej po mieszczańsku. Z czasem przejęła jednak kiczowaty styl swojej matki: muślinowe kapelusze z kwiatami i piórami, suknie z bladozielonej organdyny, różowe albo bladoniebieskie. Jej krawcy lubią też kolory ostre – ale nie krzyczące – które podkreślają jej brzoskwiniową cerę i błękit oczu. Królowa docenia te odcienie, zwłaszcza że w czasie wizyt pozwalają tłumom łatwiej ją rozpoznać. Jedyne zabronione kolory to czarny, zarezerwowany dla królewskiej żałoby, i szary, uważany za zbyt chłodny. Jej garderobiana, Angela, wybiera kolory pastelowe na wystąpienia publiczne w ciągu dnia, a żółty lub zielony na wieczór.

Suknie, kostiumy i kapelusze Elżbiety II wciąż fascynują tłumy na całym świecie. Jej garderoba pozostaje w ścisłym związku z różnymi okresami w jej życiu. Bardzo oficjalna – po wojnie i w latach pięćdziesiątych, kiedy obowiązywały jeszcze liczne ograniczenia i wszechwładnie panował konserwatyzm. Bardziej oryginalna, młodsza – w latach popu (sześćdziesiątych i siedemdziesiątych). W latach osiemdziesiątych – powrót do tradycji, w opozycji do stylu glamour, który lubiła jej synowa. I dzisiaj – znowu nieco odważniejsza i swobodna, ale bez ekstrawagancji. „Jej styl to brak stylu. Ta neutralność składa się na jej obraz i siłę. Królowa ubiera się w sposób bardzo przemyślany, zawsze stosownie do okazji i tak, by było jej wygodnie" – podsumowuje Joanna Marschner, kustosz z Historic Royal Palaces i organizatorka wielu wystaw królewskich strojów w pałacu Kensington.

Być albo nie być – modną? To już nie problem królowej. Ona pozostaje wierna jakości w dobrym guście. Jej całoroczne niemodne swetry pochodzą niezmiennie z szacownego domu Pringle of Scotland lub Ballantyne. Są także dodatki: duża torba, rodzinna brosza, trzy sznury pereł i kolczyki. Buty, podobnie jak rękawiczki – robione na miarę. W torbie ma zawsze kilka par rękawiczek na zmianę. Szyje je dla niej Cornelia James. Te drobiazgi – roztropne połączenie własnego gustu z pewną powściągliwością – wydają się mało istotne, ale wszystkie razem dodają strojowi powagi, która budzi respekt. Nie trzeba dodawać, że królowa prawie nigdy nie nosi spodni.

Glamour w połączeniu z królewskim majestatem wygląda efektownie. Jest to pomysł jej pierwszego wielkiego krawca, Normana Hartnella, który projektował suknie wieczorowe królowej aż do śmierci w roku 1979. Pozostawał pod wpływem Diora, ulubionego krawca księżniczki Małgorzaty. Poza suknią koronacyjną, jego najsłynniejszą kreacją jest strój galowy, który królowa miała na sobie 8 kwietnia 1957 roku w Operze Paryskiej, podczas pierwszej oficjalnej wizyty we Francji. Suknia z beżowej satyny, obszyta napoleońskimi pszczołami i stokrotkami – na cześć gospodarzy. „W tej sukni była cudowna, poprawiła nastrój Francuzom przygnębionym wojną w Algierii" – pisał zachwycony „Times".

„Królowa w zasadzie nie interesuje się modą. Zawsze uprzejmie słucha moich rad, lecz woli zwykłe ubrania, bo są wygodne. Przecież nie zrobię z niej wyrafinowanej lalki, jak Givenchy z Audrey Hepburn". Elżbieta wybaczyła tę niedyskrecję drugiemu ze swoich ulubionych projektantów, Hardy'emu Amiesowi. Może dlatego, że głośno wypowiedział jej własne myśli. Właściwie interesują ją tylko kreacje wieczorowe, które z natury pełnią funkcję reprezentacyjną. W nich jest prawdziwą królową. Od śmierci Hardy'ego Amiesa Elżbieta II nie ma stałego krawca. Korzysta z usług młodego pokolenia projektantów, które reprezentują

Stewart Parvin i Karl Rehse. Na przyjęcie z okazji osiemdziesiątych urodzin królowej, które odbyło się w hotelu Ritz w Londynie, Rehse przygotował fioletową suknię wieczorową wyszywaną jedwabiem i maleńkimi kryształkami. „Królowa uwielbia piękne materiały. To one są punktem wyjścia do kreacji, które dla niej szyjemy".

Windsor touch przypomina o kapeluszach, zasadniczym elemencie królewskiego stroju. Zawsze są w kolorze płaszcza. W sprawie nakrycia głowy królowa ufa tylko nadwornym mistrzom krawieckim. Hartnell brał kapelusze od Aage Thaarupa, później od Francuzki Simone Mirman. Amies korzystał z usług Freddiego Foksa i innej Francuzki – Marie O'Regan. John Anderson zaopatrywał się u ulubieńca księżnej Diany Philipa Somerville'a. Kapelusik, nigdy szeroki czy zbyt fantazyjny, musi być zaprojektowany tak, aby nie zakrywał twarzy i w niczym nie krępował królowej.

Królowa nie ogląda wystaw sklepowych. To zadanie garderobianej, Angeli Kelly. Po latach jej oddanej służby panie łączy przyjaźń i pełne zaufanie. Garderobiana ma wyjątkowy przywilej dostępu do królowej kilka razy dziennie. Tylko ona wchodzi do przymierzalni pałacu Buckingham. Mrs Kelly kieruje także pracownią krawiecką. Archiwa królewskiej mody, w których wszystko jest opisane atramentem, sięgają lat dwudziestych, czasów królowej Marii. Ponieważ Elżbieta jest bardzo przywiązana do swoich ubrań, od ćwierćwiecza przechowuje się wszystkie modele i wykroje.

Mówiąc o królowej Wielkiej Brytanii, trzeba też wspomnieć o jej legendarnych już klejnotach. Dyrektor domu aukcyjnego Christie's na Europę, François Curiel, w ciągu trzydziestu pięciu lat pracy prowadził licytacje najsłynniejszych kolekcji najpiękniejszej biżuterii świata. Miał zaszczyt licytować biżuterię księżniczki Małgorzaty: „Która kobieta nie marzyłaby o klejnotach Korony? Królowa Elżbieta II zmieniała ubiory i biżuterię. I zawsze robiła to z wielkim wyczuciem. – Idealnie dobierała niezwykłe ozdoby, w których pojawiała się na uroczystościach państwowych, jak i skromniejsze broszki – na inne okazje. Biżuteria Jej Wysokości zawsze współgra z jej majestatem i symbolizuje świetność rodziny królewskiej". Nikt na świecie nie może rywalizować z tym splendorem.

François Curiel ma tylko jedno marzenie: spędzić cały dzień na oglądaniu unikatowej kolekcji w Jewel House londyńskiego zamku Tower. Ale oprócz władczyni tylko jubiler Korony, David Thomas z firmy Garrard, ma prawo dotykać tych niezwykłych ozdób – w szczególności dziewięciu królewskich koron. Wśród skarbów znajdują się dwa najsłynniejsze diamenty. Legendarny Koh-I-Noor, czyli Góra Światła, o wadze stu pięciu karatów, tkwi w samym środku krzyża maltańskiego zdobiącego Koronę Ognia Królowej Matki. Cullinan – kamień wyjątkowy jeśli chodzi o rozmiary, ofiarowany Edwardowi VII w 1908 roku przez gubernatora Transwalu, został podzielony na dwa diamenty. Cullinan I ozdabia dziś berło Królestwa, a Cullinan II – koronę Imperium. Wspomnijmy też słynny różowy diament Williamson, który ma dwadzieścia trzy karaty i cieszy się sławą najpiękniejszego o tej barwie. Cartier oprawił go w broszę Kwiat, którą królowa miała na ślubie Karola z Dianą w 1981 roku.

Oprócz biżuterii, która stanowi własność narodu, królowa posiada jedną z najpiękniejszych prywatnych kolekcji. Spoczywa ona w kasach pancernych Pałacu. Odziedziczyła te klejnoty po babce i matce, a trzeba jeszcze do nich dodać te, które kupiła na aukcjach bądź dostała w prezencie. Co najmniej szesnaście tiar, w tym osiem diamentowych, dwie szafirowe, dwie perłowe, jedna szmaragdowa i jedna akwamarynowa; ponadto dwieście broszek. Wśród klejnotów znajdują się: diadem Wielkiej Księżnej Imperium – Cambridge Emerald Necklace, szmaragdowy naszyjnik, para broszek z akwamarynami i diamentami od Cartiera, które Elżbieta dostała na osiemnaste urodziny od ojca, Jerzego VI, oraz złota bransoleta Boucherona z diamentami i rubinami – prezent od księcia Filipa. Odwieczna magia diamentów, z której wywodzi się dziedziczna w brytyjskiej rodzinie królewskiej namiętność do tych kamieni, pozostaje symbolem trwałości monarchii. „Diamenty są najlepszymi przyjaciółmi dziewcząt” – śpiewała w filmie *Mężczyźni wolą blondynki* niezapomniana Marilyn Monroe. Tyle że szlachetne kamienie stają się przede wszystkim najlepszymi przyjaciółmi królowych.

*

Rok po roku, dzień po dniu, życie królowej biegnie jak w zegarku. Wakacje Elżbieta II spędza nieodmiennie w swoich wiejskich posiadłościach. Lato – w Balmoral, pośród szkockich wrzosowisk, zimę – w Sandringham, w nizinnym Norfolk. Nigdy nie brała pod uwagę opalania się na plażach Antyli. Jej skóra nie toleruje słońca. Pora herbaty to dla niej punktualnie godzina piąta po południu. Ale ta punktualność nie przeszkodziła jej w nadaniu szlachectwa Mickowi Jaggerowi, który w swoim przeboju *Live with me* miał odwagę śpiewać: „Mam paskudne nawyki, piję herbatę o trzeciej". Rytualnemu napojowi obowiązkowo towarzyszą sandwicze, cake i crumpets, wytwarzane w pałacowych kuchniach. Królowa jednak prawie ich nie tyka.

Kiedy podróżuje za granicę, ma w bagażach elektryczny czajnik do parzenia herbaty, puchowy jasiek, butelki wody Malvern, słoiki z marmoladą pomarańczową i ulubione kruche ciasteczka szkockie. Lubi śniadania w kameralnym gronie „z miłymi ludźmi", by użyć sformułowania jednej z jej przyjaciółek. W czasie pikników i niedzielnych kolacji sama sprząta ze stołu. Goście mogą co najwyżej pogasić świece, bo Jej Wysokość obawia się poparzyć palce.

Królewskie życie w pełnych przeciągów starych pałacach nie jest nazbyt komfortowe. Surowość jej dwóch własnych pałaców silnie kontrastuje z przepychem rezydencji innych wielkich rodzin monarchii. W porównaniu z pałacami arystokratów w Chatsworth czy Blenheim królewski Sandringham rzeczywiście robi wrażenie mieszczańskiego. Dostępne dla publiczności apartamenty na parterze pozwalają zauważyć tę staromodną i skromną stronę osobowości Elżbiety II. W salonie fragmenty układanych puzzli sąsiadują z pożółkłymi numerami „Country Living", miesięcznika poświęconego życiu na wsi, z rodzinnymi fotografiami i trofeami hipicznymi. W jadalni stoi stale nakryty stół. Na serwetach – wizerunki koni ze stadnin Jej Wysokości. Menu sporządza się tu po francusku. Królowa zawsze siada między gośćmi, w połowie stołu. Marnotrawstwo irytuje jedną z najbogatszych kobiet królestwa. W jej pałacach temperatura jest bardzo niska, a światła często wygaszone. Goście proszeni są o zabieranie ze sobą ciepłych swetrów. Personel otrzymuje minimalne wynagrodzenie, ale w zamian za to, zgodnie ze zwyczajem, ma zapewnione mieszkanie, wikt i opierunek. Królowa jest niesłychanie praktyczna. Gdy w 1977 roku w związku z jubileuszem dwudziestopięciolecia jej panowania ministrowie zapytali ją, jaki prezent chciałaby dostać od narodu, odparła: „Ekspres do kawy".

*

Podczas podróży Elżbieta ma wymagania. Przed wizytą w Afryce Południowej w 1999 roku do dwóch hoteli, w których miała się zatrzymać, Pałac wysłał listę zaleceń: unikać goździków, przypraw, telewizora w pokoju, piernatów. Prześcieradła muszą być bawełniane. Królowa uwielbia białe róże. Jej jedyną prawdziwą fobią jest palenie tytoniu – jej ojciec, zagorzały palacz, zmarł na raka płuc. Jej kufry (podczas wizyty we Francji w 1992 roku było ich sto czterdzieści siedem) zawierają osiem kompletów ubiorów dziennych i cztery kreacje wieczorowe z etykietami w kolorze żółtym, zarezerwowanym dla królowej i… papieża.

Monarchini nie jest kobietą próżną, rzadko spogląda w lustro. Od niepamiętnych czasów ma tę samą, niemodną, przesadnie usztywnioną fryzurę, nazywaną „przyklejonym hełmem". Styl od dziesięcioleci nie uległ zmianie dlatego, że jest praktyczny, a nie z powodu jej konserwatyzmu. Loki pozwalają utrzymać koronę czy diadem. Podobnie jak Angielki z jej pokolenia nigdy nie farbuje siwych włosów. Jej kokieteria ogranicza się do częstego malowania ust.

Charakterystyczna dla Elżbiety II jest siła fizyczna i wytrwałość. Podczas przyjęć może stać kilka godzin. Jest „zwierzęciem zimnokrwistym", które się nie poci. Stosuje leki homeopatyczne, dłużej chorowała tylko na zapalenie zatok. Kłopoty z kolanami i plecami zmusiły ją ostatnio do ograniczenia liczby zajęć. Jej dobre zdrowie fizyczne sprawia, że nie jest szczególnie wrażliwa na problemy zdrowotne innych. Ignoruje katary i nigdy nie rozmawia o dolegliwościach. Podczas wizyt w szpitalach, których nie znosi, nigdy nie siada na łóżku chorego. Z obawy przed zatruciem pokarmowym nie jada owoców morza ani dań zbyt ostrych czy egzotycznych. Urodzona przed wojną, Elżbieta II jest pruderyjna, podobnie jak jej szkocka matka i zapewne babka. Jerzy V i Jerzy VI też raczej byli sztywniakami. Królowej nigdy nie sfotografowano w kostiumie kąpielowym. W życiu miała tylko jednego mężczyznę – Filipa, którego zawsze nazywa po imieniu, nigdy nie mówi do niego „kochanie". Publicznie nie okazuje mu czułości, nie trzyma za rękę ani pod ramię. Podobno to matka przekazała jej niechęć do rozwiązłego świata, w którym żył stryj – Edward VIII. Na dworze długo nie dopuszczano rozwodów; to szczyt hipokryzji, kiedy wie się o aferach miłosnych siostry królowej, księżniczki Małgorzaty, oraz jej własnych dzieci. Trzeba było serii skandali w latach dziewięćdziesiątych, a zwłaszcza śmierci księżnej Diany, by Elżbieta pogodziła się z obyczajowością XX wieku i nieco stonowała swoją zasadniczość. W ostatnich latach brała udział w wieczorach kostiumowych organizowanych regularnie pod koniec lata przez personel Balmoral, ale sama nigdy się nie przebierała. Nikt też w jej obecności nie odważył się przebrać za królową.

W roku 1980 podczas oficjalnej wizyty w Belgii królowa udała się do teatru de la Monnaie na *Bolero* Ravela w reżyserii Maurice'a Béjarta. „To raczej niestosowne" – powiedziała swemu ambasadorowi, komentując wyraźnie homoerotyczny charakter baletu. W pałacu Buckingham zawsze byli służący, którzy nie kryli się z tym, że są gejami. Jeżeli dobrze wywiązywali się z obowiązków i zachowywali dyskrecję poza miejscem pracy, królowej to nie przeszkadzało. Ale gdy w roku 1984 szef królewskiej ochrony został przyłapany w pałacu Buckingham w łóżku z męską prostytutką, musiał podać się do dymisji. Królowa bardzo przeżyła odejście swojego ulubionego policjanta, ale uznała, że jego życie prywatne może go uczynić podatnym na ewentualny szantaż. Jak długo przemiany obyczajowe nie ranią jej uczuć religijnych, tak długo je akceptuje. Nie do tego jednak stopnia, by godzić się na cywilne śluby homoseksualistów.

Królowa, która w 1955 roku pod naciskiem konserwatywnego rządu sprzeciwiła się małżeństwu siostry z rozwodnikiem, dzisiaj nie ma nic przeciwko temu, by William sprowadzał swoje dziewczyny do Clarence House. Uwielbia swoją wnuczkę Zarę Phillips, córkę księżniczki Anny, która jest entuzjastką piercingu, żyje z dżokejem, a nawet pozowała w piśmie „Hello". Nie zawsze podoba się jej to, czym jest dziś królestwo, i nie zawsze dobrze się czuje we współczesnej Anglii, ale cóż – godzi się na te zmiany. Bo czy ma inne wyjście?

Królowa śmieje się trochę po męsku. Nie znosi humoru złośliwego ani czarnego, ani też pikatnego. Zresztą życie często przerasta fikcję dowcipów. Elżbieta II czasami musi stawiać czoła sytuacjom, których nie wymyśliłby żaden scenarzysta. Kiedyś klientka sklepu w Sandringham zwróciła się do niej z uprzejmą uwagą:

– Przepraszam, ale jest pani tak podobna do królowej.

– To raczej pocieszające – odrzekła.

Podczas rodzinnej kolacji o mało nie upadła, bo majordomus zbyt szybko odsunął jej fotel. Uznała ten incydent za bardzo zabawny i starała się jeszcze pocieszyć roztrzęsionego podwładnego.

Pewnemu dworzaninowi, trzymającemu w ręku dwa kieliszki z winem, rzuciła:

– Audytorium nie jest przecież aż tak nudne!

Ambasadorowi, który pozwolił sobie na stwierdzenie, że spotkanie z tak wieloma obcymi osobami musi być męczące, odpowiedziała wesoło:

– To nie jest aż tak trudne, jak mogłoby się wydawać. Przecież nie muszę się każdemu przedstawiać. Wiedzą, kim jestem.

II
Wychowanie królowej

Załóżmy, że Elżbieta nie została królową, i nakreślmy jej historię odpowiadającą tej hipotetycznej sytuacji. Jako ciotka panującego byłaby mniej ważnym członkiem rodziny królewskiej. Do pałacu Buckingham byłaby zapraszana tylko na niektóre przyjęcia. Jej zadania polegałyby na inaugurowaniu święta chryzantem i reprezentowaniu głowy państwa – swego siostrzeńca lub siostrzenicy – przy mniej ważnych okazjach. Nie korzystałaby ze środków publicznych, a Pałac pokrywałby tylko jej wydatki reprezentacyjne. Życie księżniczki Elżbiety upływałoby w pałacu Kensington – miałaby tam do dyspozycji duży apartament służbowy – i w pałacu Sandringham. Jej głównym zajęciem byłaby gra w brydża, obiady z przyjaciółmi i działalność charytatywna. Wakacje spędzałaby z wnukami w swojej szkockiej rezydencji Balmoral, a do dyspozycji miałaby tylko sekretarkę i szofera.

Los zdecydował inaczej. Elżbieta jest królową Wielkiej Brytanii – dzisiaj to takie oczywiste. Ale do 1936 roku była tylko bratanicą tego, który miał potem zostać Edwardem VIII. Jedenastoletnia księżniczka przez przypadek stała się następczynią tronu, a w dwudziestym szóstym roku życia nagle, po przedwczesnej śmierci swego ojca Jerzego VI, włożyła królewską koronę. Nic nie zapowiadało takiego obrotu spraw, nie była więc do tego zadania odpowiednio przygotowana.

Elżbieta Aleksandra Maria Windsor urodziła się 21 kwietnia 1926 roku w Londynie, w domu babki ze strony matki przy Bruton Street 17, w eleganckiej dzielnicy Mayfair. Zgodnie z tradycją od czasu „spisku wanienkowego" z 1688 roku, który polegał na zamianie niemowląt, przy narodzinach Elżbiety asystował minister spraw wewnętrznych, podobnie jak w przypadku wszystkich potencjalnych następców tronu. Ostrożności nigdy za wiele.

Jakiś dziennik napisał wtedy, że Elżbieta przyszła na świat pod znakiem Byka, a więc będzie dobrze zorganizowana, zmysłowa i uparta. Wtedy nic jeszcze nie zapowiadało, że to ważące trzy kilogramy i sześćset gramów dziecko, urodzone przez cesarskie cięcie, wstąpi na angielski tron. Lilibet, jak ją czule nazywali rodzice, była przecież tylko pierwszym dzieckiem księcia i księżnej Yorku. Książę był drugim synem króla Jerzego V, którego naturalnym następcą 20 stycznia 1936 roku miał zostać książę Walii – Edward. Elżbieta była dopiero trzecia w kolejności do tronu, po stryju i ojcu. I to tylko wtedy, gdyby król nie miał dzieci, a ona brata.

Jej matka, Elżbieta Angela Małgorzata Bowes-Lyon, czwarta córka XIV hrabiego Strathmore, mało ważnego szkockiego arystokraty, była przedostatnim z dziesięciorga dzieci bardzo zżytej rodziny. Młodość miała typową dla dziewczynki z jej sfery w czasach przed pierwszą wojną światową: nauczyciele, guwernantki, lekcje muzyki, historii, postawy i francuskiego. W czasie pierwszej wojny rodzinny pałac Glamis jej rodzice przeznaczyli na szpital dla ciężko rannych w bitwie o Flandrię. Po wojnie bardzo ładna Elżbieta Angela została debiutantką „Swinging London" lat dwudziestych. Na jednym z balów spotkała Alberta, księcia Yorku, drugiego syna króla Jerzego V, którego poślubiła w roku 1923. Wahała się z dwóch powodów. Młody człowiek, zwany w rodzinie Bertie, był wtedy tylko zwykłym oficerem marynarki. Delikatnej budowy, krzywonogi, jąkał się, był chorobliwie nieśmiały i znany z napadów złości. Wyrastał w cieniu starszego brata, księcia Walii, ulubieńca Brytyjczyków, w którym Elżbieta Angela kochała się tak jak wszystkie panny z wyższych sfer w tamtym czasie. Może to ta niespełniona miłość była później przyczyną aż tak wielkiej zawziętości skierowanej przeciwko parze Edward – Wallis Simpson? „Brytyjka do szpiku kości" – napisze „Times" przy okazji ślubu Elżbiety, nie wspominając o jej holenderskich koligacjach. Był to pierwszy związek rodziny królewskiej ze szlachtą brytyjską. Nowa księżna Yorku natychmiast narzuciła swoją ciepłą osobowość dworowi, łagodząc rygoryzm Jerzego V. Drugie po przyszłej Elżbiecie II dziecko – księżniczka Małgorzata Róża, urodziła się 21 sierpnia 1930 roku. Kolejna córka, a nie syn, który przejąłby pierwszeństwo w kolejce do tronu. Elżbieta miała szczęście.

Sielskie dzieciństwo przyszłej królowej upływało w Londynie, Windsorze i w Szkocji. Była wesołą dziewczynką. W czasie jednej z wizyt arcybiskupa Canterbury w Buckingham Lilibet dosiadła swego dziadka, Jerzego V, i zmusiła go do chodzenia na czworakach po dywanie. Ciągnęła go za brodę i czochrała włosy, wołając: „Dziadunio Anglia". Król często się z nią bawił, choć nigdy tego nie robił z własnymi dziećmi. Wychowywał je z arystokratycznym dystansem i wielką surowością. Jerzy V nie znosił księcia Walii, swego syna i następcy, kawalera cały czas uganiającego się za spódniczkami. Zwierzył się kiedyś ze swoich obaw jednemu z dworzan: „Modlę się do Boga, żeby mój starszy syn nigdy się nie ożenił i nie miał dzieci, i żeby nic nie stanęło pomiędzy tronem a Bertiem i Lilibet". Ta ostatnia była również ulubienicą babki, królowej Marii, która wpajała jej podstawowe wartości monarchii: powagę, dobre maniery i cierpliwość.

– Ona ma osobowość! I wie, co to autorytet – orzekł Winston Churchill, w tamtym czasie minister finansów, po spotkaniu w 1928 roku. To wzorowe, posłuszne dziecko wydawało się jednak nieco zbyt pewne siebie w porównaniu z siostrą Małgorzatą i towarzyszami zabaw. Elżbieta miała nianię, a od roku 1930 guwernantkę, Marion Crawford. Metody wychowawcze tej szkockiej nauczycielki, kobiety silnej ręki, nie pozostawiały księżniczkom miejsca na spontaniczność czy ekstrawagancję. Elżbieta, w przeciwieństwie do Małgorzaty, te zasady przyjęła na całe życie. Druga niania, Margaret MacDonald, która później została jej guwernantką, a następnie pokojówką, również odegrała ważną rolę w wychowaniu Lilibet.

We wspomnieniowej książce *Dwie księżniczki* Mrs Crawford kreśli portret nad wiek rozwiniętej księżniczki, która była tak grzeczna, że zbyteczne były jakiekolwiek upomnienia czy reprymendy. Ta nieautoryzowana hagiografia, napisana głównie z powodów finansowych, wywołała swego czasu nie lada skandal, gdyż ujawniała szczegóły z prywatnego życia rodziny królewskiej. Według niej Małgorzata odznaczała się fantazją, a Elżbieta powagą, starannością i pedantyczną wręcz dokładnością. Podobno dziewczynka wstawała w nocy, by sprawdzić, czy jej ubrania na następny dzień są odpowiednio ułożone, a buty ustawione równo. Jak pisze miss Crawford, Elżbieta także kawowe cukierki, które dostawała po śniadaniu, układała według wielkości. Zawsze zachowywała papier, w który zapakowane były jej prezenty. Oszczędność od najmłodszych lat była cnotą angielskiej księżniczki. Była jednak nieśmiała i bardzo peszyli ją obcy. Na jej korzyść świadczyć miało to, że żyła pod szklanym kloszem. Podczas spacerów ani na placu w Hamilton Gardens nie wolno jej było się bawić z innymi dziećmi – w klasy, w chowanego czy ze skakanką. „Małgorzata wprawia mnie w dobry humor, z Elżbiety jestem dumny". Ta uwaga ojca zdaje się dobrze oddawać różnicę temperamentów jego córek. Młodsza była jego ulubienicą. Starsza – poważna, pilna i spokojna – wprawiała go w zakłopotanie. „Jest dziwna" – stwierdził któregoś dnia. W każdym razie to, że Elżbieta lubiła porządek i rutynę, bardzo się przydało przy wypełnianiu zadań, które miały ją czekać.

Po śmierci króla Jerzego V w styczniu 1936 roku na tron wstępuje Edward VIII. Dziesiątego grudnia, po trzystu dwudziestu pięciu dniach panowania, król abdykuje, by móc poślubić Wallis Simpson, dwukrotnie rozwiedzioną Amerykankę, i emigruje do Francji z tytułem diuka Windsoru. Mała dziewczynka, Elżbieta, jest teraz następczynią tronu. Dwunastego maja 1937 roku jej ojciec zostaje koronowany jako Jerzy VI. Jego żona jest pierwszą od czterech wieków małżonką monarchy, która ma brytyjskie pochodzenie. Po trzech panujących w jednym roku – Jerzym V, Edwardzie VIII i Jerzym VI – królestwo potrzebuje spokoju i stabilizacji.

Życie Elżbiety odmienia się w ciągu jednego dnia. W wieku jedenastu lat jest już prawną spadkobierczynią i sukcesorką angielskiej korony. Od tej pory codziennie rano musi składać rodzicom ceremonialny ukłon. Rodzina królewska przenosi się do pałacu Buckingham, tracąc przytulność rodzinnego domu na rzecz lodowatego, liczącego sześćset pomieszczeń pałacu, który jest jednocześnie rezydencją i ośrodkiem władzy największego imperium wszech czasów. Elżbieta przestaje być małą Lilibet. Choć do przyjaciółek dalej mówi po imieniu, one muszą się teraz do niej zwracać „Ma'am" i składać ukłon. Opinia publiczna odkrywa dziewczynę, która bardzo się stara wejść w rolę przyszłej królowej. Poddanym to się podoba. Na Oxford Street pojawiają się pierwsze wyroby porcelanowe z jej podobizną. Salom szpitalnym nadawane jest jej imię, jej woskowa postać na kucyku staje w muzeum figur Madame Tussaud, a fotografia trafia nawet na okładkę amerykańskiego tygodnika „Time".

To pierwsze sygnały przyszłej elżbietomanii. Sympatia, którą cieszy się młoda księżniczka, pomaga poddanym zaakceptować nowego króla Jerzego VI, który nie jest tak lubiany jak Edward VIII.

„Trening to klucz do wielu rzeczy. Można odnieść sukces, jeżeli jest się dobrze przygotowanym". To opinia królowej, którą w roku 1992 usłyszał Edward Mirzoeff z BBC, kiedy realizował film *Elizabeth R* z okazji czterdziestej rocznicy jej panowania. W przeciwieństwie do swoich dzieci Elżbieta nigdy nie uczęszczała do szkół. Ma dosyć powierzchowne wykształcenie. Mrs Crawford uczyła ją języka angielskiego i historii. Ta pełna dobrej woli młoda kobieta była jednak tylko nauczycielką ze szkoły podstawowej. To trochę za mało, by ukształtować kilkunastoletnią uczennicę, przyszłą królową. Elżbieta uczyła się tylko siedem i pół godziny w tygodniu. Inna nauczycielka, Mrs Mautondon-Smith, pomagała jej opanować podstawy francuskiego. To wystarczyło trzynastoletniej księżniczce, by z okazji wizyty w Londynie prezydenta Lebruna – w 1939 roku – wygłosić pierwsze oficjalne przemówienie po francusku. Rok wcześniej jej matka pod naciskiem królowej Marii, zaniepokojonej brakami w edukacji Elżbiety, dodała do programu nauczania dwie lekcje historii konstytucyjnej w tygodniu. Udzielał ich Henry Marten, zastępca dyrektora gimnazjum w Eton. Ten niewątpliwy erudyta sprawił, że uczennica podzieliła jego podziw dla królowej

Wiktorii i wielkich odkrywców z czasów imperium. Program objął również jedną lekcję tańca w tygodniu. Elżbieta uczyła się także jazdy konnej – sportu, który później stał się jej największą pasją. Był to bardzo prosty program nauczania. Tak edukowano dziewczynki w XIX wieku.

– Nie miała być królową. Jej rodzice uważali, że staranne wykształcenie nie jest potrzebne małej arystokratce, bratanicy przyszłego króla, której przeznaczeniem miało być dobre małżeństwo i posiadanie dzieci. Wszystko odmieniła abdykacja Edwarda VIII – wyjaśnia Michael Rose, dziennikarz i biograf Jerzego V.

Życie rodzinne prowadzą spokojne, wyważone, trochę sztywne z powodu rygorystycznego protokołu. Windsorowie są domatorami. „Nasza rodzina, nas czworo" – mówi król. Po ekstrawagancjach krótkiego, lecz niezapomnianego panowania Edwarda następuje powrót do modelu rodzinnego w stylu Jerzego V, który Brytyjczycy popierają. Rozrywki sprowadzają się do gry w szarady i w karty, do przedstawień i śpiewów. Do tej tradycji królowa jest zresztą przywiązana do dziś. Żeby królewskie dzieci miały towarzystwo, powstaje grupa złożona z dzieci personelu. Jerzy V jest człowiekiem z natury dobrotliwym, lecz udręczonym ciężarem, którego ani przez chwilę nie pragnął. Dwór jest, tak jak on, ponury i nudny. To jednak daje podwładnym poczucie stabilizacji w czasie, gdy nad Starym Kontynentem zbierają się czarne chmury.

Rok 1940 – wojna. Król Jerzy VI i królowa Elżbieta zachowują się bez zarzutu. Nie zważając na niebezpieczeństwo, bez wytchnienia odwiedzają dzielnice bombardowane przez Niemców, by podnieść morale i zmobilizować swój lud.

W imię obywatelskiej odpowiedzialności król zaznacza na królewskich wannach poziom, którego ciepła woda nie może przekroczyć. Królowa codziennie rano uczy się strzelać z rewolweru, by, jak mówi, bronić Korony. De Gaulle pisze w pamiętnikach o duchu poświęcenia, jaki panował wśród Windsorów: „Było to naprawdę godne podziwu. Każdy Anglik zachowywał się tak, jak gdyby od jego postępowania zależało ocalenie kraju".

Gdy ósmego września pałac Buckingham zostaje poważnie uszkodzony, królowa wydaje słynny już komunikat: „Jestem zadowolona, że zostaliśmy zbombardowani. Będę mogła spojrzeć w oczy ludziom z East Endu". W najgorszych godzinach bitwy o Anglię odrzuca propozycję Churchilla, by ewakuować dzieci do Kanady, gdzie już przebywają rodziny królewskie z Norwegii i Danii. „Dzieci nie mogą wyjechać beze mnie, a ja nie mogę opuścić króla. Król nigdy nie opuści kraju".

Obie księżniczki, czternasto- i dwunastoletnia, pozostaną więc w Windsorze, na zachód od Londynu, bo pałac Buckingham uznano za zbyt niebezpieczny. Dziewczynki zawsze uwielbiały Windsor, spędzały tam wszystkie weekendy. W Buckingham nigdy nie czuły się dobrze. Nie potrzebują nici Ariadny, by się nie zgubić w labiryncie pokoi, które znają na pamięć. Główna siedziba władców jest największym i najstarszym zamkiem królestwa, wybudowanym z inicjatywy Wilhelma Zdobywcy na jedynym wzgórzu nad Tamizą. Ta olbrzymia szara forteca wznosi się w samym centrum królewskiego hrabstwa Berkshire, gdzie znajduje się wiele miejsc, których nazwy na trwałe zapisały się w historii: Windsor Great Park, kiedyś teren polowań średniowiecznych rycerzy saksońskich, hipodrom w Ascot, słynne z regat Henley i prywatne gimnazjum w Eton. W tym zaskakującym i wzruszającym zamku umieścili swoich bohaterów Chaucer i Szekspir. Tutaj w 1861 roku zmarł książę Albert, ukochany mąż królowej Wiktorii. Ale Windsor to przede wszystkim nazwisko dynastii. Jerzy V przyjął je w roku 1917, aby ludność mogła zapomnieć o jego niemieckich korzeniach. Przypomina o tym pomnik przy wjeździe do miasteczka: „Jerzemu V, pierwszemu królowi domu Windsorów". To w tym zamku Edward VIII ogłosił narodowi abdykację z powodu kobiety, którą kochał. Tego samego dnia Elżbieta została następczynią tronu.

W czasie wojny życie w zamku nie jest łatwe i spokojne. Pokoje, w których księżniczki mieszkają z nianiami, znajdują się w nieogrzewanej wieży Brunswick w najsolidniejszym skrzydle pałacu. Bagaże są cały czas gotowe do ewakuacji w kierunku Liverpoolu i Kanady. Klejnoty Korony, owinięte w gazety, leżą w kufrach podróżnych. Najważniejsze dokumenty ułożono na posadzce kaplicy Świętego Jerzego. Wyjęte z ram obrazy mają być ukryte. W wyniku częstych alarmów wiele nocy spędza się w schronach. Na swój sposób Elżbieta bierze udział w wojnie. Trzynastego października 1940 roku pokazuje się w programie *Children's Hour* [Godzina dzieci] i, aby podnieść morale ludności, mówi: „Wszyscy wiemy, że to się dobrze skończy". Pomimo niemieckich nalotów rodzina królewska chce dowieść, że życie toczy się dalej. Następczyni tronu, dziewczyna o smukłej sylwetce, wygląda uroczo w prostej, białej wełnianej sukience z woalką z tiulu.

Księżniczki nie żyją w odosobnieniu.

– Otaczali je mili ludzie… Nastrój wcale nie był ani grobowy, ani melancholijny – twierdzi Antoinette de Bellaigue, Francuzka belgijskiego pochodzenia, która była guwernantką księżniczek w latach 1942–1948 i uczyła je francuskiego oraz historii Europy. – Elżbieta instynktownie robiła to, co należy. Była bardzo naturalna, a jej charakter był mieszaniną niezachwianego poczucia obowiązku i naturalnej radości życia. – Pani Bellaigue pozostała bliską przyjaciółką królowej i księżniczki Małgorzaty aż do śmierci w 1996 roku.

W roku 1944 osiemnastoletnia Elżbieta zostaje jednym z czterystu członków Tajnej Rady. Nie jest to, jak we Francji, duża instytucja państwowa, lecz nieformalne zgromadzenie dawnych polityków, których zadaniem jest wspieranie dworu. Podczas gdy jej ojciec wizytuje brytyjskie wojsko we Włoszech, na nią spada obowiązek podpisania warunkowego zawieszenia wykonania kary jakiemuś przestępcy. Jest to nie lada egzamin dla młodej, wrażliwej dziewczyny, która do tej pory żyła w cieplarnianych warunkach. „Jak mogło do czegoś takiego dojść? Co było przyczyną? Na pewno takim ludziom można pomóc. Muszę się jeszcze tyle dowiedzieć o naturze ludzkiej". Trudna nauka zawodu królowej dopiero się zaczyna. Elżbieta coraz częściej pojawia się publicznie w mundurze grenadiera straży lub w ambulansie, odbywając jednocześnie lekcje jazdy samochodem w obozie wojskowym w Aldershot. Kilkakrotnie zwraca się przez radio do przyszłych podwładnych.

Z końcem roku 1944, w wieku dziewiętnastu lat, Elżbieta Aleksandra Maria Windsor, z numerem rejestracyjnym 230873, wstępuje do armii rezerwowej jako kierowca ciężarówki. „Podczas wczorajszej kolacji mówiła tylko o świecach zapłonowych" – tak królowa opowiada o zapale córki do naprawy samochodów. To jedyny okres w życiu Elżbiety, w którym miała do czynienia ze smarem.

Ósmego maja 1945 roku kończy się wojna w Europie. Szalejący z radości tłum osiem razy wywołuje na balkon pałacu Buckingham parę królewską z córkami, którym towarzyszy premier Winston Churchill. Zniszczona podczas bombardowań fasada została już wyremontowana, ale okna nadal są zabezpieczone. Król pozwala córkom uczestniczyć w świętowaniu razem z przyjaciółmi, pod opieką wuja Davida Bowes-Lyon i Antoinette de Bellaigue. Nie rozpoznaje ich nikt oprócz holenderskiego żołnierza, który dołącza do wesołej grupy, a potem opowiada, że „to był wielki zaszczyt". Elżbieta mówi matce, która sama przygotowała kolację: „To pamiętny wieczór w moim życiu". Pierwszy i ostatni raz przez kilka godzin prowadziła normalne życie w tłumie, bez obstawy czy damy dworu.

Po nastaniu pokoju Elżbieta towarzyszy rodzicom w podróżach na prowincję i do państw Wspólnoty Brytyjskiej. Dwudziestego pierwszego kwietnia 1947 roku z okazji dwudziestych pierwszych urodzin wygłasza w Afryce Południowej pamiętne przemówienie, transmitowane na cały świat, w którym obiecuje poświęcić życie obowiązkowi. Temu przyrzeczeniu na zawsze pozostanie wierna.

Dziesiątego lipca 1947 roku następczyni tronu zaręcza się oficjalnie z porucznikiem Filipem Mountbattenem, instruktorem w Royal Navy. Ta wiadomość nie jest dla nikogo zaskoczeniem. Opinia publiczna od dawna śledziła idyllę za pośrednictwem prasy. Kronika filmowa pokazała tę parę na ślubie stryjecznej siostry Filipa. Po raz pierwszy Elżbieta spotkała księcia, czarującego blondyna, 22 lipca 1939 roku, gdy jeszcze studiował w szkole morskiej w Dartmouth. Elżbieta była tam z rodzicami na przeglądzie kadetów. Komendant poprosił wtedy księcia, kuzyna trzeciego stopnia księżniczek, żeby się nimi zajął. Ona miała trzynaście lat, on osiemnaście. W sali zabaw grali w krykieta, a potem bawili się kolejką elektryczną. „Czułam, że się trochę puszy jak paw, ale muszę przyznać, że na dziewczynkach zrobił duże wrażenie" – wspomina guwernantka Marion Crawford. Elżbieta zakochała się po uszy w młodym wysportowanym oficerze o niemal białych włosach.

Taka jest wersja oficjalna. Siedem tygodni później wybuch wojny zastaje Filipa w Grecji. Bierze czynny udział w walkach drugiej wojny światowej. Najpierw, w 1941 roku, wyróżnia się w bitwie koło Matapan, na Morzu Śródziemnym, u wybrzeży Peloponezu. W wyniku bitwy ulega zniszczeniu włoska flota, a oficer HMS Vaillant zostaje zgłoszony do odznaczenia. Następnie na pokładzie niszczyciela młody porucznik poluje na łodzie podwodne wroga, by w 1943 roku wylądować na Sycylii. Będąc na przepustce, spędza Boże Narodzenie w Windsorze, z rodziną królewską. Żywo oklaskuje budzące popłoch pantomimy w wykonaniu obu księżniczek. Elżbieta i Filip zaczynają do siebie pisać. Idylla miała się rozpocząć w lecie 1944 roku w Balmoral. Została jednak przerwana, gdy jego jednostkę HSM Whelp wysłano na Bliski Wschód, by dołączyła do eskadry dowodzonej przez wuja Mountbattena.

Dwa lata później młody kapitan fregaty oświadcza się Elżbiecie na romantycznym szkockim wzgórzu. Ona się godzi, nie pytając o zdanie króla. To pierwszy i ostatni akt rebelii Elżbiety przeciwko rodzicom, którzy jednak poddają się woli starszej córki. Aby poślubić przyszłą królową Anglii oraz Imperium, narzeczony rezygnuje z greckiego obywatelstwa i z tytułów. Filip przyjmuje nazwisko Mountbatten i przechodzi na anglikanizm.

Wiadomość o ślubie spotyka się w kraju z dobrym przyjęciem. Tylko lewe skrzydło partii pracy, która akurat jest u władzy, krytykuje związki Filipa z grecką rodziną królewską, walczącą z komunistami dowodzonymi przez generała Markosa. Ale nawet w oczach najzagorzalszych antyfaszystów nienaganna służba Filipa w Royal Navy podczas wojny, w połączeniu z aurą, jaka otacza jego stryja, bohatera z Birmy i Indii, powodują, że współpraca części niemieckiej rodziny Filipa z nazistami idzie w zapomnienie.

W związku z obowiązującymi oszczędnościami 20 listopada 1947 roku na ślub księżniczki Elżbiety w Opactwie Westminsterskim zaproszeni zostają tylko szefowie państw spokrewnieni z jednym z małżonków. Francję reprezentuje słynny ambasador w Londynie René Massigli, były komisarz spraw zagranicznych wolnej Francji. W czasie gdy ludność Wielkiej Brytanii dotykają różne ograniczenia, ślub królewski pozwala o tym zapomnieć.

Wiele Angielek wysyła własne kartki odzieżowe z przeznaczeniem na suknię dla panny młodej. Zostaną one zresztą zwrócone nadawczyniom z podziękowaniami. Rząd przyznał pannie młodej setkę takich cennych kartek, by mogła skompletować wyprawę ślubną. Suknia, dzieło krawca królowej Normana Hartnella, jest z grubej satyny w kolorze kości słoniowej. To szczyt rozpusty w czasie, kiedy wszystkiego brakuje. Podobnie jak tren, jest wyszywana perłami i kryształami. Wzory są inspirowane *Wiosną* Botticellego. Podwójna woalka z lekkiego tiulu, która zgodnie z królewską tradycją nie może zakrywać twarzy, pozostaje na swoim miejscu dzięki tiarze z pereł i diamentów. Na lewym nadgarstku Elżbieta ma niebieską wstążkę Orderu Podwiązki, którego damą została dziesięć dni wcześniej. Dołączyła do trzech kobiet, które już wcześniej przyjęto w poczet członków tego prestiżowego zgromadzenia: swojej matki, babki i królowej holenderskiej Wilhelminy. W towarzystwie kuzyna i przyjaciela, markiza Milforda Havena, Filip w galowym mundurze Royal Navy czeka u stóp ołtarza na narzeczoną, która wchodzi do kościoła prowadzona przez ojca. Filip i Elżbieta klękają na poduszkach dokładnie w tym miejscu, w którym w roku 1066 odbyła się koronacja Wilhelma Zdobywcy. Po rytualnych pytaniach, które zadaje młodym arcybiskup Canterbury, Filip wkłada na palec Elżbiety obrączkę ze szkockiego złota. Jako żona oraz wierna Kościoła anglikańskiego obiecuje być posłuszna mężowi. To tradycja, z której trzydzieści cztery lata później wyłamie się Diana. Kobieta składa przysięgę mężowi, który jednak musi ustępować królowej.

Twarz panny młodej jest poważna, ale Elżbieta nie ma wątpliwości, że dokonała właściwego wyboru. No i pierwszy raz w życiu jest po prostu zakochana. Z tymi, którzy sądzą, że chodziło o małżeństwo z rozsądku, mogę się podzielić opinią przypisywaną Filipowi, zgodnie z którą jego małżonka miała ognisty temperament.

Po przyjęciu weselnym młoda para wyjeżdża, by miodowy miesiąc spędzić w Broadlands, posiadłości Mountbattenów, z Susan, ulubionym corgi księżniczki, i dwoma termoforami. Zima 1947 roku była jedną z najcięższych zim stulecia, a arystokraci nie są geniuszami w sprawach ogrzewania. Pod pałacowym ogrodzeniem tłoczą się jednak ciekawscy i dziennikarze z całego świata i młoda para jest zmuszona wynieść się z Hampshire do szkockiego Balmoral. Chroniona do tej pory Elżbieta po raz pierwszy doświadcza wtargnięcia ludzi i mediów w jej życie prywatne.

Prezenty ślubne, których jest w sumie dwa tysiące pięćset osiemdziesiąt trzy, zajmują cztery salony pałacu Saint James. Rząd francuski ofiarował serwis z Sévres, generał de Gaulle osobiście przesłał kwiaty. Mahatma Gandhi wysłał przepaskę z własnoręcznie tkanego materiału. Panna Betty While, młoda studentka z kanadyjskiego Winnipeg, wpadła na pomysł, aby wysłać nylonowe pończochy, które były wtedy w Anglii wielkim luksusem. Ten gest sprawił, że zaproszono ją na uroczystość. Do Opactwa Westminsterskiego nie został jednak zaproszony stryj, były król Edward VIII, teraz diuk Windsoru. Pytany w Nowym Jorku, czy wysłał bratanicy życzenia szczęścia, były monarcha odpowiedział: „Uważamy, że jest to wyłącznie sprawa rodzinna".

Młoda para wprowadza się do Clarence House, naprzeciwko pałacu Saint James. Trzy miesiące po ślubie Elżbieta spodziewa się Karola. Powściągliwi królewscy lekarze nie mówią, że jest w ciąży, lecz że „leży w łóżku".

Jest jedna trudność – młodzi małżonkowie nie mają pieniędzy. Ogromny majątek Windsorów jest własnością rodziców Elżbiety. A Filip ma niewielką pensję oficera marynarki. Jerzy VI zgadza się na zaspokajanie potrzeb młodej pary. Najbogatszy człowiek w Anglii, a może i na świecie, oświadcza jednak, że oszczędności nie pozwolą mu robić tego wiecznie. Szczodrość Jego Królewskiej Mości ma granice. Na szczęście 19 grudnia 1947 roku Izba Gmin przyznaje dotację państwową na rzecz księżniczki i jej męża.

Dzień przed ślubem król nadaje Filipowi tytuł księcia Edynburga, dzięki czemu staje się on królewską wysokością, hrabią Merioneth, baronem Greenwich.

Porucznik Filip Mountbatten od razu dostępuje zaszczytów, które królowa Wiktoria przyznała księciu Albertowi dopiero po siedemnastu latach ich pożycia. Filip kontynuuje karierę marynarza na Malcie, gdzie dołącza do niego księżniczka. To niewątpliwie najszczęśliwszy okres w jej życiu. W tym czasie przyszła królowa bawi się w zwykłą żonę marynarza. Ze wzruszeniem będzie później wspominać czas spędzony na wyspie w towarzystwie innych żon, zwłaszcza pierwszą wizytę u fryzjerki.

Ten związek jest dosyć paradoksalny. Filip należy do greckiej rodziny królewskiej, pochodzi z królewskiego rodu. Pochodzenie Elżbiety, przyszłej królowej, jest tylko w połowie królewskie. Tylko jej ojciec jest spokrewniony z wielkimi monarchiami europejskimi, matka jest szkocką arystokratką. Do tej pory władcy mieli podwójne pochodzenie królewskie, byli dziećmi ze związków pomiędzy dworami Starego Kontynentu. Pierwsza wojna światowa położyła kres monarchii niemieckiej, austriackiej i rosyjskiej, które dostarczały królewskich małżonków w dużej liczbie. Jest jeszcze jeden paradoks – matka Elżbiety nie jest Angielką, lecz Szkotką. Arystokracja szkocka jest oczywiście bardzo zasymilowana. Przyszła żona Jerzego VI nie miała twardego szkockiego akcentu, mieszkała w Londynie i posiadała rezydencję na angielskiej wsi, a do Szkocji jeździła tylko na polowania. Szkocka arystokracja była jednak traktowana z góry przez wielkie rodziny angielskie i zagraniczne zamieszkałe po drugiej stronie kanału La Manche. Dlatego związana z rodziną cara Księżna Marina miała zwyczaj nazywać żonę Jerzego VI „prostą szkocką dziewczyną".

*

Jest zima 1952 roku. Jerzy VI choruje na raka. Od dawna cierpi na zaburzenia krążenia. Bronchit tego nałogowego palacza chyba jest już nie do wyleczenia. Gdy trzeciego maja 1951 roku otwierał festiwal Wielkiej Brytanii w Londynie, wyglądał na cierpiącego. Dwudziestego czwartego września przeszedł poważną operację usunięcia części lewego płuca. Od Bożego Narodzenia stan jego zdrowia uległ pogorszeniu. Dwudziestoszescioletnia księżniczka Elżbieta wraz z mężem nagle zastępuje monarchę podczas oficjalnej wizyty w Kenii, która jest pierwszym etapem królewskiego objazdu państw Wspólnoty Brytyjskiej. Trzydziestego pierwszego stycznia księżniczka widzi schorowanego ojca po raz ostatni. Jerzy VI stoi na pasie startowym z gołą głową i macha ręką, a potem udaje się do Sandringham. Tam szóstego lutego umiera we śnie.

Młoda para książęca mieszka w Treetops, hotelu wybudowanym wśród gałęzi figowca w cieniu góry Kenia, z pięknym widokiem na wschodnioafrykańską faunę. Z dala od Pałacu Filip i Elżbieta rozkoszują się afrykańskim safari. Szóstego lutego po południu księżniczka wraz z małżonkiem odbywają sjestę. Pałac nie dzwoni. Nie ma więc powodu do niepokoju. Ale Elżbieta nie wie, że tropikalna burza uszkodziła linię telefoniczną pomiędzy metropolią i jej kolonią. W sąsiednim hotelu dziennikarz Reutersa dostaje informację o śmierci króla. Filip dowiaduje się o tym od swojego masztalerza, Australijczyka Mike'a Parkera. „Nie ma zwyczaju okazywać emocji. Ale nigdy nie zapomnę jego twarzy w tym momencie. Można by pomyśleć, że pół świata zwaliło mu się na głowę" – wspomina Parker reakcję księcia. Filip przekazuje wiadomość żonie. Elżbieta reaguje spokojnie: „Tak mi przykro. To znaczy, że musimy wracać do Anglii. To wszystkim zmienia plany" – mówi do damy dworu. Kamienne serce? Szczyt brytyjskiej powściągliwości? Tak chłodna reakcja na wieść o śmierci ukochanego ojca dla świadków tej sceny jest uderzająca. Weszła po drabinie hotelu Treetops jako księżniczka, zeszła jako królowa. Pragnąc uszanować żałobę, fotografowie obserwujący królewską wizytę kładą aparaty fotograficzne na podłodze. Respekt prasy w stosunku do rodziny królewskiej jest jednak krótkotrwały. „Ani jednej łzy, wyprostowana, z lekko uróżowanymi policzkami, zmierza ku swemu przeznaczeniu" – napisze później jej prywatny sekretarz Martin Charteris. W samolocie jest zamknięta w sobie ze zmartwienia. Ale w prywatnej kabinie, ukryta przed spojrzeniami świty, długo opłakuje śmierć ojca i koniec wolności.

Siódmego lutego 1952 roku przywódcy polityczni z siedemdziesięcioośmioletnim Winstonem Churchillem na czele, ustawieni wzdłuż czarnego dywanu na płycie londyńskiego lotniska witają nową królową. Drobna sylwetka w żałobnym stroju, w kapeluszu z piórami i diamentową broszą w klapie płaszcza, pojawia się w drzwiach samolotu bardzo blada i przystaje na chwilę, zanim powoli zejdzie po schodkach. Nie uroniwszy ani jednej łzy, mówi do Starego Lwa: „Ten powrót jest bardzo tragiczny". Ma dwadzieścia sześć lat. Nie jest gotowa do nowej roli.

W Buckingham Wielki Szambelan musi zapisać imię następcy i umieścić dokumenty dotyczące wstąpienia na tron w odpowiedniej kopercie. Przyszła królowa mogłaby wybrać imię Maria III, zamiast ryzykować pomylenie z matką Elżbietą, która była tylko żoną władcy. Wybiera jednak swoje pierwsze imię. Ósmego lutego kwadrans po godzinie jedenastej rano Elżbieta II zostaje ogłoszona głową państwa, Kościoła anglikańskiego i Wspólnoty Brytyjskiej. Heroldowie w średniowiecznych strojach, dmąc w srebrne trąbki o jasnym dźwięku, inaugurują nowe panowanie. GRI (George Rex Imperator) – taki był oficjalny tytuł jej ojca. Elżbieta musi się zadowolić ER (Elizabeth Regina). Uzyskanie niepodległości przez Indie, Pakistan i Cejlon pozbawiło ją tytułu imperatora. Nowa monarchini po raz pierwszy przewodzi Tajnej Radzie, którą tworzą najważniejsze osobistości polityczne kraju. „Bóg mi pomaga godnie wypełniać to trudne zadanie, które spadło na mnie pomimo mojego młodego wieku" – deklaruje nieco przenikliwym głosem. Pamiętna fotografia uwieczniła Elżbietę, Królową Matkę, w żałobie, niosące w Westminster Hall długi czarny woal otulający trumnę Jerzego VI. Dzięki temu zdjęciu kraj czuje, że jest nieśmiertelny. Młoda królowa jest nowym ogniwem narodowego łańcucha, który ciągnie się przez wieki – od Egberta z Wesseksu do Windsorów.

Piętnastego lutego król Jerzy zostaje pochowany w kaplicy Świętego Jerzego w Windsorze. Królowa, z twarzą ukrytą pod czarną woalką, rzuca garść ziemi na trumnę ojca znikającą powoli w królewskiej krypcie. O czym myśli, kiedy organy intonują *Marsz zmarłych* Haendla? Po pierwsze, o stoickim spokoju, z jakim ojciec znosił ból, o jego dyskrecji, wytrzymałości w czasie wojny, abdykacji brata, o odbudowie i rozpadzie Imperium. Starsza córka w czasie swojego panowania będzie się starała dorównać jego cnotom. Ambasador Francji René Massigli napisze w telegramie dyplomatycznym: „Jerzy VI zostawił po sobie najbardziej stabilny tron w historii Anglii".

Dwudziestego siódmego lutego Elżbieta II po raz pierwszy odznacza żołnierza Krzyżem Wiktorii za odwagę podczas wojny w Korei. Tak rozpoczyna władanie.

Zwyczaj wymaga okresu żałoby pomiędzy śmiercią monarchy a koronacją następcy. W Europie tylko brytyjskie koronacje są naprawdę godne tej nazwy. Wspaniała koronacja Elżbiety II odbywa się 2 czerwca 1953 roku w Opactwie Westminsterskim. Tego dnia pada deszcz, rzecz naturalna dla Brytyjczyków, podobnie jak nieprzemakalny płaszcz i zapach mokrego trawnika. W opactwie na galerii dobrze widoczny jest Winston Churchill w mundurze Lorda Strażnika Pięciu Portów, do którego przypięto ciemnoniebieską opaskę kawalera Orderu Podwiązki. Po obu stronach chóru zajęły miejsca delegacje zagraniczne. Francję reprezentuje Robert Schumann, minister spraw zagranicznych, oraz marszałek Juin. Jedyny zgrzyt tego dnia to bojkot koronacji przez Republikę Irlandii. Szef rządu Eamon de Valera, bohater wojny o niepodległość, odmawia nawet udziału w przyjęciu organizowanym przez ambasadę Wielkiej Brytanii w Dublinie. Blizny z czasów wojny przeciwko kolonizatorom jeszcze są świeże.

Pod pozłacanym baldachimem królowa w złotej tunice zostaje ogłoszona „Pomazańcem Bożym Chrystusa Pana". Po złożeniu przysięgi otrzymuje jabłko królewskie z krzyżem oraz pierścień jako pieczęć wiary.

Pod jej strojem galowym można dostrzec wspaniałą suknię ozdobioną tysiącami pereł i kamieni szlachetnych oraz haftowanymi emblematami państw, których od tej pory jest królową. Brytyjska róża obok irlandzkiej koniczyny, szkockiego ostu, walijskiego pora, kanadyjskiego liścia klonu i australijskiej mimozy. Długi aksamitny tren z gronostajami i złotymi haftami rozpościera się niczym baśniowy dywan. Wszystkie oczy wpatrują się w koronę Świętego Edwarda z rubinem – Czarnym Księciem. Arcybiskup Canterbury, Geoffrey Fisher po raz pierwszy i ostatni wkłada ją na głowę młodej królowej, która będzie czterdziestym władcą od czasów Wilhelma Zdobywcy. W prawą dłoń arcybiskup wkłada jej berło z krzyżem, symbol siły i sprawiedliwości, w lewą „buławę prawości i miłosierdzia", symbol Ducha Świętego. Prałat klęka przed siedzącą na tronie Elżbietą II i przysięga jej wierność. Następnie na stopniach tronu klęka książę Edynburga i wkładając złożone dłonie pomiędzy dłonie żony, ślubuje, że na zawsze pozostanie jej małżonkiem: „Ja, Filip, książę Edynburga, wyrażam życzenie bycia twoim wiernym poddanym, ciałem i duszą, oraz wielbienia cię na ziemi. Przyrzekam na życie, na śmierć bronić cię od złych ludzi…", po czym całuje ją w policzek. Wzdłuż całej nawy i na galeriach osiem tysięcy gości woła: „Boże, chroń królową", a potem wszyscy intonują hymn narodowy. Zgodnie z tradycją czterdziestu jeden wystrzałom armatnim z Saint James Park odpowiadają sześćdziesiąt dwa wystrzały z zamku Tower.

Na wspomnienie koronacji lady Soames ma łzy w oczach. Córka Winstona Churchilla siedziała tego dnia w jednym z pierwszych rzędów. Najlepiej pamięta, jak królowa wychodziła boczną nawą:

– Patrząc na tę drobną postać, ciężkie gronostaje i koronę, niemal fizycznie czuło się wielki ciężar obowiązków, które na nią czekały. To było bardzo wzruszające.

Specjalny wysłannik dziennika „Le Monde", Olivier Merlin, który był wtedy na trybunach ustawionych na placu przed pałacem Buckingham, czuł się trochę jak członek rodziny Windsorów.

Kiedy wreszcie o dziesiątej trzydzieści kareta wymalowana jak plafon w Wersalu i zwieńczona koroną, otoczona najwyższymi dygnitarzami i halabardnikami z Tower przejeżdża przed moimi oczami w drodze na koronację w Westminster, kiedy nadchodzi ta niezwykła chwila, by zapamiętać zbyt ulotny obraz młodej królowej w purpurowej sukni, tak pięknej, tak pogodnej w tym zachwycającym dniu, uśmiechniętej, u boku wspaniałego admirała w mundurze galowym, królewicza z bajki, nawet Francuz zagubiony w tłumie czuje się głęboko poruszony, prawie jak jej wdzięczny podwładny.

„Le Monde" tym razem nie oszczędzał. To wielkie wydarzenie opisywała jeszcze dwójka dziennikarzy cięższego kalibru – Christine de Rivoyre i Michel Droit, którzy też byli urzeczeni przepychem monarchii. Czuło się wśród Francuzów potrzebę choćby parogodzinnej ucieczki od bieżących zmartwień, a zwłaszcza kłopotów, które premier Pierre Mendès France miał w Indochinach i Tunezji. Artykuł wydawcy „Le Monde'a" zatytułowany *Młodość i sława* nie omieszkał porównać londyńskiego szaleństwa z paryską szarzyzną.

Francja, ponownie przeżywająca jeden z tych kryzysów rządowych, które wywołują pobłażliwą radość jej przeciwników i rozpacz przyjaciół, nie może bez cienia zazdrości przyglądać się świadectwu dumy i narodowej jedności docierających dziś do nas z Londynu.

Koronacja jest dla Elżbiety II pierwszą okazją, by od razu przeciwstawić się dwóm najbardziej wpływowym osobom w Anglii – Churchillowi i arcybiskupowi Canterbury. Początkowo dwór, wspierany przez Churchilla i arcybiskupa, zabrania wstępu kamerom telewizyjnym. Nowa królowa pragnie zmian – jej pierwszą decyzją jest zezwolenie na transmisję telewizyjną z koronacji. Uważa, że tylko samo błogosławieństwo jest sprawą prywatną i ono nie będzie filmowane.

Premier miał nadzieję, że splendor koronacji przyćmi przy okazji Festiwal Wielkiej Brytanii zorganizowany przez poprzedni rząd Partii Pracy. Liczył też na to, że tak wspaniałe wydarzenie pozwoli zapomnieć o powojennej surowości i ograniczeniach. To pierwsze sprawozdanie na żywo telewizji BBC, jedynego wtedy kanału telewizji państwowej, pozostanie w zbiorowej pamięci. W królestwie były tylko dwa miliony telewizorów. Liczbę osób, które oglądały tę uroczystość w telewizji lub w kinach, szacuje się na dwieście siedemdziesiąt siedem milionów. Sukces dziennikarzy i techników BBC miał dalszy ciąg na kontynencie, gdzie wydarzenie to transmitowało na żywo pięć kanałów państwowych. Dla francuskich telewidzów był to pierwszy wielki reportaż Léona Zitrone'a. Przez następne trzydzieści lat będzie on specjalistą od koronowanych głów w ORTF, a potem w Antenne 2. Dziennikarz „France Soir" pamięta ogromny wpływ, jaki koronacja miała na jego rodaków. Wielu kupiło wtedy pierwszy telewizor, by śledzić to wydarzenie. „Dzięki niemu Francuzi odkryli telewizję. Sprzedano ponad sto tysięcy odbiorników. Dyrektor Pierre Lazareff kupił specjalnie telewizor i postawił go w pokoju redakcyjnym". W Paryżu ceremonię obserwował za pośrednictwem telewizji diuk Windsoru, którego królowa nie odważyła się zaprosić na koronację.

– W chwili gdy ten dzień ma się ku końcowi, wiem, że na zawsze zapamiętam nie tylko jego podniosły nastrój i piękno, lecz także waszą lojalność i przywiązanie – mówi nowa monarchini w przesłaniu do poddanych.

Tego samego dnia Nowozelandczyk Edmund Hillary i jego nepalski przewodnik Tenzing pod kierownictwem Johna Hunta umieszczają brytyjską flagę na szczycie Mount Everestu, najwyższej góry świata. „Wszystko to jest Everestem" – pokpiwa „Daily Express" nazajutrz po koronacji.

Premier Winston Churchill przepowiedział drugą epokę elżbietańską. Elżbieta I, która w XVI wieku odziedziczyła królestwo podzielone i słabe, zostawiła naród bogaty i budzący szacunek, który dał światu Szekspira i Drake'a. Lokator Downing Street myślał również o epoce wiktoriańskiej. Wiktoria, córka księcia Kentu, wstąpiła na tron w wieku osiemnastu lat. Ponieważ poprzedni królowie nie cieszyli się szacunkiem, monarchia zaczęła tracić popularność. „Chcą tylko utrzymać męty swej ponurej rasy" – wykrzykuje Shelley.

Narzuca się więc porównanie drugiej epoki elżbietańskiej z epoką wiktoriańską. Można je z grubsza podzielić, tak jak mecz piłki nożnej, na trzy części. Pierwsza jest okresem szczęśliwości. Młoda królowa, udane małżeństwo, które daje siłę i równowagę potrzebną do wypełniania trudnych zadań. Ciągłość rodu jest zapewniona. Druga część to czas ciężkich prób, które wstrząsają instytucją niedającą sobie z nimi rady. Na koniec – dogrywki, które przybierają formę spektakularnego matriarchatu (chrzty, śluby i pogrzeby, jubileusze).

Era elżbietańska? W przesłaniu wygłoszonym na Boże Narodzenie 1953 roku, nadawanym z Nowej Zelandii, królowa dystansuje się od Elżbiety I, od której pochodzi i która wstąpiła na tron, będąc w tym samym wieku. „W żadnym razie nie czuję się podobna do Elżbiety Tudor, która nie wyszła za mąż, nie miała dzieci, była despotką i nigdy nie opuściła swego królestwa". Ton tego orędzia jest poważny i niezwykle uroczysty, choć królowa przypomina nieco uczennicę z zaciśniętymi ustami.

Król umarł, niech żyje królowa! Dzięki znakomitemu wychowaniu wie, jakie są jej obowiązki i zadania, mimo że nie jest do nich przygotowana. Elżbieta II pragnie pozostać w Clarence House, aby tam spokojnie wychowywać dwójkę dzieci, Karola urodzonego w roku 1948 i Annę – w 1950. Nawet gdyby miała korzystać z biura w Pałacu Buckingham. Churchill nie wyraża na to zgody. Rodzina z żalem przeprowadza się do oficjalnej rezydencji królewskiej.

III
Królowa i jej rodzina

„W rodzinie królewskiej nie ma głębokiej niezgody. Tylko drobne kłótnie od czasu do czasu". Trzeba mieć tupet księżniczki Małgorzaty, żeby aż tak zaprzeczać faktom. Panowanie Elżbiety II usiane jest kryzysami, ostrymi konfliktami interesów, niechęcią, a nawet nienawiścią. To nie rodzina Borgiów, ale prawie.

W dniu koronacji, 2 czerwca 1953 roku, słynny fotograf Cecil Beaton robi czarno-biały portret młodej królowej. Elżbieta II trzyma w dłoniach berło i jabłko i ma na głowie koronę imperium. Sprawia wrażenie delikatnej i pogodnej, ale pozbawionej dostatecznego autorytetu i charyzmy. Bardzo młoda kobieta, którą łatwo manipulować. W każdym razie takie można odnieść wrażenie. Fakty wkrótce zaświadczą o czymś wręcz przeciwnym. Ma nieodzowną cechę charakteru – determinację. Nie ma ani twardych zasad królowej Wiktorii, ani jej surowego koka, ale ma tę samą wyciszoną pewność siebie. Będzie jej potrzebowała na czas przyszłych problemów rodzinnych. Z budzącą szacunek zręcznością będzie neutralizować buntownicze zachcianki członków klanu Windsorów, dając im do wyboru albo przyłączenie się, albo niełaskę. Mylili się ci, którzy sądzili, że jest uległa. Młoda królowa okazała się zręczniejsza niż polująca bogini Diana. Jej trofea są imponujące. Tak jak prawdziwi politycy umie nawet „zabić" przeciwnika, jeśli trzeba. Po kolei zostaną odsunięci: Mountbatten, Peter Townsend i Snowdon, kapitan Mark Phillips, Diana i Sarah Ferguson. Wszyscy, którzy w jakimkolwiek stopniu nie byli w stanie czy też nie chcieli się dostosować do tradycyjnych królewskich form, zostali wyeliminowani. To wielka sztuka, odziedziczona po Wiktorii. Nawet dzieci królowej doświadczą twardego prawa racji stanu. Unikną tego tylko jej małżonek Filip i matka.

Filip

Ze wszystkich członków rodziny małżonek jest Elżbiecie II najbliższy.

Windsor, 2002 rok. Żwawy osiemdziesięciolatek, nieco przygarbiony książę Edynburga bierze udział w przyjęciu zorganizowanym dla mediów z okazji jubileuszu królowej. Uprzejmość księcia, podniecenie gości. Będąc niejako mistrzem ceremonii, a zarazem frankofilem, książę zmierza w kierunku trzech francuskich dziennikarzy, trochę zagubionych wśród siedmiuset Brytyjczyków. Przerzedzone włosy, niebieskie oczy, przewrotne spojrzenie, zawsze lekko uniesione gęste brwi. Mógłby grać szarmanckiego, dystyngowanego arystokratę w telewizyjnej adaptacji powieści Agathy Christie. Rozmowa toczy się wokół wyborów prezydenckich we Francji i obecności Jean-Marie Le Pena w ich drugiej turze. Książę robi duże wrażenie. Nagle wykrzykuje, uderzając się w czoło:

– Ach, Francuzi! Nie idą głosować, a potem krytykują wyniki i jeszcze manifestują. – Mówi zachrypniętym basem, tonem nieznoszącym sprzeciwu.

Choć dziś dobrze się czuje w swojej roli, nie było tak w pierwszych latach panowania Elżbiety. Ten pewny siebie mężczyzna miał trudności z ustępowaniem żonie, a zawsze musiał się trzymać dwa kroki za nią. W konfrontacji z żeńskim triumwiratem – królowa, Księżniczka Małgorzata i Królowa Matka – Filip z dnia na dzień został odizolowany od starych przyjaciół z marynarki. Dowodził fregatą i miał wszelkie szanse, by zdobyć najwyższe stanowisko w Royal Navy, zostać pierwszym lordem Admiralicji. A przestał dowodzić czymkolwiek – poza służbą. Ten obieżyświat nie potrafi początkowo ukryć irytacji, gdy urzędnicy z Pałacu Buckingham, których nazywał „bandą wykrochmalonych kołnierzyków", bronili mu dostępu do królewskiego biura. Mówiący od najmłodszych lat po francusku i po niemiecku były oficer uważa się raczej za Europejczyka niż za angielskiego dżentelmena. Nie był ani w Eton, ani w pułku straży. Pozytywna charakterystyka pewnego dworzanina: „Bardzo niemiecki, pracowity, zorganizowany, doskonale poinformowany i inteligentny", w rzeczywistości jest złośliwością. Książę wyróżnia się na tle „zaczarowanego kręgu" establishmentu, którego wartości są całkowicie odporne na wszystko, co nie jest w stu procentach angielskie. Na przykład: książę woli garnitury w niebieskie lub czerwone, a nie w białe prążki. Białej chusteczki nie wkłada do kieszonki marynarki nonszalancko, tylko równo. Uchodzi to za niewybaczalne bezguście. Wie, czego chce, i nie traktuje poważnie konwenansów świata opierającego się wszelkim zmianom.

Choć odsunięty od podejmowania decyzji, za zgodą królowej jest głową rodziny. W końcu był nią przez cztery i pół roku, zanim żona wstąpiła na tron. Przed wyjściem za mąż królowa wyznała, że chciałaby mieć czworo dzieci. To życzenie zostało spełnione. Sukcesja jest zapewniona. Wykształcenie dzieci też pozostaje w gestii Filipa. Chce iść z duchem czasu. Karol, Anna, Andrzej i Edward, zamiast uczyć się w pałacu, jako pierwsi w historii królestwa idą do szkoły. Pewny siebie i stanowczy ojciec jest przekonany, że trudna szkoła, w której się komenderuje i uczy posłuszeństwa, kształtuje charakter. Taki zdystansowany stosunek do dzieci tłumaczy nienaganne wychowanie samego księcia Filipa. Od najmłodszych lat pozostawiony samemu sobie musiał dawać sobie radę. Urodził się na wyspie Korfu 10 czerwca 1921 roku jako książę Grecji i Danii, praprawnuk królowej Wiktorii, wywodzący się od Karola Wielkiego, w rodzinie, która miała także korzenie niemieckie i rosyjskie. Był piątym dzieckiem, ale jedynym synem księcia Andrzeja Greckiego i księżniczki Alicji Battenberg. Po wypędzeniu rodziców z Grecji trafił do internatów we Francji (Saint-Cloud) i w Niemczech. Książęce małżeństwo rozpadło się. Jego ojciec zamieszkał w Monako, gdzie znalazł pocieszenie wśród kobiet, hazardu i alkoholu. Matka, siostra Mountbattena, głucha od czwartego roku życia, wstąpiła do prawosławnego klasztoru w Grecji. Pomiędzy ósmym i piętnastym rokiem życia nie miał kontaktu z matką, która cierpiała na schizofrenię i nawet do niego nie pisała. Ojciec się nim nie interesował. Filip zamknął się wtedy w sobie i stąd jego brak komunikatywności i lęk przed kontaktem fizycznym. Ciotki i wujowie na zmianę wspierali go materialnie, ale jemu bardzo brakowało uczucia. Przez pięć lat gimnazjum Gordonstoun przyszłego małżonka królowej nikt nie odwiedzał. Rozdarty między rodziną angielską i niemiecką arystokrata z greckim obywatelstwem dzięki poparciu wuja Mountbattena wstąpił do brytyjskiej marynarki, która od tej pory zastępowała mu rodzinę.

Wśród arystokracji, zarówno brytyjskiej, jak i francuskiej, panowała opinia, że dzieci nie powinny być wychowywane w cieplarnianych warunkach. Nawet gdyby groziło to posądzeniem o brak serca. Dzieci Windsorów nie zaznały czułości ani od skrytego ojca, ani od zbyt zajętej matki. Decyzja o wysłaniu księcia Karola do tego samego szkockiego gimnazjum Gordonstoun, w którym uczył się ojciec, pozostawi trwałe ślady – sam internat przypominał więzienie: panowały w nim iście spartańskie warunki, stawiano na wysiłek fizyczny, hartowano lodowatym prysznicem w zimie. Wrażliwe i bardziej zainteresowane sztuką i muzyką niż sportem dziecko, jakim był Karol, oderwane w tak młodym wieku od guwernantki, przeszło ciężką szkołę w internacie z okrutnymi i sadystycznymi nauczycielami. Mały książę stał się ofiarą prześladowań ze strony kolegów, bardzo zadowolonych, że mogą tłuc przyszłego monarchę. Wyśmiewali się z jego odstających uszu, zamkniętego charakteru i głupkowatego wyglądu. Podczas jednej z wycieczek Karol ukrywał się przed tłumem ciekawskich w hotelowym barze. Zamówił cherry brandy. Na nieszczęście jakiś dziennikarz zaskoczył go przy piciu alkoholu, niedozwolonego dla chłopców poniżej czternastego roku życia. Później powie: „Nigdy nie byłem w pubie. Jedyne co wiedziałem, to to, że należy zamówić coś do picia. I poprosiłem o cherry". Paradoksem jest, że później książę chwalił Gordonstoun: „Nauka samokontroli oraz dyscyplina nadały ramy, formę i porządek mojemu życiu". Ale zawsze będzie miał pretensje do ojca za ten zimny wychów. Filip w odpowiedzi na te oskarżenia publicznie nazywa następcę tronu maminsynkiem.

W zastępstwie ojca powiernikami Karola zostają wuj Mountbatten i były konserwatywny minister Rab Butler, dyrektor Trinity College w Cambridge, a później Lawrens van der Post – południowoafrykański guru. Zapewniają następcy tronu wsparcie moralne i pomagają mu się odnaleźć. Po śmierci ostatniego z nich dzięki działalności charytatywnej i uczuciu Camilli książę Karol nie potrzebuje już takich podpórek.

Książę Filip ma też coś do powiedzenia w sprawach rodzinnych w szerszym kontekście. Ponosi część odpowiedzialności za królewskie weto z 1955 roku, dotyczące małżeństwa szwagierki, księżniczki Małgorzaty, z *group captainem* Peterem Townsendem, starszym od niej o dwadzieścia lat rozwodnikiem. Bywa też grubiański wobec synowych. Będąc w roku 1986 z wizytą u Andrzeja i Sarah, u których nie podoba mu się urządzenie domu, oświadcza na stronie: „Można by pomyśleć, że znaleźliśmy się w burdelu".

Królowa prosi małżonka, żeby wsparł ją w jej monarszych zadaniach. Książę odgrywa więc ważną rolę głównego marszałka dworu, reformując funkcjonowanie królewskiej administracji.

Małżeństwo Elżbiety i Filipa jest związkiem przeciwieństw. Ona jest introwertyczką, on ekstrawertykiem. Tam gdzie ona jest ostrożna, on jest bardzo odważny. Ona przyznaje, że jest domatorką, on uwielbia przygody i podróże. Ale ich związek nie byłby trwały, gdyby rzeczywiście nie dzielili pewnych wartości i nie mieli podobnego poczucia obowiązku. Filip odcisnął piętno na swej epoce dzięki niebanalnej osobowości. Pobudza go do działania otwartość umysłu, niewątpliwie związana z jego zagranicznym pochodzeniem. Udaje mu się wnieść oddech nowoczesności do sztywnej instytucji. W 1969 roku pozwala ekipie telewizyjnej BBC filmować swe życie codzienne. Reportaż *Royal family* [Rodzina królewska] odnosi duży sukces. To Filip namawia królową, która źle się czuje w obecności nieznajomych, na pewną namiastkę spotkania z tłumem – królewski spacer. Pierwsza próba w 1970 roku, podczas wizyty w Nowej Zelandii i Australii, jest sukcesem. Ten bezpośredni kontakt wyzwala histerię mediów. Czy książę słusznie postąpił, wzbudzając takie zainteresowanie prasy? To pytanie nadal dzieli Windsorów. Biorąc pod uwagę szkody, jakie wizerunkowi rodziny królewskiej wyrządziły jej dzieci, zachowanie większego dystansu być może pozwoliłoby uniknąć wielu kłopotów i nieprzyjemności. Wielkim sukcesem okazał się projekt objęcia pomocą młodzieży znajdującej się trudnej sytuacji – Duke of Edinbourgh's Awards Scheme. Filip, który od dawna interesował się ochroną środowiska, kierował także World Wildlife Fund (WWF), światowym funduszem ochrony przyrody. To dzięki niemu Loara jest ostatnią dziką rzeką Francji. W 1986 roku mer miasta Tours, Jean Royer, przewodniczący instytucji zajmującej się uregulowaniem rzeki, otrzymał zgodę rządu socjalistów na wybudowanie czterech gigantycznych zapór. Ponieważ nie chciał się porozumieć z francuskimi organizacjami zajmującymi się ochroną środowiska, zwróciły się one do WWF. Filip publicznie udzielił im wsparcia, wyrażając sprzeciw wobec projektu, który dzięki temu nie został zrealizowany.

Z drugiej strony książę uchodzi za prawdziwego reakcjonistę, znany jest też z trudnego charakteru i niewybrednych dowcipów. Jego przeciwnicy uważają, że nie poddaje się żadnej kontroli, jest uparty, nawykły do robienia wszystkiego po swojemu, niemiły dla podwładnych. Poczucie humoru księcia Edynburga często ma zabarwienie rasistowskie i jest w złym guście. W 1963 roku, reprezentując swoją małżonkę królową na obchodach niepodległości Kenii, zaszokował swego sąsiada, gdy wskazując na tłum, zapytał: „Czy na pewno chce pan rządzić tymi ludźmi?" W 1986 roku podczas wizyty w Pekinie powiedział angielskim studentom, że jeżeli dłużej pozostaną w Chinach będą mieli skośne oczy. Ministerstwo Spraw Zagranicznych Wielkiej Brytanii musiało potem ratować sytuację, wyrażając ubolewanie. Choć ma tytuł księcia Edynburga, nie oszczędza nawet Szkotów. Instruktora jazdy z Glasgow zapytał, jak ma zamiar zabronić tamtejszym kierowcom picia whisky w czasie jazdy. Kiedyś zaskoczył poddanych oświadczeniem, że w Wielkiej Brytanii nie ma już prawdziwych biedaków. Pułkownik Royal Navy i gorliwy patriota, który wyróżnił się odwagą podczas drugiej wojny światowej, jest surowy. W imieniu weteranów walk z Japonią, szczególnie tych, którzy przeżyli okrucieństwa obozu nad rzeką Kwai, bezskutecznie przeciwstawiał się żonie i rządowi w kwestii przyznania cesarzowi Akihito Orderu Podwiązki.

Królowa nigdy nie krytykowała nieokiełznanego języka męża. Elżbieta II jest otoczona pochlebcami, którzy zawsze jej przytakują. Książę Filip jest jedyną osobą, która prywatnie może szczerze mówić to, co myśli. No i trudno mu się oprzeć. Wprawia królową w dobry humor i zachwyca pięknym głosem, którym otula ją jak szalem. Po sześćdziesięciu latach małżeństwa królowa wciąż jest nim oczarowana!

Windsorowie muszą znosić coraz bardziej nachalną i wścibską prasę. Stali się zakładnikami kultu sławy. Filip uniknął jednak ciągłego nękania przez brytyjskie media. Tabloidy zawsze były bardzo dyskretne, jeśli chodzi o parę królewską, chcąc prawdopodobnie chronić głowę państwa, symbolizującą cały naród. Nieuniknione plotki dotyczące kochanek, które próbowali rozpuszczać nielojalni lokaje lub niedyskretne pokojówki, nigdy nie cieszyły się wzięciem brytyjskiej prasy. Gdy 9 lipca 1984 roku o siódmej rano Michael Fagan, niezrównoważony bezrobotny, wdarł się do królewskiej sypialni na pierwszym piętrze pałacu Buckingham, Brytyjczycy dowiedzieli się, że para nie sypia razem. Naród odwrócił wzrok.

Za to prasa zagraniczna wciąż spekuluje. Gazeta „France Dimanche" wiele razy ogłaszała koniec małżeństwa Filipa i Elżbiety. Twierdziła nawet, że królowa została porzucona z powodu wietrznej ospy.

To, że książę lubi kobiety, dla nikogo nie jest tajemnicą. Nie pociągają go intelektualistki, jak to bywa w przypadku polityków francuskich. Jego urok zniewala kobiety z wyższych sfer. Nie raz widziano, jak długo tańczył lub flirtował publicznie, ale nic ponadto. Prywatnie może zachowuje się inaczej.

Ale kiedy w roku 1996 dziennikarz zadał mu pytanie o przygody pozamałżeńskie, książę spokojnie odpowiedział:

– Od blisko pół wieku nie mogę zrobić kroku bez ochroniarza. Jak mógłbym ukryć taki związek? – Książę Filip zabierze sekrety swojej alkowy do grobu.

Królowa reagowała na takie plotki jak prawdziwa Angielka... ignorowała je. Czy to wynika z przekonań religijnych („Nie ma wątpliwości, że rozwód i separacja są odpowiedzialne za niektóre z najciemniejszych plag naszego społeczeństwa" – mówi w 1949 roku o świętej naturze małżeństwa), ze zwyczaju, czy po prostu z miłości? Niewątpliwie te wszystkie powody sprawiają, że akceptuje męża takim, jaki jest. Czy pogłoski o niewierności ojca miały wpływ na księcia Karola? Czy poczuł, że może brać z niego przykład i prowadzić podwójne życie – z żoną Dianą i kochanką Camillą? Być może. Księżna Walii, mimo pochodzenia, nie chciała uczestniczyć w tych arystokratycznych gierkach. Inne czasy, inne obyczaje.

– Najważniejsze, czego się nauczyliśmy, to tolerancja, podstawa szczęśliwego małżeństwa. Nie jest ona może aż tak ważna, kiedy wszystko się układa, ale jest sprawą zasadniczą, gdy pojawiają się kłopoty. Mogę gwarantować, że królowa jest obficie obdarzona tą cnotą – oświadczył Filip, lekko się rumieniąc, podczas obchodów królewskich złotych godów w 1997 roku. W roku 2007 Elżbieta i Filip obchodzą diamentowe gody. Nieźle jak na małżeństwo z rozsądku czy też małżeństwo przeżywające kryzys, jak sądzą niektórzy.

Grecki król Konstantyn, z którym Filip żeglował i z którym jest bardzo związany, składa mu hołd:

– Wykonuje jeden z najtrudniejszych zawodów. Królewskie pochodzenie pomogło mu błyskotliwie wykonywać obowiązki i wspierać królową. Silna osobowość – książę mówi co myśli, lecz nigdy nie przekracza granic – była atutem. Elżbieta dokonała właściwego wyboru. W dodatku bardzo się kochają.

W każdym razie Filip dał sobie radę ze swą pozycją lepiej niż jego odpowiednicy w Europie. W 1976 roku książę Bernhardt Holenderski, małżonek królowej Juliany, był podejrzewany o przyjęcie miliona dolarów łapówki od amerykańskiej firmy Lockheed w związku z przetargiem na samoloty wojskowe dla holenderskiej armii. Bardzo dotknięta tym królowa w 1980 roku zrzekła się tronu na rzecz swej córki Beatrix. Mąż tej ostatniej, książę Claus, całe życie cierpiał na depresję. Książę małżonek Henryk Duński, przedtem Henri de Monpezat, nie zdołał pogodzić skodyfikowanej pompatyczności monarchii z prostotą skandynawskiej demokracji. Dawny dyplomata francuski nie przekonał do siebie podwładnych. Filipowi to się udało.

Królowa Matka

W bliskim otoczeniu Elżbiety II jej matka zawsze zajmowała ważne miejsce, aż do końca życia. Zmarła 30 marca 2002 roku w wieku stu jeden lat.

Podczas krótkiego spotkania na padoku w Ascot, przed gonitwą o Nagrodę Jerzego VI i Królowej Elżbiety, moją uwagę zwrócił jej szybki uścisk dłoni. Delikatna starsza pani, niewysoka, przygarbiona, z trudem poruszająca się o lasce, spełniała swoje zadanie z uśmiechem na żywej, łagodnej twarzy, która nagle stawała się posępna jak angielskie niebo zasnute chmurami. „Dziękuję, dziękuję!" – mówiła zgaszonym głosem, nerwowo próbując sobie przypomnieć moje nazwisko. Jej lewa dłoń spokojnie spoczywała na sukni, co pozwalało podziwiać wielki pierścień. Zmarła parę miesięcy później.

Spotkanie z legendą zawsze jest fascynujące, nawet jeżeli trwa tylko dziesięć sekund. Elżbieta, Królowa Matka, była wcieleniem całej odysei Wielkiej Brytanii XX wieku. We wspaniałym otoczeniu, w którym współżyły ze sobą radości, tragedie, przemoc i brytyjska flegma, arogancja i zwątpienie, poznała sześciu królów, szesnastu premierów, przeżyła dwie wojny światowe, apogeum, a następnie upadek największego imperium wszech czasów i powrót Anglii do Europy. Kiedy przyszła na świat w Londynie, 4 sierpnia 1900 roku, królowa Wiktoria rządziła już od ponad sześćdziesięciu lat! Lecz legenda, z definicji i aby zachować symboliczne znaczenie, powinna zawierać pierwiastek czegoś nieznanego, tajemniczego lub niepojętego. Królowa Matka zawsze była nieuchwytna. Jedynego wywiadu udzieliła w 1922 roku. „Żelazna stanowczość, zdecydowane poglądy, figlarne poczucie humoru" – ocenił ją lakonicznie „Daily Telegraph". Jaka matka, taka córka, można by powiedzieć, czytając publikacje wychwalające ją z okazji setnych urodzin. W lutym 1952 roku, dziesięć dni po śmierci Jerzego VI, wdowa po nim oświadcza, że chce, aby ją nazywano „Elżbietą, Królową Matką". Spontanicznie zwraca się do narodu: „Polecam wam naszą córkę, bądźcie jej wierni i oddani". Po koronacji Królowa Matka opuszcza pałac Buckingham i przenosi się do Clarence House. Dalej pełni przynależne jej funkcje reprezentacyjne i prowadzi działalność charytatywną. Wyprowadzka z pałacu jest jednak dużym przeżyciem dla pięćdziesięcioletniej wdowy po Jerzym VI. Z dnia na dzień straciła męża, pozycję i pałace. Obszerną siedzibę, jaką jest Clarence House, nazywa „okropnym domkiem". Będzie w nim mieszkała aż do śmierci. Musi się teraz kłaniać córce, kiedy spotyka ją publicznie. Taka zamiana ról nie jest łatwa dla byłej imperatorowej Indii. Ale jej popularność wśród Brytyjczyków nigdy nie osłabła. Królowa Matka zawsze cieszyła się sympatią. Elżbieta II natomiast wzbudza podziw i szacunek. Uważano, że matka nie była tak zdystansowana jak jej starsza córka, nie była też skandalistką jak Małgorzata, miała więcej klasy niż jej wnuki, które osunęły się do poziomu Grimaldich. Miała hart ducha jak pani Thatcher. Z biegiem lat Królowa Matka stała się ulubioną babcią królestwa, postacią jednocześnie opiekuńczą i twardą. Odpowiadała na jakąś głębszą potrzebę Anglików. Nostalgiczny Albion zawsze był żądny świata bab z nieodłączną filiżanką herbaty, szklaneczką sherry, krzyżówką, kocurem i wymianą poglądów na temat pogody. Co wieczór otwierała butelkę różowego szampana, wypijała trzy kieliszki, a resztę zostawiała dla służby. Przedwojenny obrazek, przywodzący na myśl kiczowate, słodko-kwaśne filmy kręcone w studiach w Ealing. Królowa Matka nie próbowała pełnić innych funkcji niż jakże często niewdzięczne funkcje reprezentacyjne, przed którymi nigdy się nie uchylała. W jej odczuciu bycie monarchą to „najcięższa praca i przeznaczenie, którego nie można uniknąć". Biada tym, którzy okazują niezadowolenie i nie mają ochoty się poświęcać! Ścigała swego szwagra, diuka Windsoru, niegasnącą nienawiścią, bo złożył obowiązek na ołtarzu miłości, powodując w ten sposób najpoważniejszy od XVII wieku kryzys w łonie dynastii. Pogłoski o jej słabości do mocnego ginu z tonikiem, ekstrawaganckiej garderoby i ciętym języku tylko wzmacniały tę wielką popularność. W porównaniu z córką, ta stara Angielka zawsze prowadziła życie na wysokim poziomie. Obiady, na które zapraszała znanych artystów, takich jak dramaturg Noel Coward, choreograf Frederick Ashton czy fotograf Cecil Beaton, a także słynnych dziennikarzy, przeszły do legendy. Przy stole prowadzono niezwykle interesujące rozmowy, podlewane szampanem z najlepszych roczników. Nigdy nie przejmowała się rachunkami. Tym bardziej że Elżbieta II bez zmrużenia oka spłacała bajońskie debety bankowe, opiewające na miliony funtów. Błękitna krew musi kosztować. Ale przede wszystkim przez pół wieku, nie dotarło do nas nic na temat prywatnego życia wdowy. Czy je miała? Królowa Matka zawsze wywierała duży wpływ na starszą córkę, która, gdy doradcy przedstawiali jej jakiś problem, mówiła: „Najpierw muszę porozumieć się w tej kwestii z *Mummy*". W 1992 roku, poszukując oszczędności, Pałac postanowił zlikwidować Ascot Office, biuro, którego jedynym zadaniem było rozsyłanie wejściówek na królewską trybunę hipodromu. Królowa wyraziła zgodę, ale Królowa Matka zaprotestowała. Biuro zamknięto dopiero po jej śmierci. Panie rozmawiały codziennie przez specjalny telefon, zabezpieczony przed podsłuchem. Dzięki *Mummy* królowa kultywuje wiele tradycyjnych wartości.

Matka Elżbiety II nie była jednak uosobieniem samych zalet. Jako konserwatystka sprzeciwiała się jakiemukolwiek unowocześnieniu instytucji dynastycznej. Miała niechętny stosunek do płacenia podatków, do otwarcia pałacu dla publiczności, do kręcenia filmu o klanie Windsorów i zatrudniania mniejszości etnicznych w straży królewskiej. Poprawność polityczna, niewątpliwie z przyczyn pokoleniowych, nie była jej domeną. Królowa Matka należała jeszcze do arystokracji epoki edwardiańskiej. W 1987 roku prasa ujawniła, że jest ciotką dwóch dziewczynek, które oddano do szpitala psychiatrycznego, gdzie żyją w zupełnym zapomnieniu. Historia ta wywołała wielki skandal, gdyż Królowa Matka przewodniczyła wtedy poważnej organizacji dobroczynnej zajmującej się osobami chorymi psychicznie. Ten królewski brak zainteresowania wynikał z wiktoriańskiego zwyczaju ukrywania dzieci niedorozwiniętych. Nie ceniła Mountbattena i w 1979 roku odmówiła uczestniczenia w jego pogrzebie. Elżbieta II zgodziła się na państwowy pogrzeb wuja, ale wolała pozostać z matką w Balmoral, by tym gestem dać jej dowód szacunku. Królowa była „głęboko wzruszona" żarliwością i czcią, z jaką podwładni żegnali jej matkę podczas pogrzebu, który odbył się 9 kwietnia 2002 roku. Dzwon Opactwa Westminsterskiego bił sto jeden minut, by podkreślić wiek zmarłej, „którą cechowała zaraźliwa radość życia".

Chociaż śmierć matki była bolesnym przeżyciem, prawdopodobnie także i uwolniła królową. Od tego czasu Elżbieta sprawia wrażenie bardziej odprężonej i pogodnej. Prawdę mówiąc, sama stała się królową matką.

Diuk Windsoru

W maju 1936 roku król Edward VIII przyprowadza na herbatę do Royal Lodge w Windsorze swoją amerykańską przyjaciółkę, panią Simpson, by przedstawić ją rodzinie Yorków. Księżniczka Elżbieta, wówczas dziesięcioletnia, bardzo lubiła stryja, którego zwano Davidem. Był on też bliski sercu ojca Elżbiety. Bracia wychowywali się razem, bo dzielił ich tylko rok.

Edward VIII, uważany za znawcę mody – w słynnych spodniach w kratę, z fantazyjnie wiązanym krawatem albo w płaskiej czapce golfowej – przyjechał nowym amerykańskim samochodem. Nigdy nie ujawniono żadnych szczegółów tego rodzinnego spotkania. Tylko Wallis Simpson napisała w autobiografii, zatytułowanej *The Heart Has its Reasons* [Serce ma swoje racje]:

> Wyszłam z nieodpartym wrażeniem, że książę dał się przekonać w kwestii amerykańskich samochodów. Za to księżna nie dała się przekonać w tej drugiej sprawie Davida.

Kiedy Edward VIII wstąpił na brytyjski tron – 20 stycznia 1936 roku – od dawna znał tę, która wkrótce miała się stać przyczyną jego abdykacji: panią Simpson, mieszkającą w Londynie wraz z drugim mężem. Spotkali się w 1931 roku podczas polowania na lisa. Nieśmiały młodzieniec zakochał się w ładnej, eleganckiej i inteligentnej kobiecie od pierwszego wejrzenia. „Wallis – pisze Edward – miała wrodzone wyczucie, jeśli chodzi o idee i siły istotne dla społeczeństwa. Czytała najpoważniejszą prasę angielską i orientowała się we wszystkich sprawach. Mówiła żywo i dowcipnie. Ale nade wszystko podziwiałem jej spontaniczność. Jeżeli nie podzielała jakiejś opinii, nigdy nie omieszkała wyrazić swojej w sposób żywy i inteligentny. To mnie w niej zachwycało. Mężczyzna w mojej sytuacji rzadko miewa podobną przyjemność podczas rozmowy". Edward był niezbyt pewnym siebie i zdradzanym ado-ratorem. Nie wiedział, że jego przyjaciółka w tym samym czasie miała romans ze sprzedawcą samochodów Forda. Ich związek był dosyć złożony. Podobno dzięki Wallis poznał sadomasochizm.

W sierpniu para udaje się w rejs po Morzu Śródziemnym. Wallis jest w separacji z mężem. We wrześniu zgodnie z tradycją król przebywa w Balmoral – w towarzystwie pani Simpson, która stara się wprowadzić do menu trzypiętrowe hamburgery. Jej rozwód w październiku powoduje, że amerykańska prasa zaczyna spekulować na temat amerykańskiej królowej Anglii. Prasa brytyjska początkowo milczy. Nie trwa to jednak długo, ponieważ następują nowe zdarzenia. Premier Stanley Baldwyn i arcybiskup Canterbury mobilizują tradycyjną i konserwatywną Anglię, przeciwną planom króla (głowy Kościoła anglikańskiego i strażnika wiary) dotyczącym poślubienia kobiety dwukrotnie rozwiedzionej. Rząd nie zgadza się nawet na małżeństwo morganatyczne, w wyniku którego Wallis nie zostałaby królową. Dziesiątego grudnia król Edward VIII podpisuje akt abdykacji i po słynnym przemówieniu radiowym, które bulwersuje królestwo i świat, udaje się na wygnanie.

Abdykacja stryja była pamiętnym wydarzeniem w życiu Elżbiety. Miała wtedy dziesięć lat. Jak przeżywała ten dramat, który spowodował, że została następczynią tronu? Wiemy, że nie zepsuło jej to wakacji, które spędzała w rodzinnym pałacu Birkhall w Szkocji. Dziewczynki o niczym nie wiedzą. Po powrocie do Londynu starsza zdaje sobie sprawę, że coś jest nie tak. Matka nie opuszcza łóżka z powodu przedłużającej się grypy. Ojciec wciąż dyskutuje z głównymi sprawcami kryzysu. Na Piccadilly 145 bez przerwy pojawiają się jacyś dygnitarze. Królowa Maria zajmuje się kształceniem Elżbiety, ulepszając program jej edukacji. Wdowa po Jerzym V podziela dawne obawy swego męża dotyczące starszego syna. Po ogłoszeniu abdykacji, o godzinie trzynastej pięćdziesiąt dwie, przed domem Yorków rozlegają się okrzyki. Wybucha wrzawa. Księżniczka dowiaduje się od służącego, że jej ojciec został królem.

– Czy to znaczy, że ty będziesz następną królową? – pyta ją Małgorzata.

– Kiedyś tak – odpowiada.

– Masz pecha! – stwierdza ze współczuciem młodsza siostra.

Po abdykacji Edwarda VIII królowa Elżbieta nie chce się pogodzić ze szwagrem i panią Wallis, którzy zostali diukiem i duchessą Windsoru. W 1937 roku, bojąc się, że mogą rzucić cień na parę królewską, namawia męża, żeby zakazał im powrotu na Wyspy. Powodem tej decyzji jest przede wszystkim brak rozwagi ze strony Davida i Wallis, którzy podczas podróży poślubnej fotografują się w Berchtesgaden z Adolfem Hitlerem.

W roku 1940 w Madrycie, gdzie diuk Windsoru schronił się przed nazistami okupującymi Francję, wyznaje on amerykańskiemu ambasadorowi: „Wojna powinna się skończyć, zanim kolejne tysiące ludzi zginą albo odniosą rany, by ratować honor kilku polityków". Ta wypowiedź dociera do Londynu, doprowadzając do zerwania długiej przyjaźni z Winstonem Churchillem, ówczesnym premierem Wielkiej Brytanii. Naziści nawiązują kontakt z byłym królem, proponując mu iście diabelski pakt: po zdobyciu Anglii przez III Rzeszę diuk Windsoru zastąpi Jerzego VI na tronie Wielkiej Brytanii i Imperium. Czy książę miał pokusę przyjęcia propozycji ministra spraw zagranicznych Rzeszy Joachima von Ribbentropa, aby odegrać się na Windsorach, którzy go zdetronizowali? W każdym razie propozycji nie odrzucił. Czy wdowa po Ribbentropie miała na myśli właśnie diuka Windsoru i jego klikę pronazistowskich arystokratów, „The Clivenden Set", kiedy w roku 1946, po wykonaniu na jej mężu wyroku śmierci za zbrodnie przeciwko ludzkości, mówiła: „Spodziewałam się łaski ze strony aliantów. Joachim znał przecież całą angielską arystokrację i członków rodziny królewskiej"?

Początkowo Churchill był po stronie Edwarda VIII, ale później się wycofał, przyznając, że prohitlerowskie sympatie diuka Windsoru sprawiły, iż osadzenie go na tronie w 1940 roku i tak byłoby niemożliwe. Edward VIII był jedynym brytyjskim monarchą od początków XIX wieku, który bardziej interesował się Niemcami i Stanami Zjednoczonymi niż Francją.

Kiedy Churchill dowiedział się o spisku w imię dawnej przyjaźni, mianował księcia gubernatorem Wysp Bahama. „Albo to, albo sąd wojenny" – miał powiedzieć premier. Ukryty w kolonii Edward prowadził na wygnaniu beztroskie życie próżniaka, w towarzystwie bogatych Brytyjczyków, którzy przedłożyli słodycz egzotycznych Karaibów nad wojenne ograniczenia. Podczas gdy jego dawni podwładni żyli dzięki kartkom żywnościowym, gubernator zajmował się przemytem dewiz. To był akt zdrady, za który w czasie wojny groził pluton egzekucyjny. Ale Churchill przymknął na to oczy. W tym samym czasie Jerzy VI prowadził wzorowe życie rodzinne, a cały świat podziwiał go za to, że zdecydował się na te same restrykcje i niebezpieczeństwa, które codziennie dotykały jego poddanych.

Haniebne postępowanie diuka i duchessy podczas wojny powoduje, że więzy z rodziną królewską ulegają ostatecznemu zerwaniu. Były król Edward VIII zobaczy swego brata tylko raz, we wrześniu 1951 roku, gdy ten będzie już ciężko chory. Na pogrzebie Jerzego VI, w lutym 1952 roku, po szesnastu latach diuk ma okazję spotkać się z bratanicą, która została królową. Mówi wtedy: „Przymioty Jerzego VI, jestem tego pewny, odnajdziemy w jego córce". Ale następnych spotkań już nie będzie. Młoda królowa nie śmie łamać zakazu matki i nie nawiązuje bliższych stosunków ze stryjem. Wyzwolona Amerykanka, której życie biegnie na antypodach konwencjonalnego angielskiego dworu, nie rozumie tego ostracyzmu. „Mój mąż jest karcony jak mały chłopiec, który codziennie, przez całe życie będzie dostawał klapsa za to, że raz był nieposłuszny" – pisze w artykule opublikowanym w 1961 roku w magazynie „Mc Call's", ujawniając w ten sposób, jak silne są wzajemne urazy. Dopiero w roku 1965 księżna po raz pierwszy spotkała się z królową Elżbietą II, stało się to podczas półgodzinnej wizyty w londyń-

skiej klinice, gdzie książę przechodził operację przyklejenia siat-
kówki. Następna próba oficjalnego pogodzenia się nastąpiła dwa
lata później, gdy diuk i duchessa uczestniczyli w ceremonii odsło-
nięcia tablicy pamiątkowej ku czci królowej Marii. To było pierwsze wystąpienie księżnej w towarzystwie rodziny królewskiej.
W końcu, 18 maja 1972 roku, podczas oficjalnej wizyty we Francji
Elżbieta II odwiedza książęcą parę w ich rezydencji w Neuilly.
Diuk jest już umierający. Spotyka się z siedemdziesięciosiedmio-
letnim stryjem sama, w salonie na pierwszym piętrze, bo on już nie
ma siły przyjąć jej na parterze, jak wymaga protokół.

Diuk groził, iż każe się pochować we Francji, jeżeli Elżbieta II
nie potwierdzi, że jego żona będzie miała taki sam pogrzeb jak on.
Elżbieta zgadza się, pod warunkiem że duchessa przekaże prywatne dokumenty księcia do królewskich archiwów w Windsorze.
W czasie pogrzebu diuka w Londynie (5 czerwca) Wallis Simpson
zostaje zaproszona przez Elżbietę II do Windsoru. Atmosfera jest
lodowata, opowie później duchessa Windsoru. „Byli grzeczni,
grzeczni i mili w stosunku do mnie, zwłaszcza królowa. Monarchia
zawsze jest grzeczna i miła. Ale byli zimni. David zawsze twierdził,
że są zimni". Królowa Matka ledwie się do niej odzywa. Po ceremonii Wallis opuszcza pałac, nie pijąc nawet herbaty, i specjalnym samolotem wraca do Paryża. Monarchia oskarżała duchessę aż do jej
śmierci. Wallis zmarła w Paryżu w roku 1986, samotna i chora.
Pochowano ją u boku małżonka, w królewskim mauzoleum Frog-
more, w parku otaczającym zamek Windsor, jak na ironię kilka
metrów od królowej Wiktorii, surowej imperatorki. Ale królowa
odmówiła pośmiertnego przyznania Wallis inicjałów HRM (Jej
Królewska Wysokość), czego przez całe życie domagał się były król,
a jej mąż. Podobno ten tytuł jest zarezerwowany dla następców
tronu i ich małżonków. Ale tak naprawdę nic nie stało na przeszkodzie, by Elżbieta go przyznała. Nie zrobiła tego wierna pamięci
ojca i posłuszna matce, która nigdy nie przebaczyła Wallis, że
doprowadziła do abdykacji Edwarda.

Małgorzata

Poza Filipem i Królową Matką podporą królowej była jej siostra Małgorzata. Nielubiana przez opinię publiczną, zawsze żyła w cieniu starszej siostry. Dziewiątego lutego 2002 roku Wielki Szambelan obudził królową, by ją poinformować o śmierci księżniczki Małgorzaty w londyńskim szpitalu. Tego ranka z twarzy królowej nie dało się nic wyczytać. Nieporuszona Elżbieta II spokojnie wezwała księcia Filipa, by go poprosić o przekazanie wiadomości Królowej Matce, która miała wtedy sto jeden lat. Książę Karol przekazał smutną wiadomość także w wystąpieniu radiowo-telewizyjnym: „Dziś jest ciężki dzień dla mojej rodziny. Moja droga ciotka w ostatnich latach przeszła prawdziwe piekło, ona, która tak kochała życie". Królowa, rzecz dziwna, nie dzwoni do swoich siostrzeńców – Sary Chatto i Davida Linleya. Wysyła do nich listy kondolencyjne. A przecież ich lubi! Ale nie potrafi znaleźć odpowiednich słów albo odwagi, by zwrócić się do nich bezpośrednio. Zgodnie z wolą zmarłej po raz pierwszy członek rodziny królewskiej zostaje skremowany. Prywatny pogrzeb odbywa się w Windsorze. Obowiązki monarchini i tym razem są ważniejsze od rodzinnych smutków. Pomimo żałoby królowa udaje się w oficjalną podróż na Jamajkę i do Australii, w związku z obchodami swojego jubileuszu.

Można sobie jednak wyobrazić, jak wielkie to było przeżycie dla królowej. Małgorzata zawsze była jej ukochaną młodszą siostrzyczką. Zawsze ją chroniła. Razem z Królową Matką Małgorzata stanowiła jej straż przyboczną. Elżbieta II oczywiście potępiała jej luksusowy styl życia, palenie sześćdziesięciu papierosów dziennie i coraz młodszych kochanków. Ale w ostatnich czasach, po dwóch udarach mózgu, księżniczka była niedołężna, prawie niewidoma, cierpiała na depresję. Była cieniem samej siebie.

„Na własne nieszczęście księżniczka urodziła się za wcześnie. Dzisiaj rozwody i pozamałżeńskie igraszki stały się codziennością w życiu Windsorów. Przy nich historie Małgorzaty są takie banalne". Tak wyjaśnia dwuznaczny stosunek Brytyjczyków do księżniczki „News of the Word", tabloid, którego była ulubioną czarną owcą, śledzoną bez wytchnienia. Poszukujący sensacji dziennik wspomina także „odwagę" i charakter „silny i prostolinijny" tej, która była szóstą w kolejności pretendentką do tronu.

Małgorzata Róża Windsor nie przejmowała się tym, „co powiedzą ludzie", i robiła to, na co miała ochotę. Wspaniale królewska, o fiołkowych oczach, dużych ustach, bardzo angielskiej brzoskwiniowej cerze symbolizowała przepych i sławę, i kolekcjonowała adoratorów. Jej niestałość była skutkiem dwóch uczuciowych dramatów.

Najpierw idylla z Peterem Townsendem. *Group captain*, dawniej królewski maszatalerz, bohater bitwy o Anglię, prowadził dom królowej matki i księżniczki Małgorzaty w Clarence House. Przystojny, wytworny, dziarski oficer RAF-u zwraca uwagę księżniczki rozpaczającej po śmierci ojca, którego była ulubienicą. Ale Townsend jest rozwiedziony, a to wada w Anglii początku lat pięćdziesiątych. Ten związek wychodzi na jaw z końcem 1953 roku, wkrótce po koronacji Elżbiety. Królowa jest rozdarta między miłością do siostry i prawem kanonicznym, które zabrania rozwodów. Ponadto dokument z 1772 roku dotyczący królewskich ślubów wymaga zgody monarchy i parlamentu, czyli rządu, na związek członka rodziny królewskiej, który jest pretendentem do tronu. Niezbyt pewna siebie, ulegająca presji doradców wrogich Townsendowi, młoda królowa się waha. Winston Churchill, a potem jego następca Anthony Eden, zresztą sprzyjający księżniczce, muszą się liczyć z opinią większości ministrów. Townsend zostaje wysłany do Brukseli jako attaché sił powietrznych. Księżniczka ma do wyboru: albo go poślubić i zrezygnować z królewskiego statusu, albo poświęcić szczęście na ołtarzu racji stanu i bezkonfliktowego panowania Elżbiety II. W 1955 roku Małgorzata rezygnuje ze ślubu, ale już nigdy nie otrząśnie się z tej tragedii.

Parę lat później z przekory poślubia fotografa Anthony'ego Armstronga Jonesa. Pod koniec lat pięćdziesiątych spotkali się w Swinging London, miejscu, gdzie panuje swoboda obyczajów, ale ważne są także przywileje, snobizm, bigoteria i nierówności.

W Anglii czarno-białej księżniczka reprezentowała zarazem to, co najlepsze, i to, co najgorsze.

Królowa nie zaakceptowała małżeństwa z fotografem, uznanym za dekadenta. Ślub odbył się w maju 1960 roku, bo Elżbieta nie śmiała po raz drugi przeciwstawić się wyborowi siostry. Może byłoby lepiej, gdyby to zrobiła. Po chaotycznym i burzliwym związku oraz licznych zdradach jednej i drugiej strony Małgorzata i Tony rozwiedli się w roku 1978. Była to pierwsza separacja w rodzinie królewskiej od czasu licznych rozwodów Henryka VIII. Od tej pory księżniczka figurowała na liście B, na której znajdują się osoby z rodziny królewskiej zapraszane tylko wtedy, gdy nie ma innego wyboru. Nie przeszkadzało jej to i nawet w najczarniejszych godzinach nie korzystała z pośrednictwa doradców do spraw kontaktów z królową i dworem. Małgorzata była dosyć nieprzystępna i tylko kilkoro bliskich przyjaciół naprawdę ją znało. Miała też opinię osoby nieuprzejmej i upartej. Ale nikt nie wątpił, że jest dobrą matką i babką.

Karol

Nagłe poruszenie, goście sztywnieją, poprawiają krawaty i sprawdzają ubiory. W garniturze w stylu księcia Walii (!), z ochroniarzem i jakimś dworzaninem, sportowa sylwetka, książę Karol dołącza do mnie w salonie recepcyjnym swego pałacu Highgrove. Cel mojej wizyty długo był negocjowany z biurem prasowym księcia. Zakaz poruszania wielkich problemów świata i małych problemów monarchii. Jestem tutaj, by mówić o ogrodach i tylko o ogrodach…

– Mam wielu doradców. Ale jeśli chodzi o ogrody, działam po swojemu. To prawda, że byłoby lepiej dzielić się tymi dziełami sztuki, tą ukochaną pracą. Ale zwiedzający ją zniszczą – mówi następca tronu lekko schrypniętym głosem, jak zwykle trzymając ręce za plecami.

Jakie znaczenie ma posiadłość Highgrove dla przyszłego Karola III?

– To jedyne miejsce, gdzie mam spokój. Nikt nie może mi tu przeszkadzać – odpowiada, robiąc do mnie oko.

Kiedy się go słucha, można by pomyśleć, że Jego Królewska Wysokość spędza w swoim majątku długie godziny na obserwowaniu przyrody, dwustuletniego dębu i dzwonnicy w Tedbury. Przyszły król ma wyjątkową duszę; tylko w uroczej Anglii od czasu do czasu może się taka narodzić. Ukryty w bukolicznym pejzażu Gloucestershire, dwieście kilometrów na zachód od stolicy, ogród łączy banał z cudownością, rewolucyjne z klasycznym, porządek z bałaganem. Ta kryjówka doskonale ilustruje kwintesencję filozofii – paradoks. Na przykład typowo angielskie rododendrony i wielkie buki. Cyprysy, mozaiki i kariatydy w stylu hiszpańsko-mauretańskim. Drewniany most, oczko wodne i karłowate rośliny przypominają Japonię. Dywany białych róż i różowych tulipanów – Holandię. Chwasty, dziko rosnące kwiaty i rośliny naskalne pozostawione samym sobie przywodzą na myśl Irlandię. Książę jest zwolennikiem naturalnego nawożenia.

Popiersia monarchów w alejkach przypominają o pochodzeniu właściciela. Ale obok dziadka Jerzego VI i wuja Mountbattena jest i Lawrens van der Post, zmarły filozof południowoafrykański, guru księcia, dzięki któremu odkrył on ludy pierwotne! Zabrudzona przez gołębie rzeźba *Panny z Odessy* przedstawia zamordowane przez bolszewików córki Mikołaja II, ostatniego cara Rosji, spokrewnionego z angielską rodziną. Niedaleko labiryntu, jakich wiele w angielskich ogrodach, grób Tiggera, ulubionego psa rasy jack russel, świadczy o przywiązaniu do zwierząt. Można być pionierem ekologii, rygorystycznie stosować zasady rolnictwa bio i dbać o pieniądze. Ogrodowi w Highgrove patronują bogaci darczyńcy. Zioła są darem jakiegoś kobiecego stowarzyszenia, a ławki ofiarowała grupa akredytowanych dostawców domu książęcego. Sklep bardzo drogo sprzedaje produkty pochodzące z księstwa Kornwalii: konfitury, marmoladę z pomarańczy, biszkopty, ocet… Firma księcia Walii przynosi dochody, jej produkty z pieczątką Duchy Originals można nabyć także w dużych centrach handlowych. Nawet naznaczona duchem przedsiębiorczości bukoliczno-ekologiczna natura syna bardzo nie podoba się Elżbiecie II. Ona uznaje tylko bardzo zadbane ogrody angielskie i uważa za groteskowe zatrudnianie licznej służby do utrzymywania w Highgrove wymyślnego nieporządku. W przeciwieństwie do starszego syna królowa nie pasjonuje się architekturą. Oprócz obowiązków łączy ich jedynie zainteresowanie medycyną alternatywną, zwłaszcza homeopatią. Mimo że obydwoje lubią życie na wsi, Elżbieta i jej syn Karol żyją na różnych planetach. Ona się złości, gdy jej starszy syn przedstawia się jako „dysydent polityczny", zamiast zgodnie z tradycją monarchii trzymać się z dala od kontrowersyjnych tematów. Ubolewa, że Karol, wielki zwolennik Dalajlamy, porównał chińskich przywódców (było to w roku 1997, gdy zwracano Hongkong) do woskowych mumii. Niepokoi się, gdy w roku 1985 syn otwarcie krytykuje konserwatywny rząd, stając po stronie najuboższych mieszkańców królestwa. W oczach Elżbiety II Karol niesłusznie słucha tylko głosu swojego serca i robi wszystko po swojemu. Ma radykalne poglądy ekologiczne i zasypuje rząd listami, w których niekiedy proponuje rozwiązania problematyczne z punktu widzenia państwa. Przyglądając się działalności jego organizacji humanitarnych i fundacji na rzecz ludzi spisanych na straty, odkrywamy w księciu idealistę i skrajnego tradycjonalistę. W Highgrove zbudował małą świątynię buddyjską ozdobioną tybetańskimi dzwonkami, ustronie, gdzie stale płoną świece. Trudno sobie wyobrazić podobny karawanseraj w pałacu Buckingham.

Z ojcem Karol od najmłodszych lat miał trudne relacje. Z czasem było tylko gorzej. Obaj przeszli surową szkołę w szkockim internacie i Royal Navy. Podobnie jak papa Karol nie ma zwyczaju okazywać uczuć. Ale na tym podobieństwa się kończą. Książę Karol potrzebuje wsparcia, jest zbyt wrażliwy, zbyt emocjonalny, ma obsesję na punkcie własnej osoby. Książę Filip gardzi podobnymi cechami charakteru. Zdaniem dawnego doradcy dworu nieufny, bardzo oficjalny i władczy małżonek królowej uważa, że jego starszy syn jest „pretensjonalny, ekstrawagancki, nie ma w sobie dość dyscypliny i chęci poświęcenia się, by mógł być dobrym królem". Ponadto Filip nigdy nie wybaczył księciu opublikowanej w 1994 roku sześciusetstronicowej „autoryzowanej" biografii o ponurym życiu Karola, podpisanej pseudonimem: Jonathan Dimbleby. Autor krytykował w niej brak ojcowskiej miłości, przedstawiając księcia Filipa jako człowieka okrutnego, gruboskórnego i niesprawiedliwego. A co gorsza Karol oskarżał ojca, zaniepokojonego tym, że po trzydziestce syn wciąż jest kawalerem, o zmuszenie go do poślubienia Diany. Do tego wszystkiego doszło jeszcze fatalne wrażenie, jakie wywarło przyznanie się do zdrady z Camillą Parker-Bowles „w chwili, gdy małżeństwo księcia było nieodwracalnie skazane na niepowodzenie". Filip odpowiada, że skargi dorosłego syna na to, że ojciec zmusił go do małżeństwa, są absurdalne.

Anna

W porównaniu z Karolem Anna (wolny elektron) jest uosobieniem spokoju. Pewnie dlatego Elżbieta ma lepsze stosunki z córką niż ze starszym synem. Anna w dużym stopniu odziedziczyła charakter po ojcu, jest zdecydowana, zamknięta w sobie, i stąd jej bliski związek z Filipem.

Jestem w londyńskiej szkole na rozdaniu dyplomów. Mam wrażenie, że od księżniczki Anny bije dobrze kontrolowany chłód. Nie wymienia uścisku dłoni z wyciągającymi się ku niej rękami uczniów. Żadne wysiłki, nawet najśmielszych z nich, nie są w stanie jej rozweselić. Anna nie ma poczucia humoru. Nie jest elegancka. Podobnie jak jej matka woli ubrania praktyczne. „Całowanie dzieci nie jest w moim stylu" – powiedziała kiedyś, ironizując na temat swojej bratowej Diany. Nie przeszkodziło jej to w prowadzeniu akcji dobroczynnej na rzecz dzieci, Save the Children Found, czym wzbudziła powszechny podziw. Współpracuje też z co najmniej setką innych organizacji charytatywnych.

Po rozwodzie z Markiem Phillipsem w roku 1992 ponownie wyszła za mąż za pięć lat młodszego od siebie Timothy'ego Laurence'a, dziarskiego oficera Royal Navy. To jedyny wybryk Anny, która zachowaniem bardzo przypomina matkę. Tak jak Elżbieta II jest przesiąknięta poczuciem obowiązku. Ma konserwatywne poglądy na temat seksu, praw kobiet i przerywania ciąży. Daleko jej do wielkiej mówczyni. Nie jest też intelektualistką. Jej ulubione rozrywki to muzyka lekka, powieści kryminalne i telewizja. Księżniczka nie pije, nie pali, codziennie wstaje o szóstej rano, by odbyć przejażdżkę konną, niezależnie od tego, czy jest w Londynie, czy w Berkshire, gdzie prowadzi spokojne życie angielskiej ziemianki. Gdy była młoda, prasa, której Anna nie czyta, wypisywała, że jest nieudanym chłopcem, że nie ma za grosz sex appealu i kocha tylko zwierzęta. To prawda, jej wielką pasją, którą dzieli z matką, są konie. Dzięki nim poznała pierwszego męża, plebejusza. Przewodniczyła zresztą Międzynarodowej Federacji Hipicznej i zasiadała w Komitecie Olimpijskim. Bardzo aktywnie uczestniczy w przygotowaniach do olimpiady, która odbędzie się w Londynie w 2012 roku. Jej ojciec żartował niegdyś na temat swojego ulubionego dziecka: „Nic, co nie puszcza bąków i nie je siana jej nie interesuje!" Anna jest jedną z tych Angielek „o męskim sercu", które Brytyjczycy podziwiają.

Uchodzi za dobrą matkę. Żeby zapewnić dzieciom normalne życie, nie przyjęła proponowanych im tytułów książęcych. „Moje dzieci nie są książętami, królowa jest tylko ich babką". W kraju, w którym sport zajmuje tak ważne miejsce, jej syn Peter – rugbysta i córka Zara – mistrzyni świata w jeździectwie są wielkim sukcesem ostatniej generacji Windsorów. W przeciwieństwie do Karola Anna nie uskarża się na brak miłości macierzyńskiej. Zawsze broniła matkę, kiedy ją krytykowano za to, że nie poświęcała dostatecznie dużo czasu wychowaniu dzieci.

Znana ze szczerych wypowiedzi córka Elżbiety II jest dzisiaj jednym z najpopularniejszych członków klanu Windsorów i jedną z osób najczęściej proponowanych na stanowisko prezydenta, gdyby w Wielkiej Brytanii nastąpiło przejście do ustroju republikańskiego.

Andrzej

Podobno jest ulubionym synem Elżbiety II. Matczyne przywiązanie monarchini widać w spojrzeniu, jakim go obdarza na licznych zdjęciach, które jej zrobił. Tylko wtedy jest tak czułe. Jej drugi syn jest przystojny i zniewalająco męski, a to jej się podoba. *Randy Andy*, uwodzicielski Andy, jest uprzejmy, prostolinijny, i podoba się gwiazdeczkom i królowym piękności. Miał szalony romans z Koo Stark, słynną aktorką filmów erotycznych. „Pierwsi odkryliśmy ten kwiatek, ale nasz serwis fotograficzny miał kłopot, bo posiadał tylko takie jej zdjęcia, które nie nadawały się do opublikowania" – przypomina sobie Richard Stott, były redaktor naczelny „Daily Mirror". Pomimo życiorysu gwiazdki, wykraczającego poza królewskie normy, królowa tolerowała obecność Koo Stark. Młoda aktorka sprawiała bowiem, że jej syn czuł się szczęśliwy. Tak naprawdę w sprawach seksu królowa nie jest aż taką purytanką, jak się powszechnie sądzi. Ujmujący sposób bycia i sportowa elegancja przyczyniły się do popularności Andrzeja. Uczestnicząc jako pilot helikoptera w wojnie o Falklandy, w roku 1982, zdobył opinię kogoś takiego jak Top Gun – to zresztą jego ulubiony film. W roku 1986 ożenił się z Sarah Ferguson, zwaną powszechnie Fergie; młodą, dwudziestosześcioletnią kobietą, rudowłosą, żywą, ekstrawertyczną. Sarah miała bogate życie uczuciowe. Jej ojczym grał w argentyńskie polo i był oficerem armii argentyńskiego dyktatora Leopolda Galtieriego. Na szczęście ojciec Sarah, major Ferguson, był koniuszym królowej. Nie jest idealną synową, ale jest „do przyjęcia". Królowa zgadza się na ślub. Wesele ma charakter trochę zbyt ludowy: królewski powóz, którym nowożeńcy udają się w podróż poślubną, został zamieniony w karnawałowy pojazd z wielkim misiem na przednim siedzeniu i napisem: „Nie zapomnijcie zadzwonić". Windsorowie bawią się jak szaleni, błaznują przed kamerami i czterystu milionami telewidzów. Goście w nawie kolegiaty Świętego Piotra w Westminsterze nie prezentują się z pompą i przepychem jak podczas wcześniejszych ślubów; jest mniej koronowanych głów, a więcej gwiazd, aktorów, piosenkarzy i sportowców. To niebezpieczna zmiana w życiu odwiecznej monarchii.

W sierpniu 1992 roku para nagle się rozstaje. Dzieje się to na prośbę Fergie, która skarży się na „nudne małżeństwo", uciążliwości etykiety i zajadłość prasy brukowej. Królowej jest „bardzo przykro". Tak toczy się życie. Po czterech miesiącach w atmosferze wielkiego skandalu na światło dzienne wychodzi wcześniejszy kryzys tego małżeństwa. Prasa zamieszcza zdjęcia księżniczki z rozwianymi włosami i topless: nad basenem w Saint-Tropez ssie palec u nogi swego kochanka, teksańskiego milionera Johnny'ego Bryana. Książę zostaje ośmieszony. Ale królowa wcale nie nakłania syna do szybkiego rozwodu. Nie mogąc już znieść księżnej z powodu jej zbytkownego trybu życia, sknerstwa, pogardy dla obowiązków rodziny królewskiej, woli, aby separację przeprowadzono dyskretnie, taktownie i godnie. W 1996 roku Andrzej i Sarah wreszcie się rozwodzą, ale nadal są bardzo ze sobą związani.

Gdy w roku 2001 książę Yorku występuje z Navy, matka powołuje go na szefa organizacji promującej brytyjskie przedsiębiorstwa za granicą. Niektórzy uznali to za próbę „złamania" syna, który po zrzuceniu munduru wyraźnie miał zamiar żyć własnym życiem. Andrzej spodziewał się, że z tym napuszonym tytułem zostanie pantoflarzem. Ale nie mając żadnego doświadczenia w świecie interesów, były oficer nie znajduje wspólnego języka z przedsiębiorcami. Jego prywatna wypowiedź, skierowana przeciwko „fałszywym dyrektorom firm zasługującym na klapsy", robi w City jak najgorsze wrażenie. Jest oskarżany o to, że odwiedza najwspanialsze pola golfowe świata za pieniądze podatników, korzystając z samolotów RAF-u jak z taksówek. Książę odpowiada na to, że może liczyć tylko na skromną wojskową emeryturę i szczodrość matki.

„Najcenniejsze jest jego nazwisko. Dzięki niemu wzrasta sprzedaż w całej Wspólnocie Brytyjskiej i na Bliskim Wschodzie. Spełnia swoje zadanie z powagą, zaangażowaniem, i nigdy się na nic nie skarży" – napisał „Financial Times" w artykule o raczej pozytywnym wydźwięku. Mimo tej spóźnionej pochwały zacnego dziennika ekonomicznego królowa zaangażowała firmę Digby'ego Jonesa, byłego szefa stowarzyszenia pracodawców brytyjskich, aby wsparł księcia w jego misji.

Edward

Najmłodszy członek rodziny królewskiej nie ma ani aury Karola, ani znakomitej prezencji Andrzeja, ani niewzruszoności Anny. Edward przeszedł drogę typową dla Windsorów: internat Gordonstoun w Szkocji, studia historyczne na Cambridge i oddział komandosów marynarki wojennej. Ale kandydat na oficera, odrzucając tradycję rodziny królewskiej i robiąc dużo szumu, w roku 1987 podaje się do dymisji. Doprowadza to do pasji księcia Edynburga, dla którego Edward jest zwykłym maminsynkiem. Ponieważ jest najmłodszy, królowa go chroni. Jego decyzja o porzuceniu armii rozbudza spekulacje prasy: Nie znamy jego dziewczyny! Czy Edward jest homoseksualistą? Zaczyna się zajmować teatrem i show-biznesem, a to przecież środowisko sprzyjające gejom. Kiedy jedzie do Nowego Jorku, aby oklaskiwać znajomą aktorkę, prasa sugeruje, że mają romans. Oblężony przez kamery, po wyjściu z teatru zmuszony jest złożyć publiczne oświadczenie: „Nie jestem gejem. Jak można mówić takie rzeczy?" Nie mając dowodów, możemy tylko gdybać. Co by było, gdyby Edward był homoseksualistą? Jego rodzice pewnie by to zaakceptowali. W pałacu Buckingham nie brak gejów. Ale debata na ten temat nagle zostaje oficjalnie zakończona: w roku 1999 Edward żeni się z Sophie Rhys-Jones, córką byłego sprzedawcy samochodów, obecnie eksportera opon do Europy Wschodniej.

Trudno jest wybrać tytuł szlachecki dla członka rodziny, dużo trudniej niż wręczyć odznaczenie podwładnemu. Jaki tytuł nadać Edwardowi i jego żonie? Książę Cumberland? Ten zbyt niemiecki tytuł zarzucono w czasie pierwszej wojny światowej, aby ukarać dom hanowerski za walkę u boku Kaisera. Connaught? Też nie do przyjęcia. To hrabstwo w Republice Irlandii uchodzi za kryjówkę sympatyków Irlandzkiej Armii Republikańskiej. Clarence? Zbyt makabryczne – ostatniego księcia podejrzewano, że to on był Kubą Rozpruwaczem, zabójcą prostytutek z Whitechapel. Cambridge, sanktuarium uniwersyteckie, gdzie książę Edward studiował historię? Tytuł przesadnie snobistyczny w dzisiejszych czasach. A Sussex? Ten z kolei jest zbyt nowobogacki.

Z archiwów zostaje wydobyty tytuł Wessex. Ma tę zaletę, że uwiecznił go wielki XIX-wieczny powieściopisarz Thomas Hardy. Jedyny problem to to, że tytuł hrabiego Wessex nie istnieje od dziewięciuset lat. Podobnie jak biskupstwo Partenii w północnej Afryce, wymyślone przez Watykan w celu pozbycia się zbuntowanego biskupa Évreux monseigneura Jacques'a Gaillota. Edward dostał pustą muszlę – i poskarżył się. Wtedy królowa, dobra matka, obiecała mu tytuł księcia Edynburga, który obecnie nosi jej małżonek. Trzeba więc będzie poczekać na jego zejście.

Ku zdumieniu wszystkich ta para z jednym dzieckiem wciąż się trzyma. Honor został uratowany. Paradoksalnie to właśnie Edward może przerwać pasmo rozwodów królewskich potomków.

Za to jego kariera jako producenta była absolutnym niewypałem. Program telewizyjny *It's a Knockout*, w którym brały udział Anna, Fergie, Andrzej i takie sławy, jak John Travolta i Christopher Reeves, zrobił klapę. Edwarda oskarżano, że z rodziny uczynił przedsiębiorstwo. Jego własna firma produkująca programy telewizyjne szybko popadła w kłopoty finansowe. Ponieważ wspieranie jej ze środków publicznych nie wchodziło w grę, Edward sprzedał ten interes. Tak zakończyła się kariera zawodowa księcia. Teraz reprezentuje matkę podczas mniej ważnych uroczystości i żyje z królewskich pieniędzy. Królowa jeszcze raz dowiodła, że los dzieci nie jest jej całkiem obojętny, wbrew temu, co twierdzą krytykanci.

William

Mimo że Elżbieta zachowywała dystans w stosunku do własnych dzieci, okazała się kochającą babką. I chociaż nie wstaje w nocy, żeby zmieniać im pieluchy (od czego są guwernantki), często się z nimi spotyka.

Od śmierci Diany królowa bardzo się interesuje wychowaniem Williama, drugiego w kolejności następcy tronu. Wysoki (metr dziewięćdziesiąt), dobrze zbudowany, przystojny, cieszy się dużym powodzeniem i ma wiele cech babki: lubi wieś, sporty na świeżym powietrzu, polowania, i jest powściągliwy. Z wrodzonym poczuciem własnej pozycji William skwapliwie wypełnia wynikające z niej zadania. Kiedy uczył się w Eton, w każdą niedzielę przy filiżance herbaty dyskutował z królową na temat swojej kariery. Chciał studiować rolnictwo, aby móc zarządzać majątkiem ojca w Kornwalii. Za namową babki wybrał jednak karierę wojskową, przystępując do konkursu na ucznia oficera w Sandhurst. Uformowany w Eton wie, czym jest dowodzenie, życie w grupie i stosunki międzyludzkie. Zdaniem królowej stanowi materiał na monarchę.

Potwierdziło się to owego dramatycznego 31 sierpnia 1997 roku w kilka godzin po tragicznej śmierci Diany. W połowie sierpnia William i Harry zostali zaproszeni do Balmoral w Szkocji. Mieli spędzić wakacje na wsi w towarzystwie ojca. Wśród szarych wzgórz Highlands dowiedzieli się o wypadku matki. Z tego dnia zapamiętamy młodego księcia znakomicie panującego nad emocjami podczas nabożeństwa w kaplicy Crathie znajdującej się tuż obok pałacu. Błyszczące oczy, ledwie wilgotne, opanowane wzruszenie i pewna sztywność; w nieszczęściu William jest równie powściągliwy jak Elżbieta II.

Od śmierci matki przyszły William V ma wielki uraz do prasy i dziennikarzy. Królowa rozumie wnuka, ale wie, że w dzisiejszych czasach nie da się uniknąć zainteresowania mediów. Dla nieśmiałego księcia jest to trudne doświadczenie. Gdy tylko zobaczy dziennikarza, zamyka się jak ostryga. To mogłoby być powodem niechęci do odegrania roli, jaką chce mu powierzyć królowa. Nic podobnego. Dzięki radom i wsparciu królowej William powoli otwiera się na media. U boku ojca albo brata udziela pierwszych wywiadów. Podporządkowując się nakazowi królowej, wymaga, by nie zwracano się do niego Wills, bo to zbytnia poufałość, tylko Wasza Królewska Wysokość. Wchodzi w rolę.

William jest jej oczkiem w głowie. Ale ma podwójną osobowość. Poważny jak ojciec, kultywuje stare dobre wartości swej kasty i wierzy w splendor monarchii. Prywatnie jest chłopcem znacznie bardziej otwartym. Za nieśmiałym uśmiechem kryje się duża wrażliwość, pasująca do naszych czasów. Królewski i arystokratyczny, posiada wykształcenie angielskie (Eton), szkockie (Saint Andrews) i międzynarodowe (Sandhurst). Gra też pierwszoplanową rolę w walijskim rugby.

*

„Jakie popełniliśmy błędy?" Królowa chyba często musiała sobie zadawać to pytanie w związku z dramatami w małżeństwach swoich dzieci. Nawet najzagorzalsi zwolennicy Elżbiety II przyznają, że wychowanie potomstwa nie było jej największym sukcesem. Mówią, że pośrednio królowa i jej mąż są w dużym stopniu odpowiedzialni za nieudane małżeństwa dzieci. Gorset konwenansów pozbawił je naturalnych oznak miłości, które dzieciom są bardzo potrzebne. Dlatego nie potrafiły stworzyć trwałych związków uczuciowych.

Wytłumaczenie jest, jakie jest. Ale broniąc królowej, trzeba powiedzieć, że życie dworu nie pozostawia miejsca na rodzinną czułość. Wszystko jest zaprogramowane co do minuty i zgodne ze sztywnym protokołem. Nawet najbliżsi członkowie rodziny nie mogą wpaść do biura królowej, mówiąc: „Dzień dobry, mamo, jak się dzisiaj czujesz?" Jeżeli dzieci chcą zobaczyć matkę, muszą, jak tego wymaga obyczaj, złożyć wcześniej prośbę na piśmie. Gdy książę Karol spotyka się z matką, całuje ją w oba policzki, a potem w rękę. Córka Anna zawsze jej się kłania i dyga. Z przyzwyczajenia i w dowód szacunku robi to nawet wtedy, gdy rozmawiają przez telefon. Jeżeli królowa zaprasza dzieci na posiłek, wysyła pazia z bilecikiem podpisanym „Mummy". Podobnie jest pewnie na innych dworach europejskich i wśród znakomitych rodów. Jednak w Buckingham ten oficjalny protokół, który kształtował się w ciągu stuleci, jest jak religia. W biografii *The Queen. The Life of Elizabeth II* [Królowa. Życie Elżbiety II] Elizabeth Longford zamieściła opis surowego chowu dzieci w pałacu Buckingham, który z pewnością przeraziłby dzisiejszych rodziców:

> Nie tolerowano żadnych ekstrawagancji, takich jak kaprysy czy łakomstwo. Jedliśmy raczej chleb z masłem niż ciastka, talerze

musiały być opróżnione, zanim dostało się następne danie, ubrania zużyte przed wyrzuceniem.

Gdy książę Karol gubi smycz swego psa, królowa wysyła go, by ją odszukał, mówiąc: „Nie wracaj bez niej. Smycze są drogie". Jedzenie jest do tego stopnia skromne, że w internacie Gordonstoun książę Karol wciąż ma bóle brzucha od jego nadmiaru.

Obrońcy królowej przypominają, że przez cztery lata, zanim wstąpiła na tron, była oddana swoim dwojgu dzieciom. „Spędzała z nimi pół godziny rano i godzinę wieczorem w pokoju dziecięcym". To prawda, ale zawsze więcej czasu miała dla swoich psów i koni.

Gdy została królową, poczucie obowiązku i ciężar odpowiedzialności całkowicie ją pochłonęły. Po Karolu i Annie, urodzonej przed samą koronacją, trzeba było czekać aż siedem lat, by znowu zaszła w ciążę. W tym czasie Elżbieta II uczyła się zawodu królowej.

Choć można to tłumaczyć nadmiarem zajęć, trzeba przyznać, że Elżbieta popełnia wiele niezręczności. Na przełomie roku 1953 i 1954, gdy wraca z mężem z półrocznego objazdu państw Wspólnoty Brytyjskiej, pięcioletni Karol czeka na nich przy schodkach samolotu. Rodzice przechodzą, nawet go nie zauważając. Zrozpaczone dziecko z płaczem wtula głowę w spódnicę babci. A gdy wrażliwy siedemnastoletni następca tronu spędza rok w osadzie zagubionej w ogromnym eukaliptusowym australijskim lesie, matka podobno ani razu nie próbuje się dowiedzieć, co się z nim dzieje.

Elżbieta II wstąpiła na tron w wieku dwudziestu sześciu lat i nie była do tego przygotowana. Dzieci zostały poświęcone na ołtarzu obowiązku. Skutkiem tego jest rodzina niespójna, której poszczególni członkowie niewiele mają ze sobą wspólnego. Nie są w bliskich relacjach także dlatego, że są bardzo różni. Co wspólnego może mieć wrażliwy, niepewny i w głębi duszy wcale nie konserwatywny Karol z siostrą Anną, silną psychicznie i wrogo nastawioną do wszelkich zmian w łonie instytucji? Albo blagier Andrzej, interesujący się tylko golfem i ładnymi dziewczętami – z nieśmiałym i napuszonym Edwardem? Niewiele poza sporą arogancją, egoizmem i zachowaniem rozpieszczonych dzieciaków, którym wszystko się należy. Królowa nie rozumie swoich dzieci. Przez dyskrecję czy też brak zainteresowania woli nie zauważać ich wybryków. Wie o ich przygodach pozamałżeńskich, ale odmawia interwencji, a to, jak wiadomo, ma fatalne skutki. Książę Filip, który nie lubi się rozwodzić nad kwestią wychowania swoich latorośli, stwierdza: „Robiliśmy, co było można".

IV
Cztery filary władzy

W powszechnym wyobrażeniu wstąpienie na tron Elżbiety II oznaczało zerwanie relacji między dwoma światami. Dawnym – reprezentowanym przez króla Jerzego VI, i nowym – symbolizowanym przez młodą królową, wspieraną przez księcia małżonka. To efekt utrwalonych klisz, bo w rzeczywistości Elżbieta II powiela sposób panowania swojego ojca.

– Jest postacią z XIX wieku, ale kieruje przejściem w wiek XXI. Została zmuszona do unowocześnienia monarchii wiktoriańskiej – mówi David Cannadine. Zrobiła to, wspierając się na tych samych filarach, co Wiktoria: Pałacu, armii, religii i arystokracji.

Pałac Buckingham

Prawie siedemset pomieszczeń, dziewiętnaście sal recepcyjnych, pięćdziesiąt dwie sypialnie królewskie, sto osiemdziesiąt osiem sypialni dla personelu, siedemdziesiąt osiem łazienek, dziewięćdziesiąt dwa biura, parę kilometrów korytarzy, dwudziestohektarowy park, dwuhektarowy staw i sześciuset pracowników. W sercu Londynu niesamowita forteca o fasadzie z kamienia portlandzkiego, wybudowana w roku 1705 przez pierwszego księcia Buckingham, kupiona przez Jerzego II w roku 1762 i rozbudowana przez słynnego architekta Nasha w 1821. Jest to miasto w mieście, z kuchniami, restauracjami, spiżarniami, ambulatorium, kaplicą, kwiaciarnią i pocztą. Czas się tu zatrzymał. Strażnicy w mundurach pamiętających Waterloo i futrzanych czapach trwają w bezruchu jak automaty. W ogromnych salonach wiktoriańskie meble i obrazy przytłaczają rozmiarami mieszkańców. Jest też słynny balkon (dostępny przez chiński salonik), jedyne miejsce kontaktu monarchii z ludem, na którym rodzina Windsorów prezentuje poddanym swój idealny obraz. W skład apartamentów reprezentacyjnych, znajdujących się w południowej i wschodniej części kompleksu, wchodzą: salony, sala muzyczna, galeria portretów i sala balowa. Administracja królewskiego domu mieści się na parterze. Na pierwszym piętrze prawego skrzydła, wzdłuż Korytarza Królów, usytuowane są apartamenty prywatne: gabinet księcia Filipa, dressing-room królowej, biuro królowej, jadalnia. Nie są zbyt duże, co może się wydawać dziwne w tak ogromnym pałacu. To prawdziwy kokon królowej i księcia Filipa. Nawet prywatny sekretarz ma tam wstęp tylko w wypadku poważnego kryzysu. Personel mieszka w małych służbówkach na drugim piętrze, pod samym dachem, w iście spartańskich warunkach.

Pałac Buckingham jest symbolem władzy głowy państwa, podobnie jak Pałac Elizejski w Paryżu. Gdy królowa jest obecna, czerwonozłoty sztandar dynastii – Royal Standard – powiewa na maszcie. Jest symbolem ciągłości monarchii. To w tym pompatycznym, pełnym złota otoczeniu, nazywanym przez pracowników BP, nowa królowa i jej rodzina zamieszkali w roku 1952. Elżbieta, choć mieszkała tu już w latach 1936–1947, niechętnie opuściła Clarence House.

Jak już wiemy, nie była przygotowana do nowej roli. Nigdy nie myślała, że jej ojciec umrze tak wcześnie, w wieku zaledwie pięćdziesięciu sześciu lat. Zdawało jej się, że ma dużo czasu, aby się nauczyć zasad funkcjonowania monarchii, zorientować w systemie nieprostych powiązań politycznych i dyplomatycznych, poznać tajemnice działania królewskiej machiny, kwestie finansowe i inne.

Następczyni tronu liczyła, że wychowa dzieci z uwagą i czułością zwykłej matki, a nie jako dostojna królowa.

Musiała natychmiast rozwiązać dwa problemy dotyczące pozycji swego męża i symboliki nowego panowania. Coś trzeba było zrobić z Filipem, człowiekiem inteligentnym i zdecydowanym, który nie chciał się zadowolić rolą figuranta? To doprawdy była łamigłówka. Gdy koronowano króla, jego żona automatycznie stawała się królową małżonką. W przypadku królowej jej mąż powinien zostać królem małżonkiem. Królowa Wiktoria chciała przyznać ten tytuł swemu drogiemu Albertowi, ale wobec sprzeciwu rządu mógł być tylko księciem małżonkiem. Elżbieta II mogła pójść tym tropem. Gdyby nie to, że Albert, mając dostęp do wszystkich oficjalnych dokumentów i telegramów dyplomatycznych, z czasem został *de facto* dyrektorem gabinetu królowej. Z powodu częstych ciąż żony odgrywał pierwszoplanową rolę w modernizacji kraju, organizując Wielką Wystawę w Crystal Palace w roku 1851. Stała się ona symbolem brytyjskiej potęgi. Przy okazji Albert przekroczył swoje uprawnienia, przejmując niektóre królewskie obowiązki, z uszczerbkiem dla żony, oddanej mężowi i dziewięciorgu dzieciom.

Tego scenariusza Elżbieta II za wszelką cenę chce uniknąć. Młoda kobieta, którą uważano za dosyć bierną i nieinteresującą się sprawami królestwa, nagle ulega magii władzy i odmawia przyznania mężowi tytułu księcia małżonka, który dałby mu pozycję drugiej osoby w państwie. Tak oto historia zaważyła na decyzji królowej. Po siedmiu latach od zwycięstwa nad nazizmem nastroje antyniemieckie za kanałem La Manche są wciąż żywe. Nigdy też nie doszło do oficjalnego pojednania angielsko-niemieckiego, tak jak to się stało we Francji. Widać to jeszcze i dzisiaj podczas meczów piłki nożnej między drużynami obu krajów. Pamięć o bombach zrzucanych przez niewidzialnego wroga niewątpliwie utrudniła powojenne bratanie się. Tymczasem Filip, grecki książę pochodzenia niemiecko-duńskiego, syn emigrantów, wlecze jak kulę u nogi małżeństwa swoich trzech sióstr z oficerami SS. Nie może być mowy o uchyleniu wrót władzy „Szwabowi", jak się wtedy mówiło. Tym bardziej że królowa chce, aby zapomniano o przedwojennych błędach jej rodziców. Jerzy VI i jego żona wspierali ugodową politykę

Chamberlaina wobec Hitlera. Układy monachijskie z 1938 roku zostały bardzo dobrze przyjęte w Pałacu, który żył obsesją bolszewizmu i wspomnieniami o potwornościach okopów, zwłaszcza masakry nad Sommą. Obecność Chamberlaina przy królu i królowej na balkonie pałacu Buckingham, po powrocie z Monachium, zapisała się w pamięci wszystkich. Ponadto w 1940 roku król i jego żona byli przeciwni wprowadzeniu na Downing Street 10 Winstona Churchilla, zwolennika twardej polityki wobec Trzeciej Rzeszy. Para królewska wolała neutralną politykę lorda Halifaksa, drugiego kandydata na premiera, duchowego spadkobiercy Chamberlaina. Film Jamesa Ivory'ego *Okruchy dnia* uwiecznił prohitlerowskie sympatie części brytyjskiej arystokracji.

Drugim znaczącym handicapem Filipa jest to, że Królowa Matka widzi w nim makiaweliczne wpływy Mountbattena, którego nigdy nie lubiła. Książę rzeczywiście jest protegowanym tego uroczego snoba i zręcznego gracza. To prawda: ostatni wicekról Indii, prawnuk Wiktorii, marzy o ponownym dołączeniu nazwiska Mountbatten do nazwy dynastii Windsorów. Zostało wykreślone w 1917 roku, podczas „odniemczania" rodziny Sachsen-Coburg, nazwanej wtedy Windsor. Gdy umiera Jerzy VI, Mountbatten jest przekonany, że mu się udało. W kręgu znajomych, mając na myśli swojego bratanka Filipa, rzuca: „Od tej chwili króluje dom Mountbattenów!" Biorąc marzenia za rzeczywistość, rozgniewał królową Elżbietę. I popełnił wielki błąd, potwierdzając, że piękne małżeństwo z miłości pomiędzy jego bratankiem i księżniczką było w rzeczywistości zaplanowane. Przez nieostrożność chwalił się nawet, że sam popychał bratanka, trochę wbrew jego woli, w ramiona Elżbiety.

Filip, współczesny playboy o sardonicznym śmiechu, wystraszył służbę odziedziczoną po Jerzym VI, wierną dawnym przyzwyczajeniom. Za plecami nazywano go Hunem (Szwabem). Kiedy lansował swój pomysł Duke of Edinburgh's Awards Scheme, fundacji na rzecz trudnej młodzieży, minister stwierdził: „A więc chodzi o odtworzenie czegoś w rodzaju Hitlerjugend!" Upokorzony Filip poskarżył się Mountbattenowi, który tak go pocieszył: „Pamiętaj, że to tylko poddani. Ty należysz do rodziny królewskiej".

W 1951 roku Churchill ponownie zostaje premierem i zupełnie nie ma zaufania do Filipa, któremu również zarzuca niemieckie pochodzenie. Obawia się także Mountbattena, w jego oczach odpowiedzialnego za niepowodzenie angielsko-kanadyjskiego lądowania w Dieppe w roku 1942, nieporozumienia z Amerykanami na Bliskim Wschodzie w 1945 roku i utratę Indii trzy lata później.

Zdecydowany sprzeciw Elżbiety II w kwestii dołączenia jego nazwiska do nazwy dynastii Windsorów powoduje, że Filip wybucha: „Czy mam być jedynym mężczyzną w tym kraju, który nie ma prawa dać dzieciom swego nazwiska?" Dopiero w roku 1960 królowa, pewna już własnego autorytetu, ustępuje. Potomkowie, którzy nie są „królewskimi wysokościami", czyli pretendentami do sukcesji, jeżeli zechcą, mogą nosić podwójne nazwisko Mountbatten-Windsor.

Drugim pilnym zadaniem królowej jest zdefiniowanie stylu sprawowania władzy. Aby to zrozumieć, cofnijmy się o pół wieku. Jaką Anglię odziedziczyła Elżbieta II? Na początku jej panowania można jeszcze było mieć złudzenia co do siły Albionu. W roku 1952 Wielka Brytania staje się mocarstwem atomowym. Tytuł Imperatora Indii przestał istnieć zaledwie pięć lat wcześniej. W dodatku pierwszym premierem Indii po uzyskaniu niepodległości zostaje Nehru, który jest anglofilem i byłym kochankiem Edwiny Mountbatten, żony ostatniego wicekróla. Choć Albion utracił Palestynę, nadal kontroluje Kanał Sueski, połowę Afryki i Bliski Wschód. Daleko mu do Italii, smutnej matki martwego imperium, jak mawiał Byron. Izba Lordów, opanowana przez arystokratów, którzy dziedziczą w niej fotele, dochodzi do porozumienia z Izbą Gmin. Pomimo szoku drugiej wojny światowej kraj jest głęboko podzielony na hermetyczne klasy społeczne. Klasa średnia jest miażdżona przez dwa prawdziwe bieguny władzy, szlachtę z jednej strony i związki zawodowe z drugiej. Królowa zna tylko szlachtę, środowisko, z którego pochodzi i źródło rekrutacji dworzan oraz klasę robotniczą reprezentowaną przez służbę. Nie wie nic o mieszczaństwie, które powstaje w latach sześćdziesiątych. Społeczeństwo trwa w dumnym bezruchu, jak o zmierzchu panowania jej praprababki królowej Wiktorii, zmarłej w 1901 roku. Zresztą właśnie na Wiktorii Elżbieta będzie się wzorować. W latach siedemdziesiątych XIX wieku zdarzało się, że gdy praprababka wyjeżdżała z Buckingham, jej karetę obrzucano pomidorami. Po śmierci męża królowa długo i z trudem dochodziła do siebie. Jej doradcy wpadli na wiekopomny pomysł dodania blasku monarchii, która do tej pory wyróżniała się skromnością. To z tamtej epoki pochodzi typowo angielska pompa, o której myślimy, że jest odwieczna: zmiana warty, balkon na fasadzie pałacu i urządzenie placu przed nim w taki sposób, żeby lud mógł się wygodnie gromadzić i oklaskiwać monarchów. Genialny wizjoner Beniamin Disraeli kodyfikuje koncepcję imperialną, koronując Wiktorię (w 1877 roku) na Imperatorkę Indii i schlebiając w ten sposób dumie narodu, który jest przekonany, że świat kręci się wokół niego jak Ziemia wokół Słońca. Popularność królowej bardzo na tym zyskuje. Następcy idą za dobrym przykładem. Edward VII wymyśla nadawanie poddanym orderów. W Windsorze odbywa samotne przejażdżki konno lub samochodem. Jerzy V wprowadza przesłanie bożonarodzeniowe i doroczną ceremonię upamiętniającą żołnierzy Imperium, którzy polegli w pierwszej wojnie światowej. Jerzy VI z żoną wzmacniają morale ludności, odwiedzając zbombardowane dzielnice mieszkaniowe. Godząc się w roku 1953 na transmisję telewizyjną ze swojej koronacji, Elżbieta II również odkurza monarchię, pozbawiając ją ciężaru minionej epoki. Zniesiono tradycyjne prezentacje debiutantek na dworze. Na obiady do Pałacu zapraszani są przedstawiciele przemysłu, sportu, Kościoła, ludzie kultury i sztuki. Galeria obrazów królowej została przekształcona w muzeum. Z pałacu Sandringham transmitowane jest pierwsze przemówienie na żywo. Pierwsza „kąpiel w tłumie" podczas wizyty królowej w Nowej Zelandii, 23 marca 1970 roku, staje się jedną z najpopularniejszych innowacji tego panowania. Koncert najlepszych brytyjskich zespołów rockowych, zebranych w pałacu Buckingham 3 czerwca 2002 roku z okazji pięćdziesięciolecia panowania – to tylko dalszy ciąg zmian.

Armia

15 grudnia 2006 roku. Panuje dojmujące zimno. Królowa przeprowadza przegląd dwustu siedemdziesięciu siedmiu oficerów, którzy właśnie ukończyli Królewską Szkołę Wojskową w Sandhurst (odpowiednik francuskiej szkoły Saint-Cyr). Ubrana w ciemnoczerwony płaszcz i kapelusz, zwierzchniczka armii zatrzymuje się na chwilę przed swym wnukiem Williamem, wbitym w piękny ciemnogranatowy mundur ucznia oficera Sandhurst, stojącym w postawie zasadniczej z karabinem bojowym na ramieniu. Parada odbywa się według modelu napoleońskiego, w kwadracie. Oficerowie defilują zgodnym krokiem wyregulowanym co do milimetra. Z czasem monarchini stała się ekspertem od poruszania się żołnierzy w rytmie bębnów. Jako znawczyni docenia ewolucje Winstona, siwego konia komendanta, który, jak chce tradycja, wchodzi po stopniach prowadzących na rozległy dziedziniec akademii. Czy się nudzi? Nie. Elżbieta uwielbia wojskowy ceremoniał i świetnie go zna. Zresztą jest pułkownikiem dowodzącym dwudziestoma pułkami piechoty i lotnictwa oraz matką chrzestną wielu statków Royal Navy. Dla uczczenia swoich urodzin nie mogła wymyślić nic lepszego niż przegląd oddziałów straży królewskiej. „Musicie być odważni i bezinteresowni, dowodzić po ludzku, być pewni siebie, ale uprzejmi wobec innych". Przymioty oficera są niemal jak przymioty monarchy. W głębi duszy Elżbieta wolałaby pewnie, żeby William i młodszy Harry poszli w ślady pradziadka, dziadka, ojca i wuja, którzy wybrali Royal Navy. Królowa nie mogła zrozumieć, dlaczego jej wnuki wolały armię lądową. Wieść niesie, że obaj młodzieńcy są zafascynowani wyczynami elitarnej jednostki SAS, w której nauczyli się podstaw sztuki walki i zdobyli prawa jazdy. Królowa musiała przyjąć do wiadomości, że czasy się zmieniły.

Wojska lądowe, zaangażowane w Iraku, Afganistanie, w ramach misji pokojowych na Cyprze, w Kosowie, Bośni czy Sierra Leone fascynują dzisiaj przyszłych oficerów. Wszyscy władcy z Bliskiego Wschodu, Jordanii i Zatoki Perskiej wysyłają swoje dzieci do Sandhurst na czterdziestoczterotygodniowy wojskowy kurs dowodzenia. Droga niegdyś Windsorom marynarka wojenna nie ma już takiego wzięcia jak dawniej. No cóż, zmieniła się strategia. Jedynym pocieszeniem jest to, że książęta trafili do ulubionego pułku babki, królewskiej kawalerii, nazywanej Blues and Royals, założonej w 1662 roku. Jest to niewątpliwie najbardziej znany za granicą pułk brytyjskiej armii. Jego kudłate czapy podziwiają turyści z całego świata. Stróże wszystkich królewskich pałaców, grenadierzy i jeźdźcy biorą udział w Trooping the Colour, defiladzie wojskowej organizowanej co roku z okazji urodzin królowej. Wszyscy żołnierze, podoficerowie i oficerowie tych pułków reprezentacyjnych, defilujący wolnym krokiem przed królową, są wysocy (mają co najmniej metr osiemdziesiąt) i szczupli. Dyscyplina jest najważniejsza, więc można się zanudzić na śmierć, pastując buty, czyszcząc broń, prasując mundur. Gdy pułk w lekkich pojazdach opancerzonych bierze udział w misji rozpoznawczej za granicą, królowa czuje się osierocona. Przed pałacem Buckingham trzymają wtedy straż inne jednostki, a to nie to samo… Przywiązanie królowej do grenadierów jest legendarne. Mimo nacisków ze strony męża i syna (obaj są ekologami) odmawia zastąpienia skóry kanadyjskiego niedźwiedzia, z której szyte są słynne czapy, włóknem syntetycznym. Książę Harry (Cornet Wales – podpułkownik Wales, oficer kawalerii, trzeci w kolejności do tronu) też wyjeżdża do Iraku, co wpisuje się w rodzinną tradycję. Jego dziadek Filip walczył w marynarce wojennej podczas drugiej wojny światowej, ojciec spędził pięć lat w Royal Navy, nie walcząc. Wuj Andrzej w 1982 roku służył na Falklandach.

– To, że królowa jest naczelnym wodzem, zapewnia zbawienny dystans pomiędzy wojskowymi i władzą polityczną. Po otrzymaniu galonów oficerskich kadeci służą Jej Wysokości. Jesteśmy jej żołnierzami – mówi z odrobiną wzruszenia w głosie komendant Sandhurst Peter Pearson, dwugwiazdkowy generał. *Queen and Country!* – ten okrzyk bojowy wyraża uświęcony związek armii z Koroną. Zmieniają się premierzy, ale królowa pozostaje na swoim miejscu niewzruszona, co pokazują jej dwa duże portrety wyeksponowane przy głównym wejściu do szkoły wojskowej.

Bill of Rights, dokument, który jako warunek swej koronacji musiał podpisać Wilhelm Orański, zapewnia Parlamentowi prawo zwoływania i utrzymywania armii w czasie pokoju. W czasie wojny nominacje generałów, strategia, podpisanie pokoju należą do rządu. Panujący jest zwierzchnikiem armii, ale jak się dzisiaj podkreśla, chodzi jedynie o funkcję honorową. Ostatnim królem, który osobiście dowodził wojskiem, był w XVIII wieku Jerzy II. Interwencje monarchów należą do wyjątków. Jerzy V uzyskał (w roku 1915) zgodę na zastąpienie dowodzącego frontem zachodnim marszałka Frencha swoim protegowanym Douglasem Haigiem. Jerzy VI osobiście zabronił Churchillowi udziału w lądowaniu w Normandii. Elżbieta II nie pozwalała sobie na takie interwencje, chociaż za jej panowania było wiele konfliktów: Suez w 1952 roku, Falklandy w 1982 i Irak w 2003. Jej rolą jest dbanie o morale wojsk, a nie zabawa w superwoman i miotanie piorunów w Iraku czy Afganistanie. Oczywiście królowa nie ma możliwości naciśnięcia guzika atomowego.

Patronat nad pułkami służy ciągłości historycznej. Ten związek ma znaczenie symboliczne, ale i praktyczne. Chociaż Anglia nie jest Pakistanem z roku 1999, Chile z roku 1973 ani Grecją z roku 1967, to złośliwi i tak twierdzą, że związek między armią i Koroną gwarantuje dynastii spokój. Elżbieta II nie zapomniała, jak wyżsi oficerowie ze skrajnej prawicy spiskowali w połowie lat siedemdziesiątych, by doprowadzić do upadku Harolda Wilsona, którego niesłusznie posądzali o to, że jest komunistycznym szpiegiem. Spiskowcy sugerowali nawet detronizację królowej, uważanej za zbyt bliską premierowi, i zastąpienie jej Mountbattenem. Wielka Brytania jest wzorcową demokracją, lecz królowa, gdyby tylko chciała, mogłaby dokonać zamachu stanu przy poparciu armii – i to w zgodzie z konstytucją. To tylko fantazja, ale trzeba o niej wspomnieć.

Kościół

FD (Fidei Defensor): jak wskazują te dwie litery występujące przy oficjalnym tytule Elżbiety II, została ona wyświęcona na protektorkę uniwersalnej wiary. W monarchii brytyjskiej szabla idzie w parze z kropidłem. W Wielkiej Brytanii to królowa jest głową Kościoła anglikańskiego. Funkcja ta może dziwić w państwie w dużym stopniu świeckim, którego społeczeństwo jest wielokulturowe i składa się z protestantów, katolików, żydów, muzułmanów, hinduistów i buddystów, jest otwarte na świat i nie brakuje w nim agnostyków.

Królowa jest osobą głęboko wierzącą i praktykującą, wiarę czerpie z Biblii, hymnów i kazań. W królewskich ceremoniach zawsze uczestniczy pastor jednej z prywatnych diecezji w Windsorze, Hampton Court, Westminsterze lub Saint James. Na przyjęciu w pałacu Buckingham dla najbardziej zasłużonych obywateli, w którym brałem udział, często można było usłyszeć pytanie: „Gdzie jest mój prałat?" Elżbieta jest bardzo przywiązana do swoich doradców duchowych, i sama ich wybiera. Mając dostęp do jej najbardziej osobistych spraw, ci ostatni z reguły nie rozmawiają z dziennikarzami. Królowa wymaga od nich, aby byli bezpośredni, nie będąc moralistami. Delikatnie ich tyranizuje.

W postępowaniu wobec innych królowa kieruje się własnymi przekonaniami. A pokora jest jedną z tych wartości, które odnajduje w swojej wierze, podobnie jak przyzwoitość. Odniesienia religijne są zawsze obecne w jej wystąpieniach bożonarodzeniowych.

Biskup Winchesteru Michael Scott-Joynt jest odpowiedzialny za stosunki Kościoła anglikańskiego z dworem. Zawdzięcza to długiej historii swej diecezji, jednej z najstarszych w Wielkiej Brytanii. Jest także kawalerem szlachetnego Orderu Podwiązki, najbardziej prestiżowego rycerskiego odznaczenia nadawanego przez Jej Wysokość. Winchester, z czystymi ulicami, zabytkami, sklepami pamiątkarskimi, jest jak z pocztówki. To kwintesencja południowo-wschodniej Anglii, tradycyjnej, zamożnej, bez problemów rasowych. Jest wiatr, są drzewa i trawnik. Dewiza szacownego Winchester College streszcza filozofię podopiecznych biskupa Michaela Scott-Joynta: *manners make man* – maniery świadczą o człowieku.

Prałat mieszka w pałacu Wolseley, dużym domu z szarej cegły ukrytym w cieniu katedry. Cel mojej wizyty go zachwyca, bo, jak mówi, niezbyt wiele brytyjskich biografii zainteresowało się tym aspektem życia królowej.

– Jej pobożność to podstawa, jeśli chce się ją zrozumieć. Ona się nie zmieniła, ale społeczeństwo uległo laicyzacji, i z tego wynika pewien rozdźwięk – podkreśla rzecznik kościoła państwowego do spraw konstytucyjnych.

Trudno wyrobić sobie bardziej klarowną opinię o roli Kościoła anglikańskiego lub ocenić jego wpływ na dwadzieścia do trzydziestu milionów wiernych w Zjednoczonym Królestwie i osiemdziesięciu milionów na świecie. Od paru lat mówi się tylko o kryzysie: spadek liczby praktykujących, coraz mniej powołań, zeświecczenie społeczeństwa, głębokie podziały społeczne. Jednocześnie uczestnictwo w nabożeństwie jest teraz wyrazem osobistego wolnego wyboru. Liczba osób przyznających się do Church of England, gdy się je pyta o tożsamość religijną, jest na ogół stała – to połowa populacji Wielkiej Brytanii.

Jak w tych okolicznościach określić wiarę głowy Kościoła anglikańskiego? Chociaż nastrój zakrystii zachęca do zwierzeń, Michael Scott-Joynt jest ostrożny: „Jak we wszystkim, królowa sprzyja poszukiwaniu złotego środka pośród licznych prądów ścierających się w naszym Kościele". To się nazywa *Broad Church*, Kościół Szeroki. Królowa nie odnajduje się w „kościele wysokim", który podtrzymuje tradycję rzymskokatolicką, opartą na symbolice i ceremoniale. Odrzuca społeczną optykę tego prądu w Kościele. Dla niej religia sprowadza się do duchowości. Co do „kościoła niskiego", bliższego protestantom reformowanym, to w jej oczach jest on za bardzo opanowany przez ruch ewangeliczny i charyzmatyczny. Śpiewy i trzymanie podczas nabożeństwa osoby siedzącej obok za rękę nie są w stylu Elżbiety. „Królowa nie wygłasza kategorycznych sądów w kwestiach religijnych, ale jak większość chrześcijan w jej królestwie jest przywiązana do reguł doktryny anglikańskiej. Niuanse jej nie interesują". Biskup Winchester zauważa, że nie znamy do końca stanowiska protektorki wiary w sprawach dotyczących wielkich problemów człowieka, które dzielą wiernych. Na przykład homoseksualizm niektórych przedstawicieli kleru zagrażał rozpadem kościołowi Henryka VIII. Królowa nie uważa homoseksualizmu za grzech, w przeciwieństwie do ewangelików, którzy jej zdaniem są nietolerancyjni. Nie opowiada się również po stronie liberalnego skrzydła, dla którego bycie gejem nie jest dobrowolnym wyborem, lecz pewnym uwarunkowaniem. Dla głowy Kościoła anglikańskiego orientacja seksualna jest osobistą sprawą każdego człowieka, jeżeli nie krzywdzi innych. Królowa akceptuje protestancką zasadę wolnej woli, co jednak nie oznacza, że nie obowiązują zasady moralne. W sprawach liturgii jest tradycjonalistką. Jej pogląd na temat kapłaństwa kobiet, decyzji podjętej w roku 1992, pozostaje dla nas tajemnicą, choć Elżbieta raczej tego nie popiera. Jedno jest pewne: monarchini nie lubi fanatyków religijnych. Pod tym względem jest podobna do królowej Wiktorii, która wolała takich premierów, jak przechrzta Beniamin Disraeli czy agnostyk lord Melbourne od kaznodziei Williama Gladstone'a.

Mistrzem Elżbiety II jest wierny Henrykowi VIII – Thomas Cranmer (1489–1556), arcybiskup Canterbury, który w 1533 roku unieważnił małżeństwo króla z Katarzyną Aragońską, aby ten mógł poślubić Annę Boleyn. Cranmer został stracony, gdy za panowania krwawej Marii Tudor do władzy wrócili katolicy. Jej imieniem nazwano koktajl z wódki i soku pomidorowego – Krwawa Mary [Bloody Mary].

Cranmer zdefiniował istotę sakralnego charakteru monarchii, pod którą Elżbieta II się podpisuje. Wynikiem lektury jego Modlitewnika powszechnego [Book of Common Prayer] miałaby być jej nieufność w stosunku do katolików. Podobnie jak wszyscy jej poprzednicy zawsze popierała prawo z 1701 roku, zgodnie z którym monarcha nie może być katolikiem, ani nawet poślubić katoliczki czy katolika. Królowa nie powołuje się w tej sprawie na Cranmera, ale pozostaje pod dużym jego wpływem.

Tytuł najwyższego zwierzchnika Kościoła anglikańskiego jest symboliczny. Prawdziwa władza – duchowa i wykonawcza – należy bowiem do arcybiskupa Canterbury, którego wspiera czterdziestu czterech biskupów diecezjalnych. W 1534 roku w wyniku schizmy Kościół anglikański odłączył się od Stolicy Apostolskiej, ogłaszając niezależność. Od tej pory prymas i biskupi są mianowani przez premiera na wniosek komisji kościelnej. Jest to wewnętrzna sprawa Kościoła. Zresztą prerogatywy suwerena Wielkiej Brytanii w sprawach religijnych ograniczają się wyłącznie do Kościoła anglikańskiego. W Szkocji królowa jest już tylko członkiem narodowego Kościoła prezbiteriańskiego. Natomiast Walia od roku 1920 i Irlandia Północna od roku 1869 są całkowicie niezależne.

Elżbieta II zawsze była przeciwna reformie proponowanej przez swojego syna, księcia Karola, który opowiadał się za obroną „wszystkich wyznań". W roku 1994 polemika na temat rozdziału Kościoła od państwa skończyła się po tym, jak najwyższa instancja, czyli Synod, głosowała przeciw takiemu rozwiązaniu. Biskup Winchesteru broni stanowiska królowej: „Książę Karol miał złych doradców. Nie sądzę, by pojęcie wiary istniało w próżni. Wierzymy w Boga w ramach konkretnej struktury religijnej. Żeby szanować inne religie, trzeba przede wszystkim żyć pełnią własnej". Dwa lata później królowa sama odrzuciła raport skierowany do specjalnej komisji, dotyczący rozdziału między kościołem państwowym i monarchią. Szybko też o nim zapomniano. Brytyjscy katolicy, którzy stanowią zaledwie dziesięć procent obywateli, nigdy nie mieli wystarczającej siły wyborczej, żeby wprowadzić tak poważne zmiany. W dodatku podejrzewano wtedy księcia Karola, że opowiada się za rozdzieleniem Kościoła od państwa tylko po to, by łatwiej uzyskać rozwód z księżną Dianą i wziąć ślub z Camillą.

W czasie koronacji Elżbieta II przysięgała, że „utrzyma w Wielkiej Brytanii ustanowiony prawem protestantyzm reformowany" i będzie rządzić „z łaski Boga". Dlatego monarchini opowiedziała się po stronie *status quo*. W tej samej grupie są nie tylko anglikańscy prałaci, lecz także masoni. Bardzo prawicowe i zacieklie antypapistowskie loże brytyjskie, którym długo przewodniczył kuzyn królowej, książę Kentu, w dalszym ciągu mają wpływy w magistratach, policji i armii. Trzeba też brać pod uwagę wrogość prezbiterian i protestantów z północnej Irlandii wobec katolików. „Lepiej, żeby głową państwa była osoba wierząca niż niewierząca" – stwierdził wielki rabin Zjednoczonego Królestwa. Część gminy żydowskiej również jest przeciwna wszelkim reformom fundamentalnego związku Kościoła z państwem, gdyż uważa, że to on chronił Żydów przed katolikami po ich wypędzeniu w XV wieku z Hiszpanii.

Sądy nieprzychylne Rzymowi były głęboko zakorzenione w królewskim otoczeniu. W 1935 roku król Jerzy V odesłał życzenia, które otrzymał od katolickiego prymasa Anglii i Walii z okazji srebrnego jubileuszu. W roku 1947 głowa Kościoła katolickiego nie była zaproszona na książęcy ślub. Dopiero w roku 1961 podczas oficjalnej wizyty we Włoszech, królowa została przyjęta przez papieża Jana XXIII. Jej ojciec nigdy nie odwiedził Watykanu. W 1982 roku Rzym mianował nuncjusza apostolskiego w Londynie, a w 1985 Jan Paweł II jako pierwszy papież odwiedził Wielką Brytanię. Ale w tym samym roku królowa zabroniła księciu Karolowi i księżnej Dianie uczestniczyć we mszy celebrowanej przez Jana Pawła II w jego prywatnej kaplicy watykańskiej. A przecież nie było w tym nic złego, ten przywilej przyznawany jest wielu osobom. Musieli zadowolić się audiencją. W roku 1995 podczas świętowania stulecia Katedry Westminsterskiej królowa po raz pierwszy uczestniczyła w katolickim nabożeństwie.

To przywiązanie do Kościoła anglikańskiego mogło być powodem początkowej nieufności królowej do Tony'ego Blaira, „kryptokatolika", którego czworo dzieci zostało ochrzczonych w religii ich matki i którym towarzyszy on podczas coniedzielnej mszy. Ta obrona Kościoła anglikańskiego wyjaśnia także odsunięcie kuzynki, niezwykle popularnej księżnej Kentu (która wielokrotnie wręczała trofea zwycięzcom Wimbledonu), po jej przejściu na katolicyzm w roku 1994. Jest ona pierwszym członkiem rodziny królewskiej, który to zrobił, od czasu ekskomuniki Henryka VIII w 1533 roku. Ponieważ Nicolas Windsor, syn księżnej, poszedł za przykładem matki, stracił prawa do tronu.

Królowa powoli przyzwyczaja się jednak do zmian w brytyjskim społeczeństwie. Dużą rolę w tym otwarciu odegrał arcybiskup

Westminsteru kardynał Basil Hume, późniejszy prymas Anglii i Walii. Jako benedyktyn, powołany do życia klasztornego i kontemplacyjnego, katolicki prałat był skłonny podjąć bardziej otwarty dialog niż jego poprzednicy. Królowa zwraca się do niego „mój kardynale". Hume zaprzyjaźnił się z Dianą, która pomogła mu rozwiązać problem bezdomnych mieszkających pod katedrą. Arcybiskup podtrzymywał tę przyjaźń nawet po rozwodzie Diany, co wywołało gniew księcia Karola. Podobno Diana, która myślała o przejściu na katolicyzm tak jak jej matka, na parę miesięcy przed śmiercią często szukała porady arcybiskupa. Nie przeszkodziło to jednak prałatowi w homilii pogrzebowej z 5 września 1997 napiętnować „niedoskonałą osobowość" zmarłej. Chodziło o rozwód i kochanków. Królowa to doceniła.

Niedługo przed śmiercią, w 1999 roku, kardynał Hume otrzymał z rąk Elżbiety II Order Zasługi, jedno z najwyższych królewskich odznaczeń. „Rozmawialiśmy o śmierci, cierpieniu i przyszłym życiu, o tego rodzaju sprawach" – zdradza kardynał swemu pielęgniarzowi, wychodząc z pałacu. W roku 2002 pojawia się nowa oznaka ocieplenia stosunków z Kościołem rzymskokatolickim: kardynał Cormac Murphy O'Connor zostaje zaproszony przez królową do wygłoszenia niedzielnego kazania w prywatnej kaplicy przylegającej do pałacu Sandringham. Dzisiaj, jak widać, Elżbieta II działa na rzecz ekumenizmu, zbliżenia między Kościołami. Równolegle toczy się dialog między chrześcijanami i wyznaniami niechrześcijańskimi. Książę Karol nawiązał liczne kontakty z religijnymi reprezentantami muzułmanów. Islam zawsze fascynował arystokrację królestwa. Czyż osobisty służący – może nawet kochanek – królowej Wiktorii nie był Hindusem wyznającym islam?

Szlachta

Czwartym filarem panowania Elżbiety II, poza pałacem, armią i religią, jest szlachta. W czasie jej intronizacji związek ten symbolizowała obecność w pierwszych rzędach dziedziców królestwa w aksamitnych strojach i gronostajach. Pół wieku później Elżbieta nadal jest związana z kastą, która świetnie się ma w swoich solidnych i mało widocznych bastionach.

Wydarzeniem 2004 roku był listopadowy ślub lady Tamary Grosvenor z Edwardem Van Cutsem w kościele Eaton Hall. Ojcem panny młodej był Gerald Cavendish Grosvenor, książę Westminsteru, największa fortuna arystokratyczna królestwa. Posiadający nieruchomości w najpiękniejszych dzielnicach Londynu i żyzne ziemie w Cheshire prezes setki towarzystw dobroczynnych i pułkownik rezerwy książę Westminsteru sam jest miniwładcą.

Ważnym gościem była oczywiście królowa. Ojciec księcia był jej przyjacielem. Książę był kolegą z dzieciństwa księcia Karola, jego żona – chrzestną matką księcia Williama, a przyszły zięć – najlepszym przyjacielem tego ostatniego. Towarzystwo (książęta, diukowie, hrabiowie, markizowie i baronowie) to pospolite ruszenie angielskiej szlachty. Podobnie jak w czasie koronacji królowa dobrze się czuła w towarzystwie arystokratów. Pomimo historycznych nieszczęść, zmian społecznych, pojawienia się klasy średniej i mniejszości rasowych szlachta Zjednoczonego Królestwa ma się dobrze.

Bezpowrotnie utraciła jednak władzę polityczną, zwłaszcza po tym, jak Tony Blair w 1999 roku „zwolnił" większość osób dziedzicznie zasiadających w Izbie Lordów. W roku 1952 cały sztab generalny królowej tworzyła błękitna krew po Eton College. Dzisiaj tylko jeden wysoki urzędnik Pałacu Buckingham wywodzi się z tej kasty. Oczywiście uszczuplone zostało także ich bogactwo: tylko jeden arystokrata, książę Westminsteru, znajduje się w dziesiątce najbogatszych ludzi Wielkiej Brytanii. Reszta to parweniusze, którzy fortuny zawdzięczają działalności przemysłowej i finansowej. Co roku – z braku potomków – wygasa średnio pięć tytułów szlacheckich, albo są sprzedawane nowobogackim. Co roku około dwudziestu pałaców zmienia właścicieli. Sprzedają je posiadacze zrujnowani wzrostem kosztów utrzymania i ciężarem opłat. W każdym razie od pół wieku notowania „nazwisk i krwi", związanych z rodziną królewską nie były tak wysokie. Czyż szczytem marzeń nuworyszów i imigrantów, którzy się wzbogacili, nie jest choćby otarcie się o członków rodziny królewskiej i arystokrację podczas balów, koktajli lub rajdów oraz zdjęcie w ich towarzystwie zamieszczone w miesięczniku „Tatler's"? Za parę tysięcy funtów różni doradcy obiecują im uchylenie drzwi do świata nieufnego wobec nowych pieniędzy. W świecie pozbawionym punktów orientacyjnych, w świecie, który utracił pewniki i wzorce, wartości zwane arystokratycznymi – porządek, autorytet, etyka i dobre maniery – reprezentowane przez królową znowu są w cenie. Wielu poddanym zwiedzanie w niedzielę z rodziną jednego z królewskich pałaców pozwala odnaleźć korzenie królestwa.

Wysoka pozycja szlachty w brytyjskim życiu społecznym nie jest niczym nowym. Wynika przede wszystkim z historii: rewolucja angielska w XVII wieku, w przeciwieństwie do tej z roku 1789 we Francji ani nie posłużyła się gilotyną, ani nie wprowadziła radykalnej reformy rolnej. W Anglii nie doszło do przejęcia własności tak jak we Francji, gdzie bogaci chłopi kupowali dobra szlacheckie. Uszanowano też prawo starszeństwa (dotyczące męskich potomków), dzięki czemu ojcowizna pozostawała nienaruszona.

Tak więc od końca XIX wieku arystokracja ustępowała na polu politycznym, ale nie na ekonomicznym. Druga wojna światowa nawet ją wzmocniła: izolacja kraju skłoniła rząd porozumienia narodowego do hojnego wspierania dużych majątków ziemskich. Obraz szlachty zyskał w wyniku wojny. To jej wybitni przedstawiciele prowadzili z Hitlerem walkę o wolność: Churchill, siostrzeniec diuka Marlborough, Mountbatten, Alexander, Stirling.

Agonia imperium kolonialnego, wysokie podatki narzucone przez rządy laburzystowskie w latach czterdziestych, sześćdziesiątych i siedemdziesiątych oraz neoliberalna kuracja pani Thatcher (z jej odą do ambicji i pracy) nie zaszkodziły rentierom. Europejska wspólna polityka rolna (WPR) wsparła najlepsze rodziny królestwa. Duże majątki skorzystały z pomocy Brukseli, przydzielano ją w zależności od powierzchni upraw, produkcyjności i pogłowia trzody. Królowa, książę Karol i wielu diuków, hrabiów, baronów i innych właścicieli ziemskich znaleźli się w grupie uprzywilejowanych przez WPR. Wielkie rodziny, których fortuna pochodziła z własności ziemskiej, dzięki dość liberalnemu systemowi podatkowemu potrafiły skorzystać na wzroście cen ziemi. Dynamiczna rozbudowa miast przyczyniła się do wzrostu ceny otaczających je terenów. Wzmożone zapotrzebowanie na stare obrazy, meble i srebro pozwoliło podreperować stan kasy i zmierzyć się z niespodziewanymi wydatkami. Jeśli chodzi o ochronę dziedzictwa, charakterystyczny dla anglosaksońskiego świata system rodzinnych trustów pozwolił uchronić posiadłości, podobnie jak zyski kapitałowe od podatku spadkowego. „W przeciwieństwie do rolników nasi członkowie mają szersze spojrzenie na środowisko. Są strażnikami spadku, lasów, fauny, domu rodzinnego" – informuje Country Landowners Association, stowarzyszenie właścicieli gruntów rolnych. Rozwój ruchu ekologicznego dowartościował tę grupę społeczną, która bardziej niż jakakolwiek inna zajęła się ochroną wsi. Wzorując się na księciu Karolu i jego ojcu, szlachta zainteresowała się ekologią. A takie dyscypliny plenerowe jak polo, jazda konna i polowania dają jej możliwość spotykania się we własnym gronie.

Elżbieta II odziedziczyła tytuł, kilka pałaców, wspaniałą kolekcję dzieł sztuki i fortunę. Przekaże to spadkobiercom zwaloryzowane, żeby zapewnić trwałość rodziny panującej. Gdy się jednak dobrze przyjrzeć, okazuje się, że jej własna fortuna jest mniejsza niż te należące do takich rodzin, jak: Westminster, Devonshire, Buccleuch czy Norfolk. Dzięki liberalnej polityce nieruchomościowej są oni właścicielami tysięcy hektarów gruntu i całych dzielnic Londynu.

– Rodzina królewska zawsze zachowuje dystans w stosunku do nas, by jeszcze bardziej się wyróżnić – mówi mi któregoś dnia baronet, którego poprosiłem, aby mi wyjaśnił różnicę między rodziną królewską a wysoką arystokracją. Może to się wydawać dziwne w ustroju monarchistycznym, ale legitymizację angielski monarcha konstytucyjny otrzymuje od ludu.

Podczas wszystkich konfliktów arystokracji z ludem (1846, 1909–1911, 1936) instytucje królewskie zawsze opowiadały się po stronie ludu. Kiedy lord Melbourne miał do czynienia z blokadą Izby Lordów przez obszarników, Wiktoria zgodziła się osłabić ich władzę, powołując dodatkową setkę dożywotnich parów. Trochę to w stylu Ludwika XIV, który tworzył liczne funkcje w Wersalu tylko po to, by zneutralizować szlachtę, zawsze gotową do buntu. Zaniepokojona straszliwą sytuacją klasy robotniczej Wiktoria wbrew premierowi uzyskuje zgodę na powołanie królewskiej komisji zajmującej się tą kwestią, i to pod przewodnictwem księcia Walii we własnej osobie. Jerzy V pójdzie za przykładem królowej Wiktorii w latach 1910–1911. Wspierając swego premiera, lorda Asquitha, w forsowaniu ustaw finansowych, grozi, że zniesie władzę arystokratów, powołując setki parów, których tytuły nie będą dziedziczone. Lordowie kapitulują. W 1924 roku monarcha akceptuje także rząd Partii Pracy, mówiąc: „Trzeba dać mu szansę". Związek Korony z ludem łączy wolność raczej z hierarchią niż z równością. To w otwartości na burżuazję, a nie w zakotwiczeniu w arystokracji tkwi tajemnica trwałości monarchii brytyjskiej. Troje z czworga dzieci Elżbiety i Filipa żeni się z parweniuszami. Tylko książę Karol wybiera szlachciankę, córkę hrabiego – lady Dianę Spencer.

V
Diana i Camilla

Gdzie byliście w dniu śmierci księżnej Diany? Podobnie jak w przypadku zabójstwa Kennedy'ego czy tragedii z jedenastego września wszyscy potrafią odpowiedzieć na to pytanie. Ja ostatni weekend sierpnia 1997 roku spędzałem w Brighton. O trzeciej nad ranem dowiedziałem się o wypadku samochodowym w Paryżu w tunelu Alma, którego ofiarą była księżna. Telewizja na okrągło pokazywała szczątki Mercedesa S-280, który się rozbił o słup. O godzinie czwartej czterdzieści cztery prezenter BBC odczytał wiadomość: „Księżna Diana zmarła w wyniku obrażeń odniesionych w wypadku". Ekran wypełniła brytyjska flaga, opuszczona na znak żałoby, i rozległ się hymn God Save the Queen. Ten wypadek wydobył z zakamarków mojej pamięci alfa romeo Brigitte Bardot i Jacka Palance'a z filmu Pogarda Jeana-Luca Godarda. Blondynka i bardzo bogaty kochanek – czy to trochę nie przypomina Diany i Dodiego Al Fayeda? Na Dworcu Wiktorii ludzie stoją cierpliwie w długiej kolejce po wydania specjalne niedzielnej prasy. Milczą. Cisza robi wrażenie. Królestwo opłakuje swoją księżną.

„Za wcześnie, żeby o tym mówić". Dworzanin, który był tamtego dnia w Balmoral przy królowej, do dzisiaj odmawia odpowiedzi na pytanie, jak w szkockim zamku przeżywano te tragiczne chwile. Nie chce nic powiedzieć o nastroju w tej starej siedzibie z granitu, gdzie królowa jak zwykle spędzała wakacje w towarzystwie męża, matki, syna i dwóch wnuków, Wiliama i Harry'ego. Nic na temat wewnętrznego rozdarcia Windsorów, szarpaniny doradców, postawy nowego premiera Tony'ego Blaira, rewolty londyńczyków, pastwienia się mediów.

Położony na odludziu zamek, wyposażony w masywne meble, ciemne tapety i średniowieczne zbroje, przypomina wiktoriańską dekorację przygód Sherlocka Holmesa. W każdym razie idealną dla rodzinnej tragedii przy drzwiach zamkniętych.

Trzydziestego sierpnia 1997 roku ze względu na niedzielne nabożeństwo królowa położyła się wcześniej spać. Następca tronu następnego dnia musi wracać z dziećmi do Londynu, bo przed powrotem do szkoły powinny się jeszcze spotkać z matką. Zgodnie z tradycją jeden z pracowników osobistego sekretariatu Elżbiety II ma dyżur w Craigowan, dużym domu przylegającym do rezydencji. Tego dnia dyżur pełni Robin Janvrin, numer dwa domu królewskiego. W środku nocy brytyjski ambasador w Paryżu Michael Jay telefonuje ze szpitala Salpêtrière na specjalny numer królewskiego doradcy, by go poinformować o wypadku, który wydarzył się w tunelu pod placem Alma. Janvrin poleca służącemu, by obudził królową i księcia Karola. Cała rodzina spotyka się przed telewizorem, czekając na najświeższe wiadomości. Francuskie władze informują, że zmarł szofer Henri Paul i Dodi Al Fayed. Wydaje się, że Diana cudem ocalała. Rząd francuski i brytyjski ambasador nie byli poinformowani o tym, że księżna Walii przebywa we Francji. O godzinie trzeciej pięć czasu angielskiego Diana umiera. Minister spraw wewnętrznych Jean Pierre Chevènement przekazuje tę smutną wiadomość ambasadorowi Jayowi, który informuje Balmoral i premiera Blaira. Elżbieta II nie okazuje żadnych emocji. Książę Filip i Królowa Matka nie wyglądają na poruszonych. Księżniczka Małgorzata mówi, że nie skróci wakacji z powodu „tej biednej dziewczyny, która wyszła za mojego siostrzeńca i spowodowała całe to poruszenie". Poruszenie – wygląda na to, że wypadek bardziej przeszkadza królowej, niż ją martwi. Jedyne, czym królowa się w tej tragicznej chwili zajmuje, to pocieszanie wnuków – piętnastoletniego księcia

Williama i dwunastoletniego Harry'ego. Książę Karol mówi im o śmierci matki, gdy tylko się budzą. Dla królowej sprawa jest prosta: rozwiedziona Diana nie jest już członkiem rodziny królewskiej. Tytuł księżnej odebrano jej po rozwodzie, w 1996 roku. Została wykluczona z rodziny Windsorów. Jej śmierć jest prywatną sprawą Spencerów. Monarchini prosi, by w kwestii pogrzebu Diany skontaktowano się z hrabią Charlesem Spencerem, który mieszka w Afryce Południowej. Klan Spencerów woli skromną uroczystość. Za zgodą matki książę Karol leci do Paryża samolotem wojskowym, by sprowadzić zwłoki byłej żony do królewskiej kaplicy pałacu Saint James. Jeśli chodzi o zażegnanie możliwego kryzysu, królowa ma całkowite zaufanie do swoich współpracowników i premiera. Jest potrzebna wnukom. Podjęła decyzję: zostanie w Balmoral, a do Londynu wróci dopiero na prywatny pogrzeb byłej synowej.

Tymczasem w Londynie tysiące anonimowych Brytyjczyków i obcokrajowców ze wszystkich środowisk zbierają się pod pałacem Kensington, rezydencją Diany, aby złożyć tam kwiaty, zapalić znicze lub powiesić na ogrodzeniu fotografię zmarłej. Tłum gromadzi się również przy pałacu Buckingham, symbolu monarchii. Jak zwykle pod nieobecność królowej sztandar zniknął z masztu. Kraj jest w szoku. Prezenterzy BBC, w białych koszulach i czarnych krawatach, są w żałobie. Na giełdzie zarządzono minutę ciszy. Zamarło życie polityczne.

Ostatnie tygodnie były dla królowej bardzo trudne. Tabloidy prześcigały się w publikowaniu zdjęć Diany, piękniejszej niż kiedykolwiek, u boku Dodiego Al Fayeda, syna magnata Mohameda Al Fayeda, właściciela Harrodsa. Głowa państwa ma dobrą pamięć. Na początku romansu Diany z Dodim Al Fayedem, w lipcu 1997 roku, królowa była przeciwna temu, by jej wnukowie, William i Harry, spędzili dziesięć dni wakacji na pokładzie luksusowego jachtu „Jonikal", należącego do egipskiego klanu. Królowa podejrzewa Dianę raczej o słabość do ojca Al Fayeda. To trochę tak jak Jackie Kennedy i starzejący się, bardzo bogaty Onassis. To ją brzydzi. „Strzeżcie się Greków przynoszących dary" – przypomina sobie znane angielskie powiedzenie, zaczerpnięte z Wergiliusza. Zdjęcie wykonane przy pomocy teleobiektywu przez włoskiego paparazzo, przedstawiające pocałunek Diany i Dodiego na jachcie u wybrzeży Sardynii, nie pojawia się w codziennym przeglądzie prasy, przygotowywanym przez serwis informacyjny Pałacu Buckingham i przesyłanym do Balmoral. Chciano oszczędzić królowej tej zniewagi. Oczywiście jej była synowa ma trzydzieści pięć lat i może kochać, kogo chce. Ale żeby biała kobieta, arystokratka i matka przyszłego króla Anglii pokazywała się z Maurem, egipskim playboyem o wątpliwej reputacji, to nie do pomyślenia. Ten związek niepokoi nawet tajne służby brytyjskie i amerykańskie, które cały czas śledzą kochanków. Al Fayed wzbogacił się na handlu bronią na Bliskim Wschodzie. Trzeba przypomnieć, że od pewnego czasu Mohamed Al Fayed jest *persona non grata* na dworze. Tajemnicze pochodzenie jego fortuny oraz kłamstwa na temat rodziny i tego, co robił wcześniej sprawiają, że nie należy się z nim widywać. Ministerstwo Spraw Wewnętrznych odmówiło mu zresztą przyznania brytyjskiego obywatelstwa. Sprawa trafiła aż do Parlamentu, gdzie konserwatywni posłowie przekupieni przez Al Fayeda domagali się podania przyczyny tej „jawnej niesprawiedliwości". Królowa, jej matka i małżonek z przyzwyczajenia nadal patronują Harrodsowi, dostawcy dworu od niepamiętnych czasów. Angielskie wyższe sfery bojkotują firmę przy Brompton Road w londyńskiej dzielnicy Knightsbridge. Uważają ją za kiczowatą, zbyt bliskowschodnią i bazarową. Po prostu NQOCD (*Not quite our class, dear*), czyli niezupełnie z naszego świata, mój drogi. To nie są tylko niuanse językowe, to przepaść pobłażliwości, z jaką arystokracja królestwa traktuje bogatych Arabów. W dodatku Al Fayed senior, odepchnięty przez wszystkich, kupił w 1986 roku elegancki pałacyk diuka i duchessy Windsoru w Neuilly. Dla Windsorów to prowokacja. Są rzeczy, których nigdy się nie wybacza.

Latem 1997 roku królowa uważa, że Diana to *loose cannon*, osoba nieodpowiedzialna i nieprzewidywalna, i zagrożenie publiczne. Drażni ją zwłaszcza jej irracjonalne postępowanie. A przecież 29 lipca 1981 roku Elżbieta II oklaskiwała małżeństwo starszego syna, sprawiającego wrażenie starego kawalera, z najmłodszą córką ósmego hrabiego Spencera, spokrewnionego z Karolem II i rodziną Marlborough. W jej oczach Diana była idealną synową. Babka

Diany, lady Fermoy, najlepszą przyjaciółką i damą dworu królowej matki. Jej siostra Jane poślubiła Roberta Fellowesa, osobistego sekretarza Jej Wysokości. Dobrze urodzony „Johnny" Spencer był koniuszym Elżbiety II w początkach jej panowania. Szlachectwo rodziny Spencer sięga czasów Wilhelma Zdobywcy. Królowa, która sama jest owocem małżeństwa księcia i arystokratki, życzy sobie podobnego związku dla syna. Dziewiętnastoletnia, a więc bardzo młoda kobieta, z idealnym wykształceniem (dyplom przedszkolanki), ubierająca się skromnie, pozbawiona zawodowych ambicji, robi wrażenie trochę niemądrej. Przede wszystkim nic nie wiadomo o przygodach tej grzecznej w młodości dziewczyny. Nietknięta, czysta, niepokalana, anglikanka – jest zdolna zapewnić rodzinie królewskiej następców. Nie powinna mieć żadnych problemów z przystosowaniem się do obowiązującego protokołu. Teoretycznie jest to małżeństwo doskonałe.

Ale tylko teoretycznie. Ofiara kastrującej monarchii, obojętnego męża (kochającego inną) i perwersyjnego otoczenia wkrótce staje się przekleństwem rodziny królewskiej. W oczach królowej to przykre, ale normalne, że książę Walii ma kochankę, która zajmuje pierwsze miejsce w jego sercu, podczas gdy młoda dziewica, z którą się żeni, ma służyć tylko do rodzenia dziedziców o niepodważalnym rodowodzie. Diana ma być wierna zasadzie „bądź piękna i milcz", zamykać oczy i myśleć o Anglii.

Królowa zawsze stawała po stronie syna. Gdy w 1986 roku synowa błaga ją o interwencję w sprawie spotkań Karola z Camillą, Elżbieta II odmawia. Przez dyskrecję, a także dlatego, że miłości syna jej nie dotyczą. Elżbieta, pani swoich emocji, nigdy nie okazała najmniejszego zrozumienia dla anoreksji i bulimii – oznak braku szczęścia synowej, oraz traumy, jaką Diana przeżyła w dzieciństwie z powodu rozwodu rodziców. Po separacji, w roku 1992, nakazuje jednak personelowi obchodzić się z Dianą jak najdelikatniej: „Nigdy nie zapominajcie, że jest matką przyszłego króla". Pomoc biura prasowego Pałacu Buckingham i personelu dyplomatycznego dla księżnej Walii zostaje utrzymana. Jej nazwisko nadal widnieje w *Almanachu dworu*, publikowanym codziennie w dziennikach „Times" i „Telegraph".

Status quo rozpada się po publicznym ujawnieniu przez Dianę zdrady Karola. Dwudziestego listopada 1995 roku w wywiadzie dla BBC opowiada o nikczemnościach małżeńskich i rodzinnych. W niebieskim kostiumie i białym tiszercie, nogi skrzyżowane, wychudzona twarz – Diana mówi o swoich kłopotach, do których przyczynił się romans męża z Camillą, tonem osoby zranionej i gotowej na wszystko. Po raz pierwszy kalkuluje dobrze:

– W tym małżeństwie było nas troje. To trochę za dużo. – Pełne goryczy słowa na temat Karola wiele mówią o stanie tego małżeństwa: – Znam go. Myślę, że bycie królem będzie dla niego wielkim ograniczeniem i nie wiem, czy potrafi się do tego przystosować.

Królowa zmusza parę do jak najszybszego rozwodu. Ostatnie spotkanie Diany z Elżbietą II jest niezwykle chłodne. Monarchini chce, aby Diana zrzekła się królewskiego tytułu. W zamian za to Di dostaje siedemnaście milionów funtów i corocznie czterysta tysięcy funtów na koszty administracyjne, prawo do użytkowania apartamentów i mebli w pałacu Kensington (do czasu pełnoletności synów) oraz prawo do biżuterii, którą otrzymała w prezencie, z zakazem jej sprzedaży. Diana ma szczęście. Za zbrodnię obrazy majestatu cztery wieki temu mogłaby trafić pod gilotynę Tudorów, podobnie jak szósta żona Henryka VIII. Po ogłoszeniu rozwodu, co następuje 28 sierpnia 1996 roku, księżna Walii może liczyć już tylko na siebie, a to przynosi katastrofalne skutki.

Burzliwe małżeństwo Karola i Diany trwało jedenaście lat, pełen goryczy okres separacji trzy, a rozwód przypominał porachunki.

W maju 1997 roku kampania Diany, zwanej „królową ludzkich serc", na rzecz zwalczania min przeciwpiechotnych, krytyka konserwatywnego rządu, którą zamieszcza „Le Monde", sympatia okazywana nowemu premierowi z Partii Pracy Tony'emu Blairowi są odbierane jako niedopuszczalna ingerencja w grę polityczną Westminsteru.

Od chwili rozwodu królowa nie chce słyszeć o *basket case*, czyli stukniętej, jak nazywa Dianę. Choć Windsorowie są zaangażowani w działalność setek instytucji charytatywnych, współczucie w obliczu kłopotów osobistych nie jest w ich stylu. Diana na pewno przesadziła, afiszując się z bardzo różnymi postaciami z show-biznesu. Królowa nie może pojąć, po co księżna Walii w świetle reflektorów pocieszała Eltona Johna i jego przyjaciela w czasie pogrzebu Versace, zamordowanego w Miami przez męską prostytutkę.

Następnego dnia po tragicznym wypadku w Paryżu powraca wspomnienie tych pretensji. W czasie niedzielnego nabożeństwa w Balmoral pastor na polecenie królowej nie wymienia imienia Diany. „Dla chłopców tak będzie lepiej" – uważa monarchini. Tymczasem w całym królestwie rozpoczyna się rok szkolny – jest pierwszy września. Sztandary ozdobione kirem i opuszczone do połowy masztów widać na wszystkich budynkach publicznych, ale na królewskich pałacach ich nie ma. „Tylko śmierć monarchy może być powodem opuszczenia królewskiego sztandaru" – to tłumaczenie wywoła największy kryzys za panowania Elżbiety II. Windsorowie, ukryci za sprzyjającymi raczeniu się alkoholem murami pałacu w Highlands, nie zdają sobie sprawy ze zbiorowej histerii, która ogarnęła Londyn. Opinia publiczna nie rozumie zachowania królowej. Podczas gdy tłum ludzi ze wszystkich środowisk i w różnym wieku przez dziesięć godzin bez przerwy stoi w kolejce, by wpisać się do księgi kondolencyjnej wyłożonej w pałacu Saint James, królowa nie uważa za konieczne zwrócić się do kraju, który jest w szoku. „Wszyscy członkowie rodziny królewskiej, a szczególnie książę Walii oraz książęta William i Harry są pokrzepieni niezwykle gorącym wsparciem ludzi, którzy dzielą ich głęboki smutek". Ten bardzo wyważony komunikat Pałacu nie oddaje jednak powszechnego stanu uczuć. „Gdzie jest nasza królowa? Gdzie jej flaga?" – pyta „The Sun" w związku z milczeniem Elżbiety II. Nie ma mowy o opuszczeniu flagi, gdyż jest ona symbolem ciągłości państwa, odpowiada dwór. Ściśnięci obręczą archaicznych reguł, odizolowani w sercu Szkocji Windsorowie nie są zdolni pojąć ogromnego poruszenia całego kraju, dianomanii.

W Balmoral, wyjaśnia ktoś z bliskich, królowa podchodzi do tego kryzysu jak nawigator do silnej burzy: „Zamykamy luki, zwijamy żagle i przenosimy się na dno statku, czekając, aż niebezpieczeństwo minie". Powściągliwość Elżbiety, jej pozycja oraz niechęć do Diany i Al Fayeda, a także inne powody – oderwanie od rzeczywistości, podejrzliwość w stosunku do nowego premiera z Partii Pracy Tony'ego Blaira i troska o wizerunek medialny – sprawiają, że królowa upiera się przy swoich racjach. Jest sparaliżowana także nieustającym atakiem mediów niemal całego świata. Dziennikarze dzień i noc oblegają jej pałac. Były konserwatywny minister, lord Carrington, tak tłumaczy to zachowanie: „Królowa reprezentuje inne pokolenie, wychowane w wielkiej powściągliwości, nieujawniające publicznie swoich uczuć. Dzisiaj jest inaczej – nawet osoby obce się całują". Kiedy Elżbieta II odwiedza miejsca wielkich katastrof, których ofiarami są dzieci, jak ta spowodowana osunięciem się hałdy w Aberfan (w roku 1966) czy masakra w Dunblane (w 1996), też publicznie nie płacze. Byłoby to wielce niestosowne.

Wspierana przez małżonka i matkę królowa może liczyć także na osobistego sekretarza Roberta Fellowesa. To dworzanin starej daty, surowy, bez wyobraźni. Otumaniony protokołem nie umie zareagować na tę nadzwyczajną sytuację. Na przykład co zrobić z ciałem Diany przed pogrzebem? Mohamed Al Fayed chce, żeby zwłoki spoczęły w kostnicy w Fulham. Fellowes go popiera. Królowa żąda jednak, by trumna była wystawiona na widok publiczny w kaplicy królewskiej. To jej jedyne ustępstwo. W Londynie prasa, opinia publiczna, cały naród domagają się dwóch rzeczy: opuszczenia flagi na pałacu Buckingham do połowy masztu i natychmiastowego powrotu królowej do stolicy. Ale Elżbieta II tkwi w Balmoral, jak gdyby nic się nie stało, zamknięta w więzieniu utartych od wieków przyzwyczajeń: śniadanie w łóżku, spotkanie z prywatnym sekretarzem, obiad o dwunastej trzydzieści, spacer z psami, herbata, kolacja o dwudziestej piętnaście.

Na Downing Street Tony Blair się niepokoi. Podczas gdy monarchia nie może sobie poradzić z wydarzeniami, premier na wieść o tragedii od razu umie znaleźć właściwe słowa, nazywając zmarłą księżną ludu. I dobrze ocena społeczne nastroje. Żeby skłonić królową do ustępstw, wspiera zachowanie księcia Karola. Smutek następcy tronu, uczucia, którymi darzy synów, oraz to, że poleciał do Paryża, by odebrać trumnę, zostaje dobrze odebrane przez kronikarzy. Ci, którzy obwiniali Karola za niepowodzenie tego małżeństwa, teraz łagodnieją.

Sześć dni z życia tysiącletniego królestwa. Sześć dni, które zmieniają wszystko i na trwałe zapisują się w historii Windsorów. Zmuszając królową do opuszczenia Balmoral i wygłoszenia piątego września mowy do narodu, „sankiuloci" zgromadzeni pod pałacem Buckingham dokonali minirewolucji. To nie jest zdobycie Bastylii czy wtargnięcie do pałacu Tuileries. Powrót Windsorów przypomina raczej powrót Ludwika XVI i Marii Antoniny po ucieczce do Varennes. Dwudziestego piątego czerwca 1791 roku Paryż wita francuską parę królewską złowrogą ciszą. Na murach wiszą obwieszczenia: „Ktokolwiek będzie bił brawo królowi, dostanie kije; ktokolwiek go obrazi, zostanie powieszony". Do tego nie doszło, ale wymuszony powrót królowej do pałacu Buckingham, czwartego września wieczorem, jest wielkim upokorzeniem. W towarzystwie małżonka Elżbieta II idzie obejrzeć kwiaty, które złożyli ludzie na placu przed jej pałacem. Jakaś oparta o metalową barierkę kobieta wyciąga w jej stronę bukiet róż. Królowa uśmiecha się:

– To miłe. Czy są dla mnie?

– Nie – odpowiada kobieta – dla Lady Di.

Oklaski słychać rzadko. „Wyście ją zabili" – głosi napis na transparencie. Nigdy jeszcze nie było tak głębokiej przepaści między monarchią brytyjską i jej poddanymi. Królestwo się chwieje. Ale w ciągu dwudziestu czterech godzin monarchini obróci tę sytuację na swoją korzyść.

Narzuca się mała powtórka z historii. Po egzekucji Karola I w roku 1649 i dyktaturze Oliviera Cromwella powrót Stuartów do władzy w 1661 roku był wynikiem porozumienia parlamentu z tronem. Ten duet przetrzymał wszystkie zmiany społeczne – rewoltę przeciwko ustawom zbożowym (corn laws), narodziny związków zawodowych, niepopularność domu hanowerskiego – dzięki niezwykłej zdolności adaptacyjnej instytucji królewskiej.

W 1917 roku w związku z falą antyniemieckich nastrojów wśród ludu Jerzy V wybiera dla dynastii nazwisko Windsor. W roku 1918 król odmawia pomocy carowi Mikołajowi II, ulubionemu kuzynowi, skazując go tym samym, podobnie jak jego żonę i pięcioro dzieci znajdujących się w rękach bolszewików, na pewną śmierć.

Pokonanie tamtych kryzysów świadczy o solidarności pomiędzy ludem i monarchią. Czy podobnie będzie w roku 1997, po śmierci Diany?

*

Pierwszym krokiem do odzyskania przychylności opinii publicznej jest zgoda królowej na wywieszenie brytyjskiej flagi z żałobnym kirem na pałacu Buckingham. Drugie ustępstwo – to jej wystąpienie telewizyjne skierowane do narodu, które wygłasza piątego września wieczorem z chińskiego salonu w pałacu. Czci w nim pamięć byłej synowej. Królowa nie ufa telewizji. Nie panuje nad techniką, w przeciwieństwie do księcia Karola, i nie czuje się swobodnie w blasku jupiterów. Elżbieta II pokazuje się narodowi na tle tłumu zgromadzonego przed pałacem. W ten sposób nawiązuje kontakt z ludem. Jest w czerni, kolorze do tej pory zarezerwowanym dla żałoby królewskiej. W krótkim wystąpieniu, które ogląda dwadzieścia sześć milionów jej poddanych, królowa kreśli sympatyczny portret Diany, zapewniając:

> To, co wam dzisiaj mówię jako królowa i babka, mówię z głębi serca [...]. To była osoba wyjątkowa i utalentowana. Zarówno w dobrych, jak i złych chwilach zawsze potrafiła się uśmiechnąć, a nawet roześmiać. Zawsze potrafiła obdarować innych swoim ciepłem i dobrocią. – Lekko spięta, z nieruchomą twarzą, z wysoko uniesioną głową, królowa wyjaśnia swoje milczenie po tragicznym trzydziestym pierwszym sierpnia: – Pozostawaliśmy w Balmoral tak długo, bo chcieliśmy za wszelką cenę pocieszyć dzieci.

Te słowa brzmią wiarygodnie. Tekst został napisany przez doradców i wysłany na Downing Street. Wtrącenie „jako babka" było już inicjatywą samej królowej.

– Czy wymowa była wystarczająco smutna? – pyta ekipę BBC, opuszczając studio. Zdała egzamin, ale najwyraźniej zrobiła to wbrew sobie.

Trzecia droga powrotu to pogrzeb. Królestwo brytyjskie do perfekcji opanowało sztukę organizowania pogrzebów państwowych. Któż nie pamięta, jak w 1965 roku trumna z ciałem Winstona Churchilla płynęła Tamizą do Waterloo Station albo kapelusza pierwszego lorda admiralicji złożonego na trumnie Mountbattena, zamordowanego przez Irlandzką Armię Republikańską w roku 1979? Teatralność, upodobanie do spektakli wojskowych i hymnów religijnych, przywiązanie do rygorystycznego protokołu stanowią genetyczne dziedzictwo monarchii. Dwór ma mało czasu na zorganizowanie pogrzebu Diany. Dlatego wykorzystuje istniejące od dawna plany pogrzebu królowej matki. Ta jest wściekła, że kradnie się jej pogrzeb. To ogólnoświatowe wydarzenie transmituje na żywo telewizja. Ceremonia z szóstego września dorównuje kultowi „świętej Diany", który opanował jej fanów. Kondukt żałobny tworzą trzy miliony ludzi. Podczas książęcego ślubu w 1981 roku było ich tylko milion.

„Wyjątkowa ceremonia dla wyjątkowej osoby" – forma pogrzebu jest odzwierciedleniem osobowości zmarłej. Połączenie bardzo uroczystej ceremonii państwowej, jak chcą Tony Blair i obywatele, z prywatnym pogrzebem, którego życzy sobie królowa, to trudne zadanie. Po angielsku wybrano rozwiązanie kompromisowe, w czym specjalizuje się dwór – „żałobę rodzinną" zamiast „żałoby ogólnonarodowej", która jest zarezerwowana dla królów i ich bezpośrednich potomków. Podczas przejazdu trumny z ciałem Diany, za którą szli William, Harry, Karol i Filip oraz Charles Spencer, królowa po raz pierwszy wyszła na ulicę i lekko pochyliła głowę. To się jeszcze nigdy nie zdarzyło. Około dwóch tysięcy osobistości z całego świata, ale także przedstawicieli licznych organizacji charytatywnych, którym Diana przewodniczyła, zostało zaproszonych do Opactwa Westminsterskiego, teatru wielkich wydarzeń w dziejach monarchii. Obok siebie znaleźli się Elton John i George Michael, Tom Hanks i Steven Spielberg, oraz ten, z którym Diana przez chwilę miała nadzieję rozpocząć nowe życie, pochodzący z Pakistanu chirurg Hasnat Khan. Mohamed Al Fayed, niepocieszony ojciec, zupełnie załamany, trzymający pod rękę drugą żonę Heini, przed wejściem do opactwa jest gromko oklaskiwany. Ale – pewnie żeby dodatkowo nie stawiać Windsorów w kłopotliwej sytuacji – koronowane głowy są nieobecne. Stany Zjednoczone reprezentuje Hillary Clinton, żona prezydenta. Francję – Bernadette Chirac.

– Mogę zapewnić, że śmierć Diany poruszyła królową. Ludzie postępują logicznie. Po ustąpieniu histerii zdali sobie sprawę ze swojego przywiązania do monarchii konstytucyjnej – tak król Konstanty Grecki wyjaśnia zaskakujący wzrost popularności monarchii. Ale bilans polityczny postępowania królowej po śmierci byłej synowej nie jest dla niej korzystny. Nigdy instytucja monarchii, której ucieleśnieniem jest królowa, nie robiła wrażenia tak oderwanej od życia zmieniającego się kraju. Nigdy potrzeba odkurzenia czy też wymiany personelu nie była aż tak silnie odczuwana.

Przesłanie Charlesa Spencera, chrzestnego syna królowej, brzmiało: „Przysięgam, że my, twoja rodzina z krwi, będziemy nadal wychowywać [Williama i Harry'ego] podobnie jak ty, z wyobraźnią i czułością, aby ich dusze nie były zanurzone tylko w obowiązkach i tradycji". Dzięki temu pamiętnemu protestowi młodszy brat księżnej Walii z dnia na dzień został uznany – w obecności dwóch i pół miliarda telewidzów – za najgroźniejszego przeciwnika Windsorów. Ludziom spodobał się jego atak na instytucję monarchii, uznaną za odpowiedzialną, wraz z wiecznie głodną sensacji prasą, za nieszczęścia Diany. Wyzwanie to tym bardziej znaczące, że rodzina Spencerów od wieków służyła monarchii. Twarz królowej, do której skierowana jest ta ostra mowa pogrzebowa, pozostaje nieruchoma. Ale Elżbieta jest wstrząśnięta. Nabożeństwo anglikańskie jest ceremonią upamiętniającą osobę zmarłą, a nie okazją do załatwiania porachunków.

Po pogrzebie Spencer dzięki przemówieniu i Al Fayed, w związku ze śmiercią syna, osiągają szczyty popularności. A jednak ich błędy spowodują nieoczekiwany odwrót społecznej sympatii.

Zacznijmy od Spencera. *En face*: przenikliwe spojrzenie, pełne policzki i przedwczesna otyłość. Ma twarz rozwiązłego mieszczucha. Z profilu: wydatny nos, podwójny podbródek i wypukłe oczy sprawiają, że hrabia przypomina buldoga z mocnymi szczękami. Cudowny materiał dla karykaturzystów wylewających bez przerwy swój jad na tego, który w ciągu roku zmarnował ogromny kapitał sympatii zebrany podczas słynnej mowy pogrzebowej. Właściciel pałacu w Althorp urządził dla księżnej Walii samotny grób w posiadłości, na zamkniętej dla publiczności wysepce, z dala od rodzinnego grobowca w Great Brington. Ale czy rzeczywiście chciał jej oddać przysługę? Osłonięte stuletnimi drzewami miejsce służyło przodkom do grzebania ukochanych psów. Zresztą Diana nie znosiła tej ponurej rezydencji w stylu palladiańskim, oddalonej od Londynu o sto kilometrów. Spędziła tam tylko kilka lat w młodości.

W życiu prywatnym Charles Spencer nie jest wzorem moralności. Godny pożałowania spektakl, jakim był jego rozwód w Afryce Południowej, ledwie dwa miesiące po pogrzebie Diany, przyniósł mu opinię nałogowego kobieciarza, grubiańskiego i okrutnego męża, zblazowanego kochanka, którego kobiety szybko nudzą. Wieści o niezliczonych zdradach małżeńskich cudzołożnika wygłaszającego moralizatorskie mowy zrobiły fatalne wrażenie. Najcięższe oskarżenie, jakie go spotkało, to wzmocniony przez machinę Windsorów zarzut o wykorzystywanie pamięci siostry w celach komercyjnych. W roku 1998 w swojej posiadłości w Althorp hrabia otworzył dla publiczności mauzoleum-muzeum poświęcone arystokratycznemu dzieciństwu i tragicznej śmierci młodej kobiety. Zwiedzający mogą pożerać wzrokiem niebieski kostium od Chanel w stylu „popołudniowa herbatka w Ritzu" umieszczony obok kamizelki kuloodpornej, którą Diana miała na sobie podczas ostatniej misji w Angoli, gdzie usiłowała nagłośnić straszliwe skutki stosowania min przeciwpiechotnych. Jest też film wideo ukazujący małą Di tańczącą przed tatusiem i kartka bożonarodzeniowa od Karola z 1980 roku, na której następca tronu nabazgrał: *Lots of love*. Nad brzegiem jeziora zbudowano świątynię w kolorze musztardowym, a na jej frontonie umieszczono słowa księżnej z wywiadu udzielonego „Le Monde" w przeddzień śmierci: „Nic nie daje mi więcej szczęścia niż pomaganie najbardziej bezbronnym członkom tego społeczeństwa". Ale tylko dziesięć procent zysków z tego, co nazwano Dianaland, trafiło do fundacji Diany, którą prowadzi jej starsza siostra Sarah McCorquodale. Fundacja na rzecz dzieci upośledzonych i chorych oraz ofiar min przeciwpiechotnych została publicznie napiętnowana, kiedy sprzedała podpis zmarłej producentowi margaryny.

Mowa „nieodpowiednia i grubiańska": królowa nie zapomniała poniżenia na pogrzebie Diany. Atak wymierzony w ojca i babkę spowodował, że William i Harry zerwali wszelkie kontakty z rodziną matki. Książę Karol nigdy nie odwiedził grobu byłej żony. Uściski dłoni wymienione pomiędzy Windsorami i Spencerami podczas inauguracji fontanny poświęconej księżnej w Hyde Parku – 7 lipca 2004 roku – nie miały dalszego ciągu. Gdy nazwisko Spencera pojawia się gdzieś przypadkiem, zawsze jakiś dworzanin z pałacu Buckingham załamuje ręce, mówiąc: „Ten facet nie jest prawdziwym dżentelmenem". Królowa skorzystała jednak z obchodów dziesiątej rocznicy śmierci Diany, aby wyciągnąć do Spencerów rękę. Zgodziła się mianować Sarah McCorquodale, starszą siostrę i przewodniczącą The Diana, Princess of Wales Memorial Found na honorowe stanowisko High Sheriff of Lincolnshire.

W sadzie Diany drugim złym jest Mohamed Al Fayed. Jeszcze wczoraj oklaskiwany, dziś jest wygwizdywany. Szokują jego dziwaczne oskarżenia kierowane przeciwko rodzinie królewskiej. Paranoik broniący wersji o spisku zorganizowanym przez tajne służby Jej Królewskiej Mości na rozkaz księcia Filipa, aby nie dopuścić do ślubu matki przyszłego króla z muzułmaninem, tylko się ośmieszył. Wykorzystał Harrodsa, trzecią atrakcję turystyczną Londynu, po Tower i pałacu Buckingham, by zaspokoić pragnienie zemsty. Zwiedzającym dom towarowy zwolennikom teorii spisku oczy zachodzą mgłą przed portretami Dodiego i Diany ustawionymi na sztalugach w blasku świec. Al Fayed chwali się wszędzie, że dostał Królewski Order Wiktorii, gdy tymczasem został on przyznany instytucji, a nie jej szefowi. A to różnica.

– Świat powinien mieć lepszą opinię o Dodim. Ten chłopiec nie był próżniakiem, jak twierdzą media – mówi producent kompozytora jazzowego George'a Bensona, zamawiając u niego hymn upamiętniający tego, którego nadal nazywa „My boy". Człowiek z ulicy wzrusza się, gdy właściciel Harrodsa nie potrafi ukryć rozgoryczenia z powodu obojętności wobec jego syna, całkowicie zapomnianego z powodu kultu Diany.

Tylko Elżbieta II wciąż pozostaje niewzruszona. Dwór odebrał Harrodsowi licencję królewskiego dostawcy. Dwie strony przeciwne Windsorom walczą ze sobą. Spencer nie wybaczył staremu Mohamedowi tego, że publicznie powiedział, iż Diana chce poślubić Dodiego i przejść na islam. Na swoje nieszczęście od przybycia do Londynu w latach siedemdziesiątych, Al Fayed nie przestawał kokietować starego brytyjskiego establishmentu, mając nadzieję, że zostanie prawdziwym angielskim dżentelmenem. To grzech, którego dobre towarzystwo, umiejące wskazać parweniuszowi jego miejsce, nigdy nie wybacza. Nie zrozumiał, że angielska szlachta wie, jak żyć na koszt parweniuszy, nic nie dając w zamian. Jego dramat polega na tym, że za wszelką cenę chciał dorównać najzamożniejszej burżuazji, łamiąc jednocześnie jej najważniejsze prawo: tylko bez skandali.

Wyniki śledztwa lorda Stevensa zakończyły sprawę ku wielkiej uldze Elżbiety. Były szef Scotland Yardu po trzyletnim śledztwie rozprawia się z teorią spisku. Ustala, że nie ma żadnego dowodu pozwalającego powiązać małżonka królowej z brytyjskimi służbami specjalnymi MI6, jak tego chciał Mohamed Al Fayed.

*

Rodzina królewska rozpoczyna proces unowocześniania monarchii już w latach osiemdziesiątych, a więc na długo przed śmiercią Diany. Nie ma jeszcze sporu o Elżbietę II, ale instytucja jest mocno osłabiona. Na początku lat dziewięćdziesiątych pogłębiają się rysy na królewskiej budowli, nad którymi do tej pory królowa panowała. Na oczach mediów spragnionych ich wybryków weseli spadkobiercy Windsorów lekceważą obowiązki, korzystając jednocześnie z przywilejów. W 1992 roku rozwodzi się diuk Yorku, na światło dzienne wychodzą humory jego byłej żony. Książę Edward musi udowadniać, że jest heteroseksualistą. Wszystko to stwarza wrażenie bałaganu w rodzinie królewskiej. Siódmego czerwca „Sunday Times", ważny tygodnik wychodzący w niedzielę, publikuje najsmakowitsze fragmenty książki Andrew Mortona zatytułowanej *Diana, prawdziwa historia*. Pozory normalności wokół pary

Karol–Diana, jakie próbuje zachować pałac, rozpadają się. Księżna opowiada o anoreksji, samookaleczeniach i próbach samobójczych. Dziesiątego grudnia 1992 roku premier John Major ogłasza w parlamencie separację książęcej pary. Podwładni Jej Wysokości zdają sobie sprawę, że Windsorowie nie są już wzorem do naśladowania w kwestii wartości rodzinnych i moralnych. Do tej czarnej serii dochodzą kolejne skandale – erotyczne i finansowe, w które zamieszani są posłowie z Partii Konserwatywnej, tradycyjnie bliskiej Pałacowi i od 1979 roku będącej u władzy.

Biedna Elżbieta! W listopadzie 2006 zmarł w wieku dziewięćdziesięciu sześciu lat sir Edward Ford. Starszy pan od 1967 roku był zastępcą osobistego sekretarza królowej. W liście do pracodawczyni ten mędrzec z godnym uznania humorem wspomina *annus horribilis*, czyli rok 1992, w którym Windsorowie mieli z radością świętować czterdziestą rocznicę intronizacji. Chora na grypę monarchini zachrypniętym głosem uwieczni słowa swego korespondenta podczas bankietu wydanego na jego cześć w City:

– To nie jest rok, który będę wspominała wyłącznie z przyjemnością. – Przyznając, że „bez wątpienia" krytyka jest „dobra dla ludzi i instytucji uczestniczących w życiu publicznym", robi też elegancką aluzję na temat prasy sensacyjnej, dodając: – Śledztwo może być równie skuteczne, jeżeli jest prowadzone z odrobiną taktu i zrozumienia.

Czarną serię przedłuża polemika na temat odbudowy Windsoru po pożarze w roku 1992. Powoli i niechętnie monarchia się zmienia. Rok później, gdy poddani uskarżają się na styl życia rodziny królewskiej, królowa wyraża zgodę na płacenie podatków i zmniejszenie z jedenastu do trzech liczby osób korzystających z pomocy państwa. Suma przyznawana corocznie Windsorom przez państwo nazywana jest potocznie „listą cywilną". Na liście pozostali teraz królowa, jej małżonek i matka.

Elżbieta II jest pragmatyczna i wie, że to nie wystarczy. Monarchia musi być całkowicie zreformowana. Jej przemyślenia doprowadzają do powstania nieformalnego komitetu Way Ahead Group, który skupia wokół głowy państwa diuka Edynburga, Karola, jego braci, siostrę i głównych doradców. Sugerowane są prawdziwie rewolucyjne zmiany. Kobiety miałyby te same prawa do tronu co mężczyźni, dzięki czemu Anna znalazłaby się przed Andrzejem i Edwardem. Katolik mógłby zostać królem. Królowa nie byłaby już głową Kościoła anglikańskiego. „Lista cywilna", czyli dotacja państwowa, zostałaby zlikwidowana, a kwoty przeznaczone dla królowej i jej małżonka pozostałyby w Crown Estate, instytucji zarządzającej posiadłościami koronnymi przekazanymi w XVIII wieku Parlamentowi przez Jerzego III*. Te zbyt ambitne projekty odeszły do lamusa.

– Dziedzictwem jej życia powinna być Wielka Brytania współczująca – tak wyraził się Tony Blair w kilka dni po pogrzebie Diany. Unowocześnienie monarchii jest brane pod uwagę poważniej niż kiedykolwiek. Szef rządu mówi o potrzebie całkowitego jej zreformowania, gdyż pomimo pewnych zmian jest to instytucja mocno przestarzała z punktu widzenia ewolucji społeczeństwa brytyjskiego. Pod naciskiem Tony'ego Blaira, premiera reformatora, Elżbieta II godzi się pomału na to, by obraz monarchii, jaki dociera do opinii publicznej, był mniej podniosły. Królowa wykonuje gesty poprawne politycznie. Odwiedza McDonalda w Cheshire. Odmawia jednak spróbowania Big Maca, frytek i coca-coli. Następny w kolejce jest pub, Le Bridge Inn, w Topsham w Devon, którego właścicielką jest kobieta. Królowa odmawia picia piwa przy ladzie, ale chętnie przyjmuje beczułkę ciemnego piwa dla męża. Innym razem wspina się wietrznymi alejami blokowiska w Glasgow, by odwiedzić samotną matkę, z którą wypija filiżankę herbaty, odmawiając zjedzenia ciasteczek. W czasie uroczystości tysiąclecia śpiewa przy boku premiera *Auld Lang Syne* [Za dawny czas], ale nie krzyżuje ramion, by podać dłonie sąsiadom, gdyż uważa tę pozę za niegodną Jej Wysokości. Wszystko to było nowością dla damy, która nigdy nie zeszła z utartych ścieżek protokołu.

---

* Crown Estate – niezależna instytucja publiczna nadzorowana przez Ministerstwo Finansów. Powołano ją w 1760 roku, z inicjatywy króla Jerzego III, który cierpiał na ciągły brak pieniędzy. W zamian za zyski z królewskich nieruchomości rząd zgodził się wypłacać ich właścicielowi stałą kwotę pieniędzy. Dotację tę nazwano „listą cywilną". Obecnie zyski Crown Estate pięciokrotnie przewyższają sumy przeznaczone na „listę cywilną", z której korzysta Elżbieta II i jej małżonek.

Korzyści związane z funkcją są ograniczane. „Lista cywilna” zostaje zamrożona na dziesięć lat. Podczas niektórych podróży zalecane jest korzystanie z czarterów. Lecz przede wszystkim jacht „Britannia" zostaje rozbrojony, po czterdziestu czterech latach wiernej służby monarchii. Choć królowa ma wiele pałaców, właśnie on był jej jedynym schronieniem, miejscem, które rzeczywiście należało do niej. Sama czuwała przy jego budowie i umeblowaniu, a jego uroczyste otwarcie, 16 kwietnia 1952 roku, było jedną z pierwszych oficjalnych czynności królowej. Zajęła się dekoracją jachtu o czarno-czerwonym kadłubie ze złotym otokiem, flagami łopoczącymi na trzech masztach i załogą ubraną w mundury z granatowego sukna lamowanego czarnym jedwabiem. Na morzu wreszcie mogła być sobą, co w Buckingham i Windsorze jest niemożliwe. Oszczędne wyposażenie wnętrza przypominało wiejski dom, gościnny i praktyczny angielski styl życia. Dwunastego grudnia 1997 roku w czasie wspaniałej ceremonii w Portsmouth rodzina królewska w komplecie składa hołd staremu jachtowi, na którym Windsorowie przepłynęli milion mil morskich. Odstępując od zasady panowania nad emocjami w miejscach publicznych, Elżbieta II łamie się, roniąc prawdziwą królewską łzę. Tak kończy się trzystuletnia tradycja monarchii. Królowa rezygnuje z nowego jachtu, by oszczędzić swoich poddanych i podatników, a także premiera z Partii Pracy, który w czasie kampanii wyborczej powtarzał jak refren: „Nie wydamy sześćdziesięciu milionów funtów na królewski jacht, gdy chorzy na wózkach czekają w korytarzach naszych szpitali".

Chodzi jednak o odkurzenie, a nie o zmiany. Reformy nie naruszają statusu królowej. W tym samym czasie odsunięta zostaje pałacowa stara gwardia. Robin Janvrin zastępuje Roberta Fellowsa na bardzo ważnym stanowisku prywatnego sekretarza. Były minister i gubernator Gibraltaru, lord Luce, zostaje Master of the Royal Household, czyli zarządcą domu królewskiego. Michael Peat, Wielki Skarbnik Pałacu Buckingham, awansuje na stanowisko dyrektora administracji księcia Walii. Dwór stara się bardziej otwierać na mniejszości etniczne, o czym świadczą pierwsi czarni strażnicy królewscy. Media nie są już traktowane jak wróg.

*

Kto zwyciężył? Królowa czy Diana? Królowa. Co pozostało po księżnej Walii? Kiczowaty Dianaland, wiecznie zepsuta fontanna w Hyde Parku, placyk zabaw w parku Kensington, ponure miejsce pamięci w Harrodsie. To właściwie wszystko. Królowa serc po prostu zniknęła z oficjalnego pejzażu. Śmierć tej trzydziestosześcioletniej kobiety wyzwoliła wielkie emocje. W następnym miesiącu liczba samobójstw w Anglii i Walii wzrosła o siedemnaście procent, zwłaszcza wśród kobiet w wieku od dwudziestu pięciu do czterdziestu czterech lat. Sprzedano pięć milionów płyt Eltona Johna z piosenką *Candle in the Wind* [Świeca na wietrze], którą zaśpiewał w Katedrze Westminsterskiej. W sondażu BBC z 2002 roku księżna męczennica znalazła się na trzecim miejscu listy największych Brytyjczyków w historii. Jej śmierć, jak ujawnia inny sondaż, jest uważana za najważniejsze wydarzenie XX wieku w Wielkiej Brytanii, ważniejsze niż zakończenie drugiej wojny światowej i przyznanie kobietom prawa do głosowania. Nie jest jednak pewne, czy sondaże opinii publicznej byłyby takie i dzisiaj. Ludzie są nieco zażenowani tym, że identyfikują się z osobowością niewątpliwie bardzo empatyczną, ale też ze zręczną manipulatorką; ofiarą królewskiej machiny, ale również własnej manii prześladowczej. Jak wyjaśnić histeryczną reakcję części Brytyjczyków na śmierć Diany? Anthony O'Hear, profesor filozofii Uniwersytetu w Bradford w zbiorowym tomie esejów zatytułowanym: *Faking It: The Sentimentalisation of Modern Society* [Udawanie. Sentymentalizacja współczesnego społeczeństwa] interpretuje to jako „efekt wielkiego zapotrzebowania na uczuciowość, a także niezgodę na rzeczywistość, która zagarnia i podporządkowuje sobie wszystkie obszary życia". Ten były rektor znakomitego Królewskiego Instytutu Filozofii stwierdza:

> Beatyfikacja osoby [Diany] dotyczyła również jej wartości – wyższości uczuć, ciepłego wizerunku, spontaniczności nad rozumem i emocjonalnym dystansem. Daleka od histerii, ta żałoba

narodowa była nieracjonalna i miała w sobie coś z poprawności emocjonalnej.

Jej Wysokość lepiej by się nie wyraziła. Królowa wygrała tę partię. Dowiodły tego sukcesy uroczystości poświęconych pięćdziesięcioleciu jej panowania w czerwcu 2002 roku i osiemdziesiątej rocznicy urodzin w 2006 roku. Publiczność z czasem zaakceptowała zachowanie Elżbiety II w dniach tragicznych wydarzeń 1997 roku. Większość tradycyjnych barier została usunięta, choć monarchini dalej nie ma zwyczaju zapraszać do stołu zamiataczy ulic ani jeździć rowerem po gazetę. Zresztą niewielu Brytyjczyków życzyłoby sobie takiego popularyzowania instytucji, która została stworzona, by w niezmienionym kształcie trwać przez wieki. Pod tym względem pozostają wierni recepcie Bagehota, XIX-wiecznego dziennikarza konstytucjonalisty: „Możemy mieć wspaniały dwór lub nie mieć go wcale, ale nic nie może usprawiedliwić dworu skromnego". Rewolucja po angielsku? To stwierdzenie wywołuje uśmiech byłego współpracownika Elżbiety II, który towarzyszył jej w pamiętnym sierpniu 1997 roku: „Śmierć Diany to nie był łatwy okres. Ale powszechna histeria ujawniła fantastyczną siłę telewizji, a nie wady monarchini. Zresztą co zostało z tego poruszenia po dziesięciu latach? Niewiele. Królowa jest bardziej popularna niż kiedykolwiek". Nawet jej najżarliwsi krytycy spośród członków rodziny królewskiej przyznają, że śmierć Diany zmieniła sposób, w jaki Elżbieta II wyraża emocje. To bolesne doświadczenie sprawiło, że królowa stała się bardziej ludzka.

*

Diana odeszła, pozostała Camilla. W domu królewskim ścierają się dwa stronnictwa. Pierwsze tworzą dworzanie ze starej szkoły, którzy uważają, że królowa pod żadnym pozorem nie powinna się spotykać z Camillą Parker-Bowles, niemile widzianą w pałacu niemal od dwudziestu lat. Karol musi poświęcić ukochaną kobietę w interesie monarchii. Jeżeli chce poślubić tę, którą nazywa „partią nie do wynegocjowania", powinien zrzec się praw do najwyższego urzędu na rzecz starszego syna Williama. Elżbieta nigdy nie wybaczyła „tamtej kobiecie", że przyspieszyła najpoważniejszy kryzys jej panowania, rozbijając małżeństwo syna. Wolałaby ją widzieć w roli „królewskiej metresy", zgodnie z długą tradycją francuską i nie tylko. Oprócz królowej do tej grupy zaliczają się książę Filip i Królowa Matka. Tabloidy też są niechętne Camilli i wymyślają jej niezbyt pochlebne przezwiska: Czarownica, Wampir, Stara Torba, Stara Troć.

Przeciw Starym są Postępowi, którzy twierdzą, że nie jest sprawą Pałacu mieszanie się w prywatne życie Karola, a konkubinaty są dzisiaj na porządku dziennym. Oprócz Robina Janvrina do młodej gwardii należy dom książęcy oraz najmłodsi członkowie rodziny królewskiej, William i Harry. Pomoc przyjdzie, paradoksalnie, ze strony Kościoła anglikańskiego, również podzielonego w sprawie ślubu księcia z przyjaciółką. Część kleru jest raczej za dyskretnym uregulowaniem tej sprawy. Najbardziej konserwatywni ewangelicy są przeciwni temu związkowi. Prymas, arcybiskup Canterbury George Carey, pobłogosławił powtórne małżeństwo swojego dziecka, co powoduje, że trafia do obozu księcia. Ten ostatni ma innego ważnego sprzymierzeńca, biskupa Londynu, trzeciego w hierarchii, kolegę z uniwersytetu w Cambridge. Zdanie prałata odpowiedzialnego za stolicę ma tym większe znaczenie, że zarządza on królewskimi kaplicami. Jest za związkiem, ale pod warunkiem, że królowa, głowa Kościoła anglikańskiego, wyrazi na to zgodę. Wszystko dzieje się bardzo szybko. W listopadzie 1998 roku Camilla organizuje pięćdziesiąte urodziny Karola i zaprasza kilku członków rodziny królewskiej, w tym księżniczkę Małgorzatę, króla i królową Hiszpanii, króla Norwegii. Elżbieta II i jej małżonek nie przyjmują zaproszenia. „Nie mogę uznać związku, którego nie akceptuję" – rzuca brutalnie i bez ogródek książę Filip. Żeby jakoś wybrnąć z tej trudnej sytuacji, Janvrin, nowy prywatny sekretarz królowej, za jej zgodą kilka razy spotyka się z Camillą. W czerwcu 2000 roku nadarza się nowa okazja – podczas świętowania sześćdziesiątych urodzin króla Konstantego Greckiego w Highgrove, rezydencji Karola. Camilla pełni tam honory domu. Królowa decyduje się wziąć udział w tej uroczystości. Przyjaciółka księcia zostaje oficjalnie przedstawiona Elżbiecie. Spotkanie, czterdzieści sekund z zegarkiem w ręku, jest pozbawione jakiegokolwiek ciepła. Mimo to lody topnieją. Panie widują się potem wielokrotnie przy okazji różnych spotkań rodzinnych. W maju 2002 roku podczas kolacji w pałacu Buckingham Camilla zostaje posadzona obok królowej. Ale książę Filip nadal nie chce słyszeć o ślubie. Jego stosunki z synem są jak najgorsze. Opublikowana w maju 2001 roku autoryzowana biografia księcia Edynburga, w której opisuje on syna jako osobę „pretensjonalną, ekstrawagancką i mało obowiązkową", sprawia, że atmosfera w rodzinie królewskiej staje się ciężka.

Pomimo śmierci (w 2002 roku) Królowej Matki Elżbieta II, poważna przeciwniczka Camilli, wciąż się waha. Pozwala przyjaciółce syna usiąść na trybunie królewskiej podczas obchodów złotego jubileuszu w czerwcu 2002 roku. W listopadzie 2004 roku w Chester królowa uczestniczy w ślubie córki diuka Westminsteru, bliskiego przyjaciela Karola. Książę postanawia zbojkotować uroczystość, protestując w ten sposób przeciwko poniżaniu swojej przyjaciółki, odesłanej, zgodnie z protokołem, do innego skrzydła katedry. Prasa rozwodzi się nad zakłopotaniem królowej. Elżbieta II ma już tego dość, więc zgadza się na ślub. Uznaje jednak, że jako najwyższy zwierzchnik Kościoła anglikańskiego nie powinna być obecna na cywilnym ślubie Karola i Camilli, który ma się odbyć 9 kwietnia 2005 roku w windsorskim ratuszu. W oczach królowej tej cywilnej umowie brakuje wymiaru duchowego. Państwo młodzi muszą się zadowolić ceremonią w ratuszu i modlitwą w kaplicy Świętego Jerzego. „To był najlepszy sposób, żeby zapewnić Kościołowi Anglii, którego głową będzie kiedyś Karol, właściwą rolę w sytuacji, której rozwiązanie leżało w interesie wszystkich" – wyjaśnia biskup Winchesteru Michael Scott-Joynt, rzecznik spraw królewskich, jeden z największych konserwatystów w Kościele anglikańskim.

Królowa, kobieta ceniąca porządek, wzięła pod uwagę zdanie wnuków, Williama i Harry'ego. Obawiała się przede wszystkim tego, że jej panowanie zamieni się w pospolitą komedię bulwarową. Stanowisko monarchini podziela premier Tony Blair oraz nowy liberalny arcybiskup Canterbury Rowan Williams. Dodatkowo, pokonując uprzedzenie do Camilli, Elżbieta II czyni pojednawczy gest. Pierścionek zaręczynowy, który Karol ofiarowuje Camilli, był ulubionym pierścionkiem Królowej Matki.

Chociaż jako królowa nie może ukryć dezaprobaty, szczęście syna cieszy ją jako matkę. Kolejną oznaką pogodzenia się z sytuacją jest przyznanie nowej synowej tytułu królewskiej wysokości, księżnej Kornwalii. Właściwie Camilla powinna zostać księżną Walii, skoro Karol jest księciem Walii. Ale bojąc się nieprzychylnych reakcji, dom królewski nie odważył się na ten krok. Jeżeli Karol zostanie królem, Camilla nie będzie królową, tylko księżną małżonką. Książę Kornwalii to najmniej znany tytuł przyszłego Karola III, ale dzięki niemu jest on jednym z najbogatszych Anglików. Księstwo Kornwalii, ustanowione w 1337 roku przez króla Edwarda III dla syna, Czarnego Księcia, temu, kto je posiada, gwarantuje dochód niezależny od wypłacanego przez monarchę.

Napastliwe przed ślubem, wręcz złośliwe tabloidy nagle przedstawiają zupełnie inny wizerunek księżnej Kornwalii. Ma się wrażenie, że zawsze stanowiła część królewskiego umeblowania. Przymilne komentarze na temat kreacji nowej żony – płaszcza w kolorze fuksji i kapelusza ozdobionego bażancim piórem – na początku podróży poślubnej do Szkocji pozwalają wyraźniej dostrzec tę nagłą zmianę nastawienia. Księżna, choć nie tak piękna jak Diana, wzbudza sympatię. Podczas podróży Karola z Dianą dziennikarze zajmowali się głównie długością spódnic księżnej Walii. To w końcu mocno denerwowało księcia Karola. Z Camillą nie ma kłopotu. Ta kobieta o wiejskim uroku, ale postawie królewskiej, poprawiła swój wizerunek dzięki radom ekspertów, wielkim projektantom mody i lepiej dobranej fryzurze. Akceptuje swój wiek i szczerze mówi, co myśli. A książę Karol już nie wygląda jak melancholijny i nieobecny Hamlet, bo taki wizerunek wymyślił sobie po rozwodzie i śmierci pierwszej żony. Już się nie boi, że będzie pozostawał w cieniu żony, gdyż ta dobrze zna swoje miejsce. Nikt mu nie odbierze roli gwiazdy. Ponadto Camilla, matka dwojga dorosłych dzieci, z łatwością stała się czułą macochą i bardzo dobrze zajmuje się Williamem i Harrym.

Zmiany w instytucji, jaką jest monarchia, zakończyły nieustającą wojenkę pomiędzy domem królewskim i książęcym. Dzięki temu małżeństwu kolejność do tronu nie będzie już przedmiotem sporów i dyskusji: najpierw Karol III, potem William V. Karol będzie królem, ponieważ jest spadkobiercą; chce tego i jest dobrze przygotowany. Nie wiadomo tylko, kiedy odziedziczy berło. Królowa ma zamiar zasiadać na tronie do śmierci. To zarazem jego dramat i szczęście. Karol rzeczywiście może jeszcze długo tkwić w przedpokoju władzy, ale gdy zasiądzie na tronie, będzie monarchą wolnym od problemów nieudanego małżeństwa, mężem kobiety, którą zawsze kochał. Na razie książę Walii, wspierany przez małżonkę, ma dużo czasu, by umocnić swój autorytet.

Po śmierci Diany królowa miała okazję docenić, z jaką godnością Camilla znosiła ataki niektórych gazet. Prawdę powiedziawszy, jej nowa synowa, kobieta, która przyznaje się do swojego wieku, jest bardzo do niej podobna. Skłonna czytać raczej „Country Life" niż „Vogue'a", Camilla niczego się nie boi. W oczach Elżbiety, choć nie jest „królową ludzkich serc" jak Diana, ma wszelkie cechy królowej. Jej upodobania, ulubione miejsca w Londynie i Wiltshire, skąd pochodzi, pozwalają uchwycić wspólnotę wartości Camilli i Elżbiety II. Obie reprezentują styl o lata świetlne odległy od jakiejkolwiek ekstrawagancji. Camilla nosi bardzo klasyczne stroje w pastelowych kolorach, żółtym lub jasnoniebieskim. Nawet w Londynie lubi styl wiejski z wyższych sfer: tapety, kanapy, poduszki z motywami lilii, koni, kotków, ożywiające tęsknotę za dawną Anglią. W Clarence House, londyńskiej siedzibie księcia Walii, Camilla uwielbia zajmować się kwiatami i karmić zwierzęta. Krąg przyjaciół Karola i Camilli, podobnie jak w przypadku królowej, stanowią arystokraci – Wellingtonowie, Halifaksowie, Devonshire'owie, Romseyowie czy Beaufortowie – którzy pomagali im się ukrywać przed mediami w czasie długiego romansu. Księżna Kornwalii jest wcieleniem szlachty polnej, bliskich królowej *squires*, czyli ziemian. Ludzie z tej klasy społecznej posiadają piękne dwory otoczone urodzajną ziemią. Często przyjmują gości. Mają we krwi takie proste rozrywki, jak życie na świeżym powietrzu, konie, psy, polowania. W Wiltshire poluje się tylko na zwierzynę szlachetną: bażanty, kuropatwy lub pardwy. Króliki i gołębie są niegodne dżentelmenów. To szkodniki.

W tym środowisku ma się mieszkanie w Londynie, żeby móc pójść do teatru, restauracji czy odwiedzić dzieci. Mężczyźni są wojskowymi albo farmerami i hodowcami. Kariera oficerska ciągle jest w cenie, zwłaszcza w Royal Navy. Największym prestiżem cieszy się Straż Królewska, odpowiednik kawalerii. Poczucie obowiązku oraz chęć zwrócenia krajowi tego, co się od niego otrzymało, jest rzeczą naturalną.

Camila jest typową *squire*. Ojciec handlował winem, a ona przerwała naukę, mając osiemnaście lat, aby popracować jako sekretarka i znaleźć męża o statusie społecznym wyższym niż własny. To, czym się zajmuje, jest niemal karykaturą wartości jej środowiska: nauka, rodzina, ogród, kuchnia, gra w brydża. Później angażuje się w akcje dobroczynne i organizację zawodów hipicznych. Nie podkreśla swej kobiecości. Jej dzieci mają wpojone poczucie klasowości, nawet jeśli ich sposób życia coraz bardziej przypomina życie innych klas uprzywilejowanych. Wybierają zawody, które odpowiadają tej sferze: agent nieruchomości, dziennikarz, restaurator, właściciel galerii, butiku, dekorator. Tom i Laura, dzieci, które Camilla ma z Andrew Parker-Bowlesem, pierwszym mężem, są tego przykładem. On jest krytykiem kulinarnym, ona zajmuje się sprzedażą dzieł sztuki. Nowe pokolenie robi zakupy w supermarketach, stoi w kolejce pod kinem i przebywa w podejrzanym towarzystwie. A jednak w życiu prywatnym młodzi *squires* żywią te same przesądy klasowe co ich rodzice.

Zgadzając się na ślub Karola, królowa postąpiła zgodnie z zasadą: „Jeśli nie możesz z nimi wygrać, dołącz do nich". To, jak szybko księżna Kornwalii została zaakceptowana przez opinię publiczną, świadczy o dobrym wyczuciu monarchini. I znowu wszystko wróciło do normy. Elżbieta II jest zadowolona. Po tych dramatach rodzinnych, po tym, co przeżyła, praca królowej wydaje się lekka. Dobrze z tego wybrnęła.

VI
Królowa i jej premierzy

Co wtorek tuż przed osiemnastą daimler premiera wjeżdża za bramę pałacu Buckingham. Grenadierzy prezentują broń. Wóz zatrzymuje się przed bocznym wejściem. Szefa rządu przyjmuje osobisty sekretarz królowej. Prowadzi go do sekretnych schodów. Monumentalny portret Jerzego III strzeże wejścia do prywatnych apartamentów królowej. Nawet szefa rządu, przyzwyczajonego do Downing Street, ten pałac onieśmiela. Surowy gmach londyńskiej rezydencji Windsorów, z ciemnymi obrazami mistrzów, podniszczoną wykładziną w kolorze krwi i fotelami obitymi aksamitem w ciężkie wzory stwarza niezbyt przyjemną atmosferę. Audiencja odbywa się w biurze królowej. Nikt nie jest dopuszczany do tego spotkania w cztery oczy. Premier musi się podporządkować obowiązującemu protokołowi tak samo jak najskromniejszy poddany Jej Wysokości. Tylko tradycja *kissing of hands* – całowania rąk monarchy na znak poddaństwa – wyszła już z użycia. Premier pozdrawia królową, pochylając głowę. To ona prowadzi rozmowę. Na kartce ma zapisane, jakie tematy chce poruszyć. Choć czas spotkania nie jest ściśle określony, konwersacja zwykle trwa godzinę. Oboje mogą mówić bez skrępowania. Rzadko zdarzały się niedyskrecje związane z tą cotygodniową rozmową głowy państwa i lokatora Downing Street 10. Nie powstaje żaden protokół. Nikt nic nie notuje, chociaż omawiane są różne sprawy. Nie ma tematów tabu. Bywa, że premier mówi o kłopotach osobistych albo rodzinnych. Królowa wybiera tematy dotyczące swoich funkcji, czyli: wojsko, Commonwealth, Afryka, Kościół. Bieżące sprawy polityczne – takie jak dyplomacja, edukacja, ocieplenie klimatu – zwykle omawia premier. Żeby nie tracić czasu, nie podaje się żadnych napojów, taka jest tradycja. Dla premiera wtorkowa audiencja królewska jest czymś w rodzaju seansu psychoanalizy. Psychoanalitykiem jest królowa. Zawsze ostrożna, umie słuchać, ma intuicję i interesuje ją osoba rozmówcy. Jedyna różnica polega na tym, że przyjmuje „pacjenta" w biurze, a nie w gabinecie. Siedzi na kanapie, a na ścianach nie ma dyplomów.

Posada premiera jest wyzwaniem; może inspirować, stymulować, ale przede wszystkim powoduje frustrację. Władza daje nadzieję, zazwyczaj niespełnioną. Umysł stale czuwa, zmuszony do posiadania panoramicznej wizji wszystkich domagających się rozwiązania problemów kraju, a czasem także i świata. Trzeba być w nieustannym pogotowiu, aby uniknąć pułapek polityki, zapobiegać spiskom, przetrwać kryzysy władzy. Wszyscy lokatorzy Downing Street 10 żyją w ciągłym napięciu – niepokój, pytania czy wręcz paranoja są tam na porządku dziennym.

Królowa na swój sposób może zmniejszyć to chroniczne napięcie. Słucha, nie dając najmniejszego znaku, inicjuje rozmowę, gdy ta się urywa. Szef rządu może być z nią całkiem szczery. Królowa niczego nie ocenia. Brak emocjonalnego zaangażowania podczas tej rozmowy w cztery oczy jest jej największą cnotą. Zachowuje niezbędny dystans, nie mówiąc nigdy nic konkretnego, jedynie ogólniki. Nie radzi, co trzeba zrobić. Gdyby książę Karol był królem, niewątpliwie zarzucałby premiera pomysłami. Ona jest prawdziwym demiurgiem. W każdy wtorek, zanim zaśnie, zapisuje w dzienniku przebieg spotkania. To osobiste sprawozdanie jest tajemnicą państwową, a po śmierci królowej zostanie skrzętnie ukryte w archiwach Windsorów.

– Królowa zawsze miała silne osobiste związki z premierami. Te dwie osoby i instytucje łączy troska o dobro kraju. Wtorkowe spotkania są niezwykłe. Szef rządu może szczerze porozmawiać z kimś, kto ma dla niego czas. A to sprawa zasadnicza. – Sekretarz generalny rządu Gus O'Donnell jest jednym z trzech wierzchołków „złotego trójkąta". Tak się określa trzy główne bieguny władzy: monarchię, rząd i parlament. O dziwo niewielu Brytyjczyków zna to nazwisko, często nawet nie wiedzą o istnieniu tej podpory ciągłości władzy. Z ramienia rządu organizuje on posiedzenia Rady Ministrów. W imieniu królowej sprawuje funkcję szefa administracji publicznej (*civil service*) zatrudniającej pół miliona urzędników. Podobnie jak monarcha zapewnia stabilność państwa w okresie zmiany rządów. Wszelkie nominacje na najwyższe stanowiska: dyplomatyczne, wojskowe, wysokich urzędników państwowych czy kościelnych, proponowane przez premiera lub niezależne komitety, podpisywane przez królową, przechodzą przez jego ręce. To doprawdy człowiek orkiestra. Chociaż dom królewski jest niezależny od administracji publicznej, to Gus O'Donnell decyduje o wynagrodzeniu głównych doradców Pałacu Buckingham. Nadzoruje również księstwo Lancaster, które należy do królowej. Ta nazwa nie ma nic wspólnego z miastem ani regionem o tej nazwie. Jest to majątek rodowy. Gus O'Donnell do tego stopnia przypomina (odpowiadającym królowej) stylem dworzan Pałacu Buckingham, że łatwo go z nimi pomylić. Jest uprzedzająco grzeczny, uprzejmy, dyskretny, przywiązany do służby publicznej i giętki jak gracz w krykieta. To mu ułatwia pracę. Jego osobowość pozwala mu pozostawać w cieniu i nie szukać sławy. Jego biuro znajduje się przy Whitehall, arterii ministerstw, i jest strzeżone niczym Fort Knox. Z obawy przed zamachami terrorystycznymi niedozwolone jest w nim używanie telefonów komórkowych. Podziemny korytarz łączy ten elegancki budynek z rezydencją premiera na Downing Street. W pobliżu znajdują się Ministerstwo Spraw Zagranicznych, Ministerstwo Obrony, Ministerstwo Finansów i Izba Gmin. Pałac Buckingham – po przeciwnej stronie Saint James Park.

– Służyłem Majorowi i Blairowi. Mogę zaświadczyć, że spotkania z królową były dla nich bardzo ważne. Ze względu na doniosłą rolę królowej i jej premiera w naszym systemie ten dialog ma dla kraju zasadnicze znaczenie. Tajemnica jest tu bardzo istotna, ponieważ monarcha konstytucyjny nie może bezpośrednio brać udziału w życiu politycznym. Jeżeli uważa, że działania premiera nie służą krajowi, może powiedzieć mu to w cztery oczy – stwierdza Gus O'Donnell. Ten wytrawny znawca mediów, z którymi długo miał do czynienia jako rzecznik konserwatywnego premiera Majora, dodaje jeszcze: – Funkcjonowanie prasy brytyjskiej wzmacnia potrzebę poufności. Jeżeli ktoś twierdzi, że zna treść ich rozmowy, to należy podchodzić do tego bardzo ostrożnie.

Rząd jest rządem Jej Wysokości. Monarchia przekazuje swą władzę gabinetowi, któremu w jej imieniu przewodniczy premier.

W filmie *Królowa* reprymenda, jakiej filmowa Elżbieta II udziela młodemu, dziarskiemu premierowi Blairowi podczas pierwszego spotkania, nie odpowiada prawdzie historycznej. Ta fikcyjna scena jest refleksją na temat związków pomiędzy królową i szefem rządu.

– Wielka Brytania jest monarchią, ale nie ma spisanej konstytucji. Królowa jest symbolem państwa. To jej jedyna rola. Nie powinna wyrażać opinii – wyjaśnia politolog Vernon Bogdanor w książce *The Monarchy and the Constitution* [Monarchia i konstytucja]. Królowa zawsze bardzo uważała, aby nie ingerować w sprawy rządu, wyrażając swoje zdanie. To nie znaczy, że go nie ma. Ale nigdy nie myli osobistych przekonań z tym, co do niej należy. Jej przemówienie bożonarodzeniowe, jedyne, które pisze sama, bez ministerialnej konsultacji, zawsze jest pojednawcze. Dwudziestego piątego grudnia punktualnie o trzeciej po południu, podczas przerwy między indykiem i puddingiem, miliony telewidzów słuchają z nabożeństwem czysto formalnych życzeń królowej. W tych wystąpieniach Elżbieta II nigdy nie powiedziała nic ciekawego i na tym polega jej geniusz.

„Królowa nie jest ani lewicowa, ani prawicowa. Wszystkich polityków wrzuca do jednego worka". Z tego świadectwa Edwarda Forda, doradcy Pałacu Buckingham w latach 1952–1967, wyłania się obraz królowej mało zainteresowanej parlamentarną walką w Westminsterze. Byli ministrowie, zarówno laburzystowscy, jak i konserwatywni, uważają, że Elżbieta II ma wrażliwość centrysty i jest zwolenniczką umiarkowanej prawicy. Z natury woli porozumienie niż konfrontację. Nie jest ani teoretyczką, ani dogmatyczką, jest kurtuazyjną sceptyczką. Jednym słowem pragmatyczką, jak wielu mężów stanu w angielskim stylu.

Chyba właśnie dlatego jej stosunki z Margaret Thatcher były tak trudne. I nie chodziło o naturalną kobiecą rywalizację czy coraz bardziej królewską postawę pani Thatcher w ostatnich latach jej rządów (1979–1990). Gdy pani premier pojawia się w listopadzie na dorocznej ceremonii przed Grobem Nieznanego Żołnierza, kapelusz z dużym rondem i majestatyczny czarny płaszcz nadają jej wygląd królowej. Wyrafinowana elegancja „Maggie" przyćmiewa Elżbietę.

Droga pierwszej brytyjskiej pani premier trochę przypomina drogę królowej. Jest żoną bogatego, starszego od niej przedsiębiorcy, metodystką, która przeszła na anglikanizm. Jest oczywiście rojalistką i gorącą patriotką. Wierność, lojalność i ciągłość są zawsze silnie akcentowane w jej przemówieniach. Podobnie jak Elżbieta II, późniejsza Żelazna Dama nie przeżywała w młodości wielkich uniesień i szalonych miłości. Obie boją się kobiet. W ciągu jedenastu lat w gabinecie pani premier zasiadała tylko jedna. Obie są nieśmiałe. Tę cechę charakteru, związaną pewnie ze skromnym pochodzeniem społecznym, pani Thatcher pokrywa agresywnością, a królowa powściągliwością. W końcu należą do tego samego pokolenia.

Anglia, długo rządzona na przemian przez dyletanckich arystokratów i związki zawodowe, w 1979 roku ze zdumieniem odkrywa wdzięki „sklepikarki", jak ją nazwał Valéry Giscard d'Estaing. Nowa premier nie zapomina, że jako córka skromnego przedsiębiorcy z Grantham musiała starać się bardziej niż inni, by dotrzeć na szczyty prawicy. Jej snobistyczni przeciwnicy mawiali: „Zdrapcie z niej oksfordzką powłokę, a odkryjecie sklepikarkę". Absolwentka farmacji i prawa uprawiała politykę z gorliwością misjonarki podczas nieustającej wyprawy krzyżowej, co nie zdarzało się we flegmatycznym królestwie. Kacykowie partyjni – Carrington, Whitelaw, Pym – którzy zapewniali ciągłość konserwatywnego establishmentu, zostali przywołani do porządku przez tę energiczną kobietę, nieskorą do żartów, często niemiłą i potrafiącą boleśnie zranić. Gdy któregoś dnia królowa wyjątkowo zapomniała się i zapytała Petera Carringtona, ministra spraw zagranicznych w latach 1979–1982: „Czy myśli pan, że pani Thatcher się zmieni?", ten odpowiedział bez chwili wahania: „Nigdy".

Po kolejnych spotkaniach pań ich kontakty ulegają pogorszeniu. Premier zarzuca królową potokiem słów, zgodnie z własnym planem, i wcale nie troszczy się o plan rozmówczyni. Szefowa rządu raczej wyraża swoją opinię, nie czekając na zdanie królowej. Autorytarny, a jednocześnie przesłodzony ton pani premier jest dla Elżbiety po prostu nieznośny. Arystokraci nie lubią ludzi, którzy ich naśladują, siedząc na brzegu krzesła z rękami złożonymi na kolanach. Bojąc się spóźnić, pani Thatcher pojawia się na cotygodniowym spotkaniu zawsze dużo wcześniej. W Wielkiej Brytanii nietaktem jest przyjść zarówno za wcześnie, jak i za późno.

Gdy rodzi się jej pierwszy wnuk, publicznie mówi o swej radości w pierwszej osobie liczby mnogiej („Jesteśmy babką"), zarezerwowanej dla królowej. W dodatku pani Thatcher naśladuje jej styl ubierania się, upodobanie do ostrych kolorów. Rezultat jest taki, że podczas pewnego przyjęcia mają na sobie czerwone suknie w identycznym odcieniu. Prasa nagłaśnia ten incydent. „Maggie" odbiera to jako królewską zniewagę i jest wściekła. Ośmiela się przez asystentkę skontaktować z damą dworu królowej, by od tej pory uzgadniać stroje. Wielka arystokratka uszczypliwym tonem odpowiada, że „królowa nie interesuje się cudzymi strojami".

A w sprawach politycznych współpraca układa się przecież dobrze. W czasie pierwszej kadencji Thatcherowskiej królowa akceptuje drastyczną politykę mającą na celu poprawę nie najlepszej sytuacji ekonomicznej, do czego doprowadziła Wielką Brytanię powojenna niefrasobliwość. Tak jak cały kraj, monarchini jest zmęczona brakiem skuteczności poprzednich rządów, zarówno prawicowych, jak i lewicowych. Ich stosunki są najlepsze w czasie wojny o Falklandy, w roku 1982. Królowa państwa, którego suwerenność została naruszona przez argentyńskich dyktatorów, lider Wspólnoty Brytyjskiej, naczelny dowódca armii pochwala upór Thatcher. Królowa pozwala młodszemu synowi, swojemu ulubieńcowi Andrzejowi, który jest pilotem śmigłowca, wziąć udział w odbijaniu archipelagu leżącego na południowym Atlantyku „dla wolności i sprawiedliwości".

Współpraca załamuje się po triumfalnej reelekcji Margaret Thatcher w roku 1983. Zresztą pierwsze symptomy tego kryzysu pojawiają się dwa lata wcześniej, gdy wstrząsany kryzysem funta, wycieńczony najdłuższym po wojnie strajkiem górników kraj zaczyna tracić wiarę w lepszą przyszłość. Były premier Harold Mac-Millan, mianowany hrabią Stockton – ma dziewięćdziesiąt lat i jest niewidomy – krytykuje narastające bezrobocie, z którego nikt nie widzi wyjścia. To prawie otwarta krytyka liberalno-populistycznej polityki pani Thatcher, wygłoszona przez najbardziej szanowanego i bliskiego królowej przedstawiciela tradycyjnego konserwatyzmu z ludzką twarzą, znieważanego przez Żelazną Damę.

W 1986 roku, cytując „źródła zbliżone do królowej", „Sunday Times" wywołuje sensację, ujawniając niepokoje Elżbiety II związane z ryzykiem rozpadu Wspólnoty Brytyjskiej w wyniku tego, iż rząd nie poparł sankcji ekonomicznych przeciwko apartheidowi w Afryce Południowej. Rzeczywiście „Maggie" jest obojętna na los dawnych kolonii. Nic jej nie obchodzą napomnienia przywódców afrykańskich, którzy ośmielają się wspierać „terrorystę" Nelsona Mandelę. Jej wsparcie dla Pretorii powoduje rozdarcie byłego imperium i prowadzi do częściowego bojkotu XIII Igrzysk Wspólnoty Brytyjskiej, które odbywają się w Edynburgu. Ponieważ królowa nie wyraziła publicznie dezaprobaty, ani Pałac, ani Downing Street nigdy nie potwierdzą słów jej przypisywanych. Informacja trafiła jednak do umiejących czytać między wierszami. Królowej nie podobało się także i to, że została postawiona przed faktem dokonanym, kiedy pani Thatcher pozwoliła amerykańskiemu lotnictwu z baz w Suffolk dokonać nalotu na Libię.

Ale przede wszystkim królowa zarzuca rządowi brak współczucia dla najuboższych i niszczenie tkanki społecznej. Strajk górników w 1984 i 1985 roku poruszył królową. Otrzymała mnóstwo listów od ich żon z prośbami o interwencję u niezłomnej pani Thatcher. W tym samym czasie komisja, której przewodniczy sam książę Edynburga, ostro krytykuje sytuację mieszkaniową. Ukoronowaniem tego wszystkiego jest zapewnienie księcia Karola, złożone w wyniku zamieszek w antylskim getcie Liverpoolu, że nie chce „zasiąść na tronie podzielonego kraju".

Pani Thatcher udaje, że nic nie wie o nastrojach przypisywanych Windsorom. W pamiętnikach pozwala sobie na jeden z niewielu porywów *fair play* i przyznaje, że dla szefa rządu ważne są spotkania z osobą znającą się na sprawach królestwa i stojącą ponad podziałami partyjnymi. „Nie sądzę, by poddani zdawali sobie sprawę z bogactwa jej doświadczenia" – pisze pani T., przypominając, że od roku 1952 każdego ranka królowa czyta ważne telegramy dyplomatyczne, depesze wywiadu zewnętrznego i listy od szefów państw i rządów. „Królowa jest niewątpliwie kobietą, która ma największe doświadczenie polityczne i jest poinformowana najlepiej na świecie". Elżbieta nie ma niczego za złe Margaret, której po odejściu z Downing Street 10 przyznaje Order Podwiązki. Uczestniczy też w kolacji z okazji jej osiemdziesiątych urodzin w hotelu Savoy.

Stosunki z Johnem Majorem, który w 1990 roku zastępuje Thatcher, są już lepsze. Nowy konserwatywny premier, pochodzący z jeszcze skromniejszego środowiska niż Margaret Thatcher, nie ma arystokratycznych pretensji jak jego poprzedniczka. Wielkie problemy kraju – Europa, kryzys monetarny, prywatyzacje i skandale obyczajowe w łonie większości parlamentarnej – nasiliły się, ale stosunki układają się bardziej harmonijnie. Królowa kurtuazyjnie udaje, że interesuje się krykietem, który jest wielką pasją premiera.

Mimo to w głębi duszy musiała chyba być zadowolona ze zwycięstwa Tony'ego Blaira w 1997 roku i powrotu do władzy laburzystów. Nowy premier urodził się miesiąc przed jej koronacją i wnosi świeży powiew, na który Elżbieta nie jest obojętna.

Monarchini podziela wizję Partii Pracy co do polityki zagranicznej: Wielka Brytania w sercu Europy, uprzywilejowane stosunki ze Stanami Zjednoczonymi, zwiększenie pomocy dla Afryki i ochrona środowiska naturalnego. Tymczasem polityka wewnętrzna nowej ekipy nie wzbudza jej entuzjazmu. Królowa obawia się, że New Labour, konserwatywna w sprawach ekonomicznych, aby nie odstraszyć klasy średniej, okaże się radykalna w kwestiach instytucjonalnych, żeby nie utracić poparcia społeczeństwa. Jej niepokój jest uzasadniony. Koniec dziedzicznej obecności lordów w izbie wyższej Parlamentu może wywołać tylko wrogość córki lady Elizabeth Bowes-Lyon, której zdaniem chodzi tu po prostu o walkę klas. Zwierzchniczka sił zbrojnych jest przeciwna reformie, która zlikwiduje kilka najbardziej prestiżowych pułków. Partia Pracy, jej zdaniem, osłabia władzę centralną, kiedy powołuje parlament szkocki i zgromadzenie walijskie. Zakaz konnych polowań z psami nie podoba się kobiecie o duszy wieśniaczki. Polityka liberalizacji obyczajów obraża uczucia religijne głowy Kościoła anglikańskiego. I królowa daje temu wyraz. We wrześniu 1997 roku Blair wraz z żoną zostają zaproszeni do Balmoral na powakacyjny weekend. Towarzyszy im dyrektor jego gabinetu z przyjaciółką. Ale ta para, ponieważ nie jest małżeństwem, nie zostaje zaproszona na tradycyjnego królewskiego grilla.

„Zbyt dobrze wychowany, aby mógł być uczciwy" – musiała sobie pomyśleć królowa, gdy Tony Blair przyszedł prosić ją o powołanie rządu. Podczas pierwszego mandatu Partii Pracy, w latach 1997–2001, wzmożona aktywność nowego rządu, manipulowanie mediami i chęć zmiany starego konserwatywnego porządku irytują królową.

– Od razu zrozumiała, że celem Blaira jest pozbycie się ciała i zachowanie głowy. Znosząc dziedziczenie w Izbie Lordów, rząd przeciął pępowinę, która łączyła monarchię, arystokrację i partię konserwatywną – podkreśla były minister, członek Partii Pracy.

Elżbieta od początku nie ufa groźnej Chérie Blair, która jest znaną adwokatką i nie ma zamiaru poświęcać własnej kariery dla kariery męża. Nieznosząca feministek królowa obawia się, że ta sufrażystka przypomni Tony'emu zbyt lewicowe, jej zdaniem, obietnice wyborcze. Chérie, która ma zdanie na każdy temat, nie chce się dostosować do modelu „sympatycznej, ale pozostającej w cieniu żony premiera" w stylu Normy Major czy Mary Wilson. Ona rządzi w tym związku. Poza tym krążą potwierdzone później plotki, że Chérie lubi pieniądze.

Na szczęście – w pojęciu królowej – syn porządnego członka partii konserwatywnej Tony Blair uczęszczał do najlepszej szkockiej szkoły prywatnej, a potem studiował prawo w Oksfordzie. Później, jako lider laburzystów, zwalczał w swojej partii skrajną lewicę, wrogą monarchii. Jest obrońcą rodziny i zdecydowanej walki z przestępczością. Pałac i Downing Street chętnie współpracują, nie tracąc czasu na rozwiązywanie problemów ambicjonalnych.

Tony wykręca czasem Elżbiecie jakieś numery, żeby uspokoić lewe skrzydło New Labour. Tak było w przypadku Master of the Queen's Music, mistrza muzyki królewskiej, prestiżowej posady na angielskim dworze, utworzonej w 1626 roku. Wybór Maxwella Daviesa na kompozytora „muzyki oficjalnej" mającej uświetniać królewskie uroczystości jest czystą prowokacją. Bo choć jest on najwybitniejszym żyjącym kompozytorem brytyjskim, jest też zawziętym republikaninem:

– W głębi duszy jestem za obaleniem monarchii, nawet jeśli republikanie nie spełniają oczekiwań, jak to jest dzisiaj w przypadku Busha w Stanach Zjednoczonych i Berlusconiego we Włoszech. – Ten posądzany o poglądy skrajnie lewicowe pacyfista nigdy nie szczędził krytyki wielkim instytucjom kulturalnym królestwa, bliskim Jej Wysokości. – Mam zamiar komponować na wielkie okazje związane z panowaniem Elżbiety II, ale nie jest to moja najważniejsza misja. Chodzi o to, aby muzyka otworzyła się na szerszą publiczność. – Od razu uprzedza, że jego kompozycje będą opiewały zarówno sprawy społeczne, jak i chwałę królowej i jej panowania.

Pomimo tych perypetii przywiązanie Tony'ego Blaira do tronu nie wymaga potwierdzenia. Premier bronił Korony zagrożonej po śmierci Diany, która zmarła trzy miesiące po jego zwycięstwie w wyborach. Jeden z najbardziej cenionych doradców, Alistair Campbell, ujawnił jak ważne są dla Blaira cotygodniowe spotkania z królową: „To jedyna osoba, co do której może być pewny, że nie wyjawi żadnej tajemnicy prasie". Blair nigdy nie zwierzał się otoczeniu z przebiegu rozmów w Pałacu. Wiemy tylko, że kiedy w 1999 roku poruszył sprawę zorganizowania królewskiego jubileuszu w 2002 roku, usłyszał: „To mój jubileusz, panie Blair".

Wśród premierów, z którymi królowa miała do czynienia, jeden zajmuje miejsce uprzywilejowane. To Winston Churchill, jej pierwszy szef rządu (1952–1955). Był zarazem jej mentorem i zastępczym ojcem po śmierci Jerzego VI. Najlepiej wie o tym córka Churchilla, lady Soames. Mieszka w małym domku w londyńskiej dzielnicy Kensington. Pięć lat starsza od królowej, bardzo żywa, Mary Soames dzielnie przeżyła całą epokę „elżbietańską". Familiarnie nazywa ojca „papą", ale o królowej mówi „Jej Wysokość". Podkreśla, że nie należy do bliskiego kręgu znajomych królowej. Ale obecne wszędzie fotografie dedykowane przez Elżbietę i jej rodzinę świadczą o czymś wręcz przeciwnym.

Mój ojciec uważał, że przed królową nie należy nic ukrywać. Nawiązał bardzo bliskie stosunki z Jerzym VI. Po audiencji jedli razem obiad. Chcieli być sami, więc obsługiwali się przy bufecie. Ten sam rodzaj relacji papa nawiązał potem z Elżbietą II, która doceniała jego prawdomówność. Funkcja królowej wiąże się z samotnością.

Dowodem przywiązania królowej jest to, że gdy w 1954 roku dowiedziała się od przedstawiciela większości parlamentarnej, że Churchill przeszedł udar mózgu, odmówiła zasugerowania mu, by zdecydował się na emeryturę, choć miał już wtedy ponad osiemdziesiąt lat.

Gdy 5 kwietnia 1955 roku Winston Churchill się wycofuje, królowa gotowa jest nadać mu tytuł księcia – to rzadkość we współczesnej monarchii. Większość jego poprzedników musiała się zadowolić tytułem hrabiowskim. Churchill uprzejmie odmawia i zadowala się tytułem rycerskim, który pozwala mu dalej zasiadać w Izbie Gmin. Po jego śmierci, w roku 1965, królowa wyraża zgodę na pogrzeb państwowy. Przed nim tylko dwóch sławnych premierów – Wellington i Gladstone w XIX wieku – dostąpiło takiego zaszczytu. Do orszaku żałobnego królowa wypożycza swoje karety, wyposażone w koce i termofory. Podczas ceremonii religijnej Elżbieta II wyjątkowo, pragnąc złożyć mu hołd, łamie protokół i w Opactwie Westminster zajmuje miejsce przed rodziną Churchillów. Odszedł ktoś więcej niż bliski, a zbliżyła ich do siebie wojna.

Rankiem 6 lutego 1952 roku, dowiedziawszy się o śmierci króla, zrozpaczony Churchill mówi do Jocka Colville'a, swego osobistego sekretarza, o nowej królowej: „Właściwie jej nie znam. To jeszcze dziecko". Prowadził ją, gdy stawiała pierwsze królewskie kroki. W konfrontacji z osobowością Starego Lwa młoda monarchini mogła zostać zupełnie zdominowana. Ale tak się nie stało. U jego boku poznała polityczny aspekt zawodu królowej. Lady Soames wspomina: „Bardzo lubiła mojego ojca, który intuicyjnie rozumiał funkcjonowanie monarchii konstytucyjnej. Myślę też, że trochę był w niej zakochany. Królowa była zawsze bardzo dla niego miła". Może i zakochany, ale przede wszystkim niezwykle dyskretny. Kiedyś po powrocie Churchilla z cotygodniowego spotkania z królową, Jock Colville zapytał go, o czym była mowa. Churchill, który na tę okazję wkładał cylinder i redingot, odpowiedział z powagą: „Oczywiście o wyścigach konnych". Między Pigmalionem i jego dziełem ustala się pewna gra. Elżbieta bardzo chce udowodnić, że Churchill nie zna treści telegramów dyplomatycznych, bo nawet nie starał się ich przeczytać.

Lady Soames podkreśla lojalność królowej w stosunku do ich rodziny. Kiedy w 1979 roku jej chory na serce mąż Christopher Soames został mianowany ostatnim gubernatorem Rodezji, królowa radziła mu, żeby uważał na zdrowie: „Christopherze, wie pan, że Salisbury znajduje się na dużej wysokości". W 2005 roku Mary Soames zostaje przyjęta w Windsorze jako dama Orderu Podwiązki. Królowa wręcza jej naszyjnik, który należał do Jerzego VI.

Po trzech latach na tronie królowa nabiera pewności siebie. Obecność na Downing Street premiera Anthony'ego Edena (1955– –1957), wieloletniego ministra spraw zagranicznych Churchilla, przywódcy Partii Konserwatywnej, nie zapisuje się niczym szczególnym. Poza nieudaną ekspedycją sueską w roku 1956, która martwi królową. Jej premier ukrywa przed nią i przed Izbą Gmin tajne porozumienie Londynu z rządem francuskim i izraelskim, które ma na celu usunięcie Nasera. Królowa jest rozdarta pomiędzy wsparciem dla wojska i brakiem zgody Wspólnoty Brytyjskiej oraz Waszyngtonu na ekspedycję francusko-brytyjską. Ta opozycja w stosunku do królowej odegrała równie ważną rolę, jak rzekomo słabe zdrowie w wymuszonej dymisji Edena i jego decyzji o wycofaniu się z życia politycznego. Królowa odbywa następnie wiele podróży do państw Wspólnoty, starając się naprawić szkody wyrządzone obrazowi dawnej opiekuńczej potęgi przez tę pachnącą kolonializmem awanturę.

Do prawdziwej emancypacji dochodzi w roku 1957, gdy władzę obejmuje kolejny przedstawiciel wielkiej burżuazji, Harold MacMillan. Kostyczny humor premiera, ich wspólny sentyment do Szkocji i polowań na pardwy oswajają królową, ale nie lubi jego bardzo zmiennego charakteru. Jest zaskoczona, kiedy premier nagle postanawia sfinansować remont jachtu „Britannia". Wywołuje to w kraju wielką dyskusję. Za gafę szefa rządu dostaje się pierwszemu lordowi admiralicji Peterowi Carringtonowi:

– Wezwała mnie. Nawet nie proponując, żebym usiadł, i lodowatym tonem zarzuciła, że musi znosić krytykę z powodu kosztów remontu jachtu. Powiedziała: „Pan płaci, a mnie obwiniają". Wyszedłem z pałacu zupełnie oszołomiony.

Z Haroldem MacMillanem Elżbieta II stawia czoło upadkowi Imperium, słynnemu wycofaniu się „na wschód od Suezu" w marcu 1957 roku, przewadze Stanów Zjednoczonych, powstaniu Wspólnego Rynku, gaullistowskiemu sprzeciwowi w sprawie przystąpienia Wielkiej Brytanii do Wspólnego Rynku i problemom ekonomicznym. Gdy w roku 1963 MacMillan podaje się do dymisji, królowa składa hołd „przewodnikowi, który pomagał mi w meandrach polityki zagranicznej".

Ponieważ nie przewidziano następcy, Partia Konserwatywna jest rozdzierana przez zwolenników Raba Butlera i Aleca Douglasa-Home'a. Działacze partyjni zdają się na sąd królowej. Po długim wahaniu Elżbieta wybiera Douglasa-Home'a, który będzie ostatnim premierem arystokratą. Choć tak się mówi, na wybór nie wpłynęła ani Królowa Matka, ani konserwatywna arystokracja obawiająca się Butlera, intelektualisty uważanego za zbyt „lewicowego". Królowa intuicyjnie rozumie nowego premiera. Szkockiemu szlachcicowi wybaczy nawet niezbyt pochlebne porównanie cotygodniowych wizyt u królowej do wezwania psotnego ucznia przez surową dyrektorkę szkoły. Butler zemścił się za to, że został odsunięty, oświadczając dziennikarzowi: „Windsorom brak kultury. Królowa nigdy nic nie czyta. W Windsorze są tylko książki o koniach".

Relacje królowej z Edwardem Heathem (1970–1974) były równie złożone jak jego osobowość. Ale nawet z tym politykiem, który źle się czuł wśród ludzi, zatwardziałym kawalerem, obojętnym na „jej" Wspólnotę Brytyjską, znajduje wspólne zainteresowania: kościół, kolędy i żagle – ulubioną rozrywkę księcia Filipa. Heath wspiera ją w sprawie przystąpienia Wielkiej Brytanii do Wspólnego Rynku i perspektyw monarchii na przyszłość:

– Ponieważ na monarchię ma wpływ doświadczenie Elżbiety II w kwestiach życia oraz wydarzeń krajowych i międzynarodowych, a była w kontakcie z Europą przez cały okres panowania, w przyszłości może jeszcze lepiej wykorzystać swą znajomość kontynentu. Po prostu wzmoże działania, które zawsze podejmowała.

Królową cały czas łączyły serdeczne stosunki z laburzystą Haroldem Wilsonem, który był premierem dwukrotnie (1964–1970 i 1974–1976), i Jamesem Callaghanem, jego następcą (1976–1979). Na ich wzajemne relacje nałożyła się zła sytuacja gospodarcza. Epokę Partii Pracy naznaczają rozwój najnowocześniejszych gałęzi przemysłu, eksploatacja złóż ropy i gazu na Morzu Północnym oraz ekspansja gigantów przemysłowych za granicą. Ale równolegle królestwo nie podejmuje kroków, by zmienić przestarzałą gospodarkę, o niskiej produktywności, obciążoną infrastrukturą z innej epoki, skazaną na wszechwładne związki zawodowe, niekompetentnych pracodawców i żarłoczny system podatkowy. Wzrost gospodarczy hamują także względy socjologiczne, co stwierdził jeden z liderów związków zawodowych: „Brytyjczycy nie urodzili się po to, aby pracować". Za przykład porażki rządów Partii Pracy może posłużyć upokorzenie, jakim dla Wielkiej Brytanii była konieczność żebrania o szybką pożyczkę w Międzynarodowym Funduszu Walutowym, żeby zapobiec dalszemu spadkowi kursu funta w roku 1976.

Harold Wilson uważał, że królowa wykonuje „swoje zadania" jak porządna uczennica. Zauważył, iż czasami zna sprawy lepiej od niego. Pomimo braku zgody własnych ministrów Wilson zawsze akceptował zwiększenie dotacji państwowych dla Windsorów. Chwalił się zażyłością z królową, która podczas grilla w Balmoral przygotowała dla niego świetny stek i sama obwoziła go jeepem po swej posiadłości. Ale po wycofaniu się z polityki rzadko był zapraszany. W związku z tą niewdzięcznością James Callaghan wypowiedział znaczące zastrzeżenie wobec królowej: „Jest uprzejma, ale nigdy nie obdarza przyjaźnią". Dobrze to ujął.

*

Czy stabilność polityczną jednej z najstarszych demokracji świata gwarantowałby prezydent republiki? Za kanałem La Manche istnieje ruch republikański ukryty, uśpiony, uchwytny tylko w czasie kryzysu monarchii. Jego przedstawicielem jest były minister Partii Pracy – Tony Benn.

Holland Park. Trochę podniszczony dom w eleganckiej dzielnicy zachodniego Londynu. W zagraconym biurze były minister, o imponującym wzroście metr dziewięćdziesiąt, siedzi wciśnięty w stary fotel. Arystokrata, który złamał zakaz i został filarem zatwardziałej lewicy, jest rzecznikiem republikanów. Sam tak się przedstawia:

– Nie atakujemy osoby monarchy. To byłoby prostackie i niewłaściwe ze względu na królową, kobietę niezbyt interesującą, która jednak nie wybrała sobie tej funkcji. Chcę końca władzy niedemokratycznej, której centralną konstrukcją jest monarchia.

Były minister Harolda Wilsona zaproponował parę lat temu prawo nazwane Commonwealth of Britain Bill, postulujące zniesienie monarchii wraz ze śmiercią Elżbiety II. W drodze referendum chce uzyskać zniesienie Izby Lordów, oddzielenie Kościoła od państwa i ogłoszenie konstytucji. Zgodnie ze zwyczajem minister spraw wewnętrznych odpisał mu, że zgadza się „z największą przyjemnością" na przedłożenie mu propozycji rozwiązań prawnych. Ten list stał się talizmanem Benna. W wyniku blokady rządowej i parlamentarnej jego krucjata nie osiągnęła zamierzonego celu. Nie szczędzono mu za to sarkastycznych uwag.

– Szef rządu przywłaszczył sobie królewskie prerogatywy. Trzeba je odebrać – powtarza nasz rozmówca, który po ogłoszeniu republiki chciałby utrzymać królową w Buckingham „jako atrakcję turystyczną".

Tony Benn lubi opowiadać, że gdy był ministrem poczty i teleko-munikacji, w roku 1974, zaproponował, aby wizerunek Elżbiety II na znaczkach zastąpić wizerunkami innych królów, poczynając od Wilhelma Zdobywcy. „To ciekawe, panie Benn" – mruknęła z humorem monarchini podczas spotkania. Po jego wyjściu jeden telefon z Pałacu na Downing Street załatwił sprawę: „Gdy po wizycie wróciłem do biura, piętnaście minut po opuszczeniu królowej, czekała na mnie wiadomość od Harolda Wilsona: «Tony, daj spokój»". Królowa zgadzała się ustąpić miejsca na znaczkach pod warunkiem, że wiarołomny Edward VIII, który abdykował w 1936 roku, nigdy go nie zajmie. Tony Benn nie ma złudzeń, wie, że jest jednym z tych trybunów, których się słucha, ale nie wysłuchuje. Pomimo *annus horribilis* 1992 i śmierci Diany monarchia wciąż ma się świetnie. Zgodnie z sondażem Ipsos Mori, wykonanym na zamówienie Pałacu Buckingham w związku z obchodami osiemdziesiątych urodzin Elżbiety II, tylko dziewiętnaście procent respondentów jest za zniesieniem monarchii. Czyli o jeden procent więcej niż w latach siedemdziesiątych, gdy ekscentryczny poseł Willie Hamilton oczerniał rodzinę królewską, określając jej tryb życia jako ekstrawagancki. Bariera dwudziestu procent została przekroczona tylko raz – w kilka dni po śmierci Diany było ich dwadzieścia pięć. Ale parę dni po pogrzebie poparcie dla mniejszości republikańskiej spadło do dwunastu procent. Po dziesięciu latach skandali dynastia ma przed sobą piękne dni.

– Blok republikański ma trwałe podstawy. Są jednak kwestie, które dzielą, na przykład kara śmierci czy przerywanie ciąży. Republikanie to ludzie w wieku od piętnastu do dwudziestu czterech lat, mężczyźni, mniejszości etniczne, działacze polityczni i agnostycy. Monarchia jest bardzo popularna wśród ludzi starszych, kobiet, prowincjuszy, chrześcijan – twierdzi Robert Worcester, dyrektor Ipsos Mori i autor sondażu. Wyłączając niezbyt czynną mniejszość republikańską, monarchia jest po prostu zakodowana w DNA Brytyjczyków, jest ich najważniejszym symbolem, tak jak gwiaździsty sztandar dla Amerykanów, rewolucja 1789 roku dla Francuzów czy wschodzące słońce dla Japończyków. W Londynie tysiące ulic, skwerów i placów nosi imiona królów, królowych, książąt lub księżniczek. Instytucje mające w nazwie słowo „królewski" zajmują w książce telefonicznej pięć stron. Cieniem kładzie się na tym obrazie tylko to, że choć osiemdziesiąt jeden procent ludności uważa, że monarchia przetrwa dziesięć lat, to procent ten maleje do pięćdziesięciu pięciu w perspektywie dwudziestu pięciu lat i trzydziestu dwóch w roku 2056.

Do początku lat dziewięćdziesiątych nieoficjalna cenzura uniemożliwia ruchowi republikańskiemu rozpowszechnianie poglądów. Jeden z działaczy ruchu Republic, Edgar Wilson, ma wielkie trudności ze znalezieniem wydawcy dla swej książki *The Myth of British Monarchy* [Mit monarchii brytyjskiej]. Po odmowie dużych wydawnictw ryzyko podejmuje jedno z małych, ale ostatecznie książka zostaje zbojkotowana przez dystrybutorów. BBC, publiczne radio i telewizja finansowane przez podatników nie dopuszczają republikanów do anteny. W 1991 roku program poświęcony przyszłości monarchii, z udziałem abolicjonistów, kilkakrotnie zostaje odwołany bez słowa wyjaśnienia. Dwa lata później, przed debatą na ten temat, zorganizowaną wreszcie przez kanał publiczny, przeciwnicy monarchii muszą złożyć oświadczenia na piśmie, że nie użyją słowa „republika". Pomimo tych utrudnień na początku lat dziewięćdziesiątych Klub Zdrowego Rozsądku (*Common Sense Club*), najsławniejsza z grup spiskujących przeciw Windsorom, zbiera się regularnie na pierwszym piętrze restauracji Etoile w samym sercu Londynu. Jej nazwa pochodzi z pamfletu Thomasa Paine'a, wygnanego z Anglii za podjudzanie do niezależności od Ameryki. Wokół przewodniczącego Klubu zebrali się czołowi intelektualiści: dramaturg Peter Hare, posłowie Tony Benn i Denis McShane, dziennikarze Christopher Hitchens i Bill Emmot. Ich bardzo nagłaśniana kampania jest popierana przez prasę Murdocha, szczególnie „The Sun" – ma najwyższy nakład w królestwie – „The Guardian", „The Independent" i „The Economist". W 1992 roku wpływowy tygodnik pisze, że „monarchia jest przeżytkiem", i proponuje referendum w sprawie jej przyszłości. I chodzi nie tyle o ostatnie głośne romanse potomstwa Windsorów, które wpłynęły na zajęcie takiego stanowiska, ile o świadomość tego, że monarchia nie odgrywa już żadnej roli wśród instytucji królestwa. Ale wydawca ostrożnie konkluduje, że zniesienie monarchii przyniosłoby więcej kłopotów i zmartwień niż jej utrzymywanie. W sumie nawet dla republikanów monarchia nie jest systemem aż tak złym. Odwaga „The Economist" staje się jednak przyczyną skandalu.

W każdym razie pomysł powszechnego głosowania znów jest brany pod uwagę po rozwodzie Karola i Diany, w roku 1996, przez refleksyjną grupę labourzystów – Fabian Society – która chce radykalnej reformy monarchii, znoszącej między innymi hymn narodowy *Boże, chroń królową.*

Pałac jest szczególnie zaniepokojony rozpowszechnianiem się republikanizmu wewnątrz New Labour. Rewolta przeciwko Windsorom w Partii Pracy narasta, podczas gdy w sondażach Tony Blair znacznie wyprzedza konserwatywnego premiera Johna Majora. Ron Davies, rzecznik do spraw walijskich, podważa zdolność księcia Walii do bycia królem, nazywając go „absolutnym głupkiem, sadystą, cudzołożnikiem i kłamcą". Jack Strow, minister spraw wewnętrznych, publicznie domaga się monarchii ograniczonej, „na wzór skandynawski". Mo Mowlam, odpowiedzialny za Irlandię Północną, wspomina Thomasa Paine'a, dla którego monarcha to tylko „funkcja, którą mogą sprawować wyłącznie idioci i dzieci". Centrysta, radny z Berkshire, domaga się usunięcia słowa „królewski" z nazwy swego hrabstwa, w którym znajduje się zamek Windsor. Nic podobnego nie zdarzyło się od czasu, gdy niepopularna królowa Wiktoria tkwiła we wdowieństwie, a było to w latach siedemdziesiątych XIX wieku.

Zostając w roku 1997 ministrami, Davies, Strow i Mowlam składają jednak przysięgę Koronie. Świadom, że reformatorski rząd potrzebuje obecności stałego punktu, takiego jak Elżbieta II, by uspokoić wyborców, Tony Blair zdusił w zarodku rewoltę w swojej partii. Nowy premier widzi, że mimo skandali Brytyjczycy są przywiązani do monarchii. Rodzina Windsorów i jej los mogą poczekać.

Dzisiaj z całego tego zamieszania zostało niewiele. Klub Zdrowego Rozsądku został rozwiązany. Zakaz zasiadania na tronie władcy wyznania katolickiego nadal obowiązuje, chociaż jest przejawem dyskryminacji i został uznany za niezgodny z Europejską Konwencją Praw Człowieka. W roku 1999 Australia, której głową jest królowa Elżbieta II, odrzuca w referendum zdecydowaną większością głosów powstanie republiki, chociaż ma do Wielkiej Brytanii różne pretensje. Podczas kampanii wyborczej królowa pozostała całkowicie neutralna, dając do zrozumienia, że gdyby wynik był dla niej niekorzystny, byłaby zasmucona, ale nie rozchorowałaby się z tego powodu. Kiedy w grudniu 2000 roku „The Guardian" rozpoczyna kampanię na rzecz republiki, żądając referendum, nic z tego nie wynika. Stephen Haseler, który sam obwołał się szefem ruchu republikańskiego, nie zapomniał swego credo: „Istnienie monarchii jest fundamentalnie antydemokratyczne, wywołuje podziały społeczne, przemoc kulturalną i nie dopuszcza do rozwoju nowoczesnych instytucji państwa, niezbędnych, by wydobyć je z systemu feudalnego". Ale wygłasza je w próżni. Jak wyjaśnić tę porażkę? Po pierwsze, lobby przeciwne Windsorom ma zbyt mały wpływ na opinię publiczną. Wywodzi się z niewielkiej grupy londyńskiej elity intelektualnej. Po drugie, republika proklamowana w latach 1649–1660 przez dyktatora Cromwella pozostawiła w podręcznikach historii złe wspomnienia. Ruch republikański był naprawdę aktywny tylko w pierwszej połowie XIX wieku, za panowania dynastii hanowerskiej. Po trzecie, jaki typ prezydentury mógłby zastąpić monarchię? Prawdziwa łamigłówka. Trudno sobie wyobrazić wszechwładnego prezydenta, jak we Francji czy w Stanach Zjednoczonych. System włoski albo niemiecki jest nie do zaakceptowania, bo tam prezydenta wybiera parlament, a chodzi o ponadpartyjnego arbitra. Wybór na najwyższe stanowisko osoby neutralnej, jak w Irlandii, jest trudny do zorganizowania w dużym kraju.

Oczywiście nawet w republice przyszłość pałacu Buckingham, turystycznej maszynki do zarabiania pieniędzy, jest zapewniona. Turyści zwiedzają kraj z powodu jego historii, a ta nie zniknie przecież razem z monarchią. Wersal przeżył rewolucję francuską. Ale trudne jest też inne pytanie: kto będzie pierwszym prezydentem nowej Republiki Brytyjskiej? Biznesmen, znany wojskowy w stanie spoczynku i przewodniczący Izby Gmin są wykluczeni z powodu konfliktu interesów. Anglicy chcą mieć na czele państwa kogoś, kto jest bardziej predestynowany do pełnienia tej funkcji niż oni sami, a w przypadku prezydenta ten warunek nie byłby spełniony. Dlatego pewna satyryczna gazeta wymieniała księżniczkę Annę jako Mrs (obywatelkę) Ann Lawrence z domu Windsor. Pomimo jej dużej popularności nie byłoby to jednak radykalne zerwanie z przeszłością.

Trywialny, ale nie drugorzędny aspekt zmiany ustroju to trudny do oszacowania koszt likwidacji królewskich oznaczeń na banknotach, papierze firmowym i budynkach publicznych w całym kraju.

Vernon Bogdanor, profesor prawa w Oksfordzie, podkreśla, że na kontynencie europejskim kraje posiadające monarchie mają się lepiej niż republiki. Jego zdaniem Dania, Norwegia i Szwecja są bardziej egalitarne niż Niemcy czy Włochy, a Holandia jest bardziej rozwinięta społecznie niż Portugalia. Przykład Japonii, która ma bardzo tradycyjną dynastię, świadczy o tym, że sukces ekonomiczny może iść w parze z monarchią. Reprezentujący naród brytyjski prezydent miałby w oczach obcokrajowców ten sam status co angielska królowa. Ale brakowałoby mu swoistej magii i blasku, które tak fascynują poza granicami Wielkiej Brytanii. Wywlekając na światło dzienne swoje sprawy osobiste w latach osiemdziesiątych i dziewięćdziesiątych, część klanu Windsorów igrała z ogniem. Monarchia mogła nie przetrwać serii skandali.

„Zwykle największymi wrogami monarchii są wojny i opór przeciwko wszelkim zmianom instytucjonalnym" – pisze Vernon Bogdanor. Można by dodać, że dzisiaj w oczach opinii społecznej sprawa reformy konstytucyjnej pozostaje w cieniu nowych wyzwań, jakimi są ocieplenie klimatu czy walka z wykluczeniem społecznym.

Gdy przy Brytyjczykach wymawia się słowo „republika", to nawet ci, którym Windsorowie są zupełnie obojętni, mówią: „Po co zmieniać system, który działa?" Ludzie chyba są zadowoleni z obecnego układu monarchia–parlament. Nieudolność dzieci Windsorów nie jest dostatecznym argumentem za likwidacją systemu, który ma się dobrze. Nie należy wylewać dziecka z kąpielą. Bo czym je zastąpić?

Istnienie monarchii przestano kwestionować dlatego, że po prostu przestano się nią interesować.

A zatem jaką władzę ma królowa? Dziewiętnastowieczny dziennikarz Walter Bagehot ujął to tak: „Wydaje ostrzeżenia, wspiera i udziela rad". W dziele zatytułowanym *The English Constitution* [Konstytucja angielska], które napisał w roku 1867, dodaje wyraźne ostrzeżenie: „Rozsądny i mądry monarcha nie robi nic ponadto".

Elżbieta II teoretycznie jest królową Wielkiej Brytanii i Irlandii Północnej, głową Kościoła anglikańskiego, Wspólnoty Brytyjskiej i zwierzchnikiem sił zbrojnych. Ale od 1324 roku monarchowie panują tylko nad łabędziami, wielorybami i jesiotrami pływającymi w wodach terytorialnych królestwa. Suweren jest ucieleśnieniem narodu, nie mając wpływu na rząd, który gwarantuje zachowanie demokracji. Królowa, choć zna wszystkie najtajniejsze dokumenty przechowywane w słynnych kasetkach i ma do dyspozycji Tajną Radę, złożoną z najważniejszych dostojników królestwa, pełni tylko rolę notariusza, który składa podpis pod decyzjami innych. Ponieważ kraj nie ma spisanej konstytucji, nic jej nie zabrania odmowy złożenia podpisu pod prawem przegłosowanym przez Izbę Gmin, krytyki rządu, odwoływania dowódców wojskowych czy arcybiskupa Canterbury. Ale królowa tego nie robi.

Nie zawsze tak było. Przeciwny reformom William IV w 1834 roku zwolnił premiera, lorda Melbourna, by powołać reakcyjnego diuka Wellingtona. W 1839 roku podczas „kryzysu sypialnianego" Wiktoria odrzuciła prośbę premiera rządu torysów Roberta Peela w sprawie zwolnienia dam dworu związanych z opozycją. Później w listach do dzieci i wnuków pisała o konflikcie politycznym z Gladstone'em.

W opinii Elżbiety II takie postępowanie byłoby sprzeczne ze zwyczajem obowiązującym od czasu „chlubnej rewolucji" z 1688 roku i Bill of Rights, deklaracji Parlamentu angielskiego z roku 1689, z jej słynnym stwierdzeniem: „Król panuje, ale nie rządzi", dzięki którym ukształtowała się demokracja parlamentarna. Kara śmierci została zniesiona. Gdyby jednak została przywrócona, a Parlament przegłosowałby karę śmierci przez powieszenie dla monarchini, królowa musiałaby bez wahania podpisać się pod wyrokiem na samą siebie. Użyłaby zwyczajowej formuły: „Królowa tak chce". Podobnie byłoby w przypadku proklamowania republiki. „Odejdziemy cicho, na palcach" – wielokrotnie żartowała Elżbieta II, gdy roztaczano przed nią widmo republiki.

A jednak, pomimo tak ograniczonej władzy, królowa nie ma w sobie nic z szefa marionetkowego państwa. Zasadnicze znaczenie w życiu narodu mają pełnione przez nią cztery role:

Rola instytucjonalna

Po pierwsze, królowa powołuje premiera. Ułatwia jej to system wyborczy wyłaniający większość w Izbie Gmin. Lider zwycięskiej partii automatycznie staje się kandydatem na premiera. Tylko przy braku większości królowa może wykorzystać swoje prawo do wyznaczenia go. Taka sytuacja zaistniała w roku 1974. Monarchini wybrała Harolda Wilsona z Partii Pracy, który jej zdaniem miał większe niż konserwatysta Ted Heath szanse na stworzenie rządu wspieranego przez liberałów. Nawet gdyby premier postradał zmysły, to nie królowa, lecz partia zdecyduje, kto go zastąpi. W Londynie taki premier byłby odwołany w ciągu doby, aby najważniejsze instytucje w państwie nie zostały zagrożone. Królowa teoretycznie może nie wyrazić zgody na rozwiązanie Parlamentu, ale nigdy się to jeszcze nie zdarzyło. W kraju, w którym od czasów Cromwella nie pojawiło się prawdziwe zagrożenie władzą totalitarną, Korona jest przeciwwagą dla premiera. W biznesie taką rolę w stosunku do prezesa może pełnić reprezentant rodziny, która założyła firmę. Prezesem zarządzającym firmą Zjednoczone Królestwo Sp. z o.o. jest oczywiście premier.

Od szefa rządu królowa teoretycznie może żądać „dodatkowych informacji", jeśliby chciała wyrazić niezadowolenie z jakiejś nominacji, nigdy jednak nie skorzystała z tego prawa. Tak naprawdę nie chciała zatrzymywać przy sobie, jako kustosza Kolekcji Królewskiej, zdrajcy Anthony'ego Blunta, radzieckiego szpiega zdemaskowanego w 1964 roku. Ale ulegając premierowi i wywiadowi, nie zwolniła go. Źle na tym wyszła, bo gdy prasa dowiedziała się o aferze, królową zaatakowano za brak własnego zdania. Dodajmy, że aby upublicznić swój punkt widzenia, królowa zawsze może się posłużyć członkami rodziny królewskiej. Jej małżonek Filip i książę Karol często otwarcie krytykowali politykę rządu. Jest to wskazówka, która nie umyka żadnemu premierowi.

Rola symbolu jedności narodowej

Królowa wypowiada się w imieniu wszystkich poddanych, niezależnie od ich poglądów politycznych, miejsca zamieszkania, pochodzenia czy wyznania. Strażniczka wspólnych dóbr jednoczy całą ludność królestwa. Monarchini jest gwarantką jedności ponad podziałami. Jest to jej rola zasadnicza, kiedy nasilają się dążenia do autonomii, jak na przykład w Szkocji.

Legitymacja królowej pochodzi od ludu, co w przypadku monarchii jest dość dziwne. „Nie znajduje się na szczycie piramidy społecznej, lecz obelisku, którego wierzchołek stanowi rodzina królewska" – obrazowo podsumowuje Robert Lacey, znawca filozofii Pałacu Buckingham.

Rola łącznika ze Wspólnotą Brytyjską, wielką rodziną, której Elżbieta II przewodzi

Autorytet moralny królowej pozwolił uniknąć trzech kryzysów konstytucyjnych w dawnych koloniach: Australii (1975), na Grenadzie (1983) i na Fidżi (1987). Przekonała także premier Indii Indirę Gandhi do odwołania stanu wyjątkowego w roku 1977. Dwa lata później jedności Wspólnoty Brytyjskiej zagroził kryzys rodezyjski. Lord Carrington tak wspomina okropną konferencję w Lusace, w całości poświęconą tej sprawie: „Długo rozmawiała ze wszystkimi podekscytowanymi delegatami z krajów znajdujących się na linii frontu, co spowodowało złagodzenie napięcia, doprowadziło do zorganizowania konferencji i w grudniu 1979 roku zakończyło się umową z Lancaster House". Królowa zna osobiście wszystkich przywódców państw należących do Wspólnoty Brytyjskiej, a także wielu innych. Jej uwagi na ich temat mogą być dla premiera bardzo przydatne.

Rola dobroczynna

Pełniona również przez innych członków rodziny królewskiej, często nie jest doceniana przez zagranicznych obserwatorów. Monarchię opiekuńczą ucieleśnia trzy tysiące pięćset organizacji dobroczynnych, którym patronują członkowie rodziny królewskiej. Patronką sześciuset z nich jest sama królowa. Począwszy od emerytowanych oficerów Royal Navy, poprzez pielęgniarki, filatelistów i stowarzyszenie zoologów, na szermierzach amatorach skończywszy – przegląd listy trustów, związków i fundacji stwarza obraz monarchii idealistycznej, ale praktycznej, tradycyjnej, a mimo to skutecznej w działaniu. Każdy członek rodziny królewskiej ma swoją specjalność. Religia, osoby starsze i dzieci, zwierzęta, armia i zdrowie – to dziedziny królowej. Jej zadanie jest dwojakiego rodzaju: wspieranie zbiórki funduszy i, niekiedy, osobiste datki. Nigdy przesadne, jak głoszą złe języki. Kasa królewska zawsze łożyła na pomoc dla ofiar katastrof.

Radykalny z natury książę Karol wybrał sprawy socjalne, architekturę i środowisko. Posunął się dalej niż jego matka, zakładając wspaniałą sieć dwunastu organizacji charytatywnych. Jego współczucie dla młodzieży w potrzebie, przeważnie imigrantów, najlepiej ilustruje organizacja Prince Trust, którą stworzył po opuszczeniu Royal Navy.

Elżbieta II, choć nie ma takiego wyczucia społecznego jak jej starszy syn, często spotyka się z biednymi. Potrafi łączyć współczucie z szacunkiem. Uczestnicząc w otwarciu schroniska dla bezdomnych, pyta młodzież: „Czy nie jest wam za ciężko? Życzę powodzenia". Pozostaje sobą, elegancka, mówiąca cicho i wyraźnie, czasem z wahaniem – bardzo charakterystycznym dla brytyjskiej gentry – i z arystokratycznym taktem, z którym wczuwa się w nieszczęścia świata. Właściwie nic nie stoi na przeszkodzie, aby prezydent czy *first lady* postępowali podobnie, ale monarchia zawsze dodaje specyficznego blasku i poczucia narodowej solidarności.

„Demokracja nie zależy wyłącznie od struktur politycznych, lecz także od dobrej woli i odpowiedzialności każdego obywatela". Tym zdaniem królowa bardzo zręcznie lokuje swoją działalność charytatywną w samym sercu paktu, który monarchia konstytucyjna zawarła z narodem. Działalność charytatywna monarchii i Kościoła wspomaga politykę społeczną dla państwa opiekuńczego. Monarchia jest przeciwwagą wszechwładnego państwa, uosabianego przez premiera, który w ciągu wieków przejął władzę królewską. Windsorowie dla swojej działalności społecznej mają wąski korytarz, pozostawiony im przez władzę polityczną. Dlatego ich przedsięwzięcia często bywają trudne. Władza wykonawcza i ustawodawcza chce sprawować rząd nad całym państwem opiekuńczym. Na początku panowania Elżbiety II państwowa służba zdrowia, ubezpieczenia społeczne i liczne nacjonalizacje rzeczywiście tworzyły silny sektor publiczny, wspierany przez związki zawodowe. W takim środowisku organizacje społeczne z trudem znajdowały dla siebie miejsce. Ale ostry liberalizm pani Thatcher i kryzys państwa przywróciły monarchii możliwość realizowania ambicji w dziedzinie dobroczynności. A magia związana z osobą królowej czyni cuda, jeśli chodzi o zbieranie funduszy na rzecz organizacji pomocowych podczas przeróżnych gal organizowanych dla uświetnienia premiery nowego filmu, wystawy czy opery. Monarchia tradycyjnie sprawia – i to od czasów Jerzego III, który panował w XVIII wieku – że ludzie bogaci chętniej wyciągają portfele. Elżbieta II kontynuuje tę działalność.

VII
Dyplomatka

Przez całe życie królowa swobodnie przemieszczała się po świecie. Elżbieta II, domatorka z natury, jest jednocześnie tą Brytyjką, która z uśmiechem przemierzyła najwięcej kilometrów. W 2007 roku miała na liczniku dwieście sześćdziesiąt dwie oficjalne wizyty zagraniczne w stu trzydziestu jeden krajach. To tak, jakby odbyła sześć podróży dookoła świata. Widziała wszystko: Wielki Mur Chiński, Tadż Mahal, tropikalne lasy Amazonii, gejzery Nowej Zelandii, Wielką Rafę Koralową... Spotkały ją przyjemne i mniej przyjemne niespodzianki. Odwiedziła wszystkie państwa Wspólnoty Brytyjskiej oprócz Kamerunu, czyli pięćdziesiąt trzy. Dwadzieścia jeden razy była w ulubionej Kanadzie, piętnaście razy w Australii, pięć razy na Jamajce i w Nowej Zelandii. Wszędzie bez paszportu, ponieważ jest zwolniona z obowiązku jego posiadania.

Spośród krajów europejskich najczęściej odwiedzała Francję. Złożyła tam cztery wizyty oficjalne: w 1957, 1972, 1992 i 2004 roku. W pierwszą podróż zagraniczną, w roku 1948, księżniczka Elżbieta wraz z przyszłym mężem również wybrała się do Francji. Ziemię brytyjską opuściła już nieco wcześniej, bo w roku 1947, ale wtedy była w Afryce Południowej, wówczas jeszcze kolonii Korony.

Ta wierność Francji może wynikać z częściowo francuskiego pochodzenia królowej. W roku 1608 w La Rochelle został ochrzczony jej przodek Alexandre Desmier, pan d'Antigny, Beugnon i Bruère. Szlachcic ten był protestantem, pochodził ze starej rodziny, znanej w tym regionie już w XIV wieku. Miał czworo dzieci, w tym córkę Eleonorę. To ona była krewną angielskiego króla Jerzego I, przodka Wiktorii. Pod wakacyjnym pseudonimem Lady Balmoral królowa Wiktoria wielokrotnie bywała w Nicei, co przyczyniło się do wybudowania – w najpiękniejszym stylu *belle époque* – hotelu Excelsior Regina Palace (dzisiaj Regina).

Elżbieta II świetnie mówi po francusku. Gdy przyjmuje ambasadorów z Afryki frankofońskiej, lubi używać języka Woltera. Królowa, jej matka i siostra, księżniczka Małgorzata, rozmawiały ze sobą po francusku, gdy miały jakieś tajemnice. Złościło to niemieckojęzycznego księcia Filipa, którego francuski zdążył zardzewieć.

W pałacu Buckingham obecność Francji jest wyraźna. Turkusowa zastawa stołowa z Sèvres, używana przy wielkich okazjach, to prezent ofiarowany przez Ludwika XVI księżniczce Manchesteru. Sześć firm francuskich zaopatruje dwór w szampana, a jedna w koniak. Każdego ranka podczas zmiany warty przed pałacem Buckingham dowódca grenadierów w futrzanej czapie i szarym płaszczu wznosi okrzyki w języku starofrancuskim. Nawet *God Save the Queen*, hymn tego dumnego narodu, ma korzenie francuskie. Skomponował go Lully, a Haendel prawdopodobnie przywiózł w bagażach do Londynu. Królowa czasami przekraczała kanał prywatnie, by zakupić w Normandii konie czystej krwi. W latach sześćdziesiątych odwiedziła kilka stadnin. Między innymi Le Pin w departamencie Orne, założoną przez Colberta. W stadninie Meautry w departamencie Calvados nabyła krycie klaczy przez ogiera Exbury, należącego do Guy de Rothschilda. W roku 1972 ta wielka miłośniczka koni obejrzała na tonącym w strugach deszczu Polu Marsowym jeźdźców Cadre Noir z Saumur, po czym wysłała telegram gratulacyjny: „Żałuję tylko, że pogoda była przyczyną niewygody". Po trzydziestu dwóch latach, pełna uznania dla francuskich tradycji jeździeckich, w związku ze stuleciem *entente cordiale* ponownie zażyczyła sobie zobaczyć Cadre Noir. Na początku lat siedemdziesiątych w związku z konfliktem w Irlandii Północnej, królewskie stadniny musiały się zaopatrywać we Francji. W ostatnich latach królowa zaczęła sprowadzać konie ze Stanów Zjednoczonych, ze stadniny w Kentucky należącej do Willa Farisha, który długo był ambasadorem prezydenta Busha w Londynie.

Muzea francuskie, zwłaszcza Luwr, Wersal i Grand Palais, bez kłopotów mogły wypożyczać dzieła sztuki z Kolekcji Królewskiej. W roku 1988 Petit Palais wypożyczył osiemnaście obrazów wiktoriańskiego malarza Winterhaltera, w roku 1993 Muzeum Sztuki Zdobniczej dwadzieścia jeden prac Fabergé, Luwr dwadzieścia jeden rysunków Leonarda da Vinci w roku 2004. Królowa Matka też bardzo lubiła Francję. Wielokrotnie wyjeżdżała na wieś do Doliny Loary lub do Dordogne. Doceniała kulturę francuską, kupiła obrazy Moneta i Fantin-Latoura. Wdowa po Jerzym VI była szczególnie oddana członkom francuskiego ruchu oporu wolnej Francji działającym w Londynie i była ich honorową przewodniczącą. Podczas finału Mundialu w 1998 roku po ogłoszeniu zwycięstwa Francji nad Brazylią, starsza pani wzniosła toast i zaintonowała *Marsyliankę*.

*

Niech mi wolno będzie przytoczyć osobiste wspomnienie, którego nigdy nie zapomnę. Pewnego dnia zadzwonił do mnie Master of the Royal Household, czyli szef domu królewskiego:

– Czy osiemnastego listopada jest pan wolny, panie Roche? Królowa i książę Edynburga chcieliby pana zaprosić do Windsoru.

Myślałem, że to żart, dopóki nie padła magiczna nazwa *entente cordiale*. Niewiarygodne, jestem zaproszony na oficjalny bankiet, wydawany przez Najjaśniejszą Panią dla prezydenta Chiraca z okazji obchodów stulecia układu pomiędzy Francją i Wielką Brytanią.

Horse guards w błyszczących hełmach i halabardnicy robią wrażenie, stojąc nieruchomo przed wejściem do pałacu w Windsorze. Bardzo gruby czerwony dywan. Holu strzegą portrety przodków normandzkich, Tudorów, Stuartów, książąt Orańskich i Sachsen-Coburg. Wejście do królowej przypomina osobliwego menueta.

Gościa przyjmuje najpierw majordomus. Lokaj przedstawia go wojskowemu, który powierza go dyplomacie. Wreszcie odźwierny prowadzi go do wielkiego purpurowego salonu, gdzie stu czterdziestu zaproszonych gości sączy aperitify – szampana lub wodę – przy melodiach wygrywanych przez Orkiestrę Straży. W specjalnym folderze, który każdy otrzymuje, dokładnie opisano porządek królewskiej procesji, menu, listę win (tylko francuskich), muzykę towarzyszącą i plan stołu. Panów obowiązują smokingi – bez odznaczeń, jak zaznaczono w zaproszeniu – panie długie suknie. Nieduża wystawa przedmiotów, listów i rycin związanych z francusko-brytyjskimi wizytami państwowymi w drugiej połowie XIX wieku nikogo nie interesuje. Jedyną prawdziwą atrakcją jest pani domu. Wszyscy na nią czekają.

Taktownie, lecz zdecydowanie mistrz ceremonii ustawia kolejkę przed olbrzymimi dwuskrzydłowymi drzwiami. Za nimi czekają królowa i prezydent Republiki. Sezam się otwiera. Wszyscy podają kartoniki z nazwiskiem, a mistrz ceremonii wykrzykuje niczym szekspirowski aktor: „Marc Roche”. Królowa Elżbieta II uśmiecha się łaskawie i wyciąga miękką dłoń w białej rękawiczce. Ubrana jest w biało-szarą suknię, w której sylwetka osoby prawie osiemdziesięcioletniej wygląda korzystnie. Nosi diamentowy diadem, a ponadto, jak zwykle, trzy rzędy pereł. Uścisk dłoni Jacquesa Chiraca jest mocny i zdecydowany. Bernadette Chirac uśmiecha się dyskretnie. Znany z punktualności książę Edynburga przeżył tego dnia wielki niepokój. Oczekiwani o godzinie osiemnastej piętnaście państwo Chirac pojawili się godzinę później. Ich przejazd został zablokowany przez obrońców polowania z psami, którego rząd postanowił zabronić. Państwo Chirac spędzą tę noc w Windsorze, ulubionej rezydencji królowej, jej *home sweet home*. W apartamencie numer 240 z niezrównanym widokiem na park. Pałac jest zarezerwowany dla szczególnych gości – Mandeli, Gorbaczowa, Chiraca – na specjalne okazje. Pozostali zatrzymują się w pałacu Buckingham.

Po prezentacji goście przechodzą do niezwykłej jadalni. Saint George's Hall ze swoim wspaniałym wystrojem może rywalizować z Galerią Luster w Wersalu. Jest w stylu neogotyckim, ma dębowy plafon w kształcie odwróconego kadłuba statku, ozdobiony herbami Orderu Podwiązki. To miejsce idealnie podtrzymuje iluzję wyższości monarchii. Wczorajsza Anglia patrzy na dzisiejszą.

Ogromny mahoniowy stół, przy którym zajmują miejsca goście, ugina się pod ciężarem srebrnej zastawy i kandelabrów. Każdy gość ma po prawej stronie – a nie przed sobą, jak we Francji – sześć kieliszków, ustawionych w takiej kolejności, w jakiej będą serwowane wina: szampan (dwa), wino białe, wino czerwone, woda, porto. Srebrne sztućce zdobi królewski monogram. Talerze są z pozłacanego srebra. W regularnych odstępach ustawiono ogromne patery z mandarynkami, ananasami, winogronami i liczi. Bukiety kwiatów nie zasłaniają osoby siedzącej naprzeciwko, a jest to odległość co najmniej trzech metrów. Sztywno siedzący biesiadnicy muszą jednak trzymać łokcie przy sobie.

Odnalezienie swojego miejsca jest trudnym zadaniem. Co dwudziestą osobą przy stole jest członek rodziny królewskiej. To swoiste punkty orientacyjne. Jedynie Windsorowie nie muszą studiować planu rozmieszczenia gości. Protokół wielkich królewskich kolacji wydawanych na cześć znakomitych gości zagranicznych nigdy się nie zmienia.

Dwie osoby mówiące po francusku posadzono obok korespondenta „Le Monde'a", niewątpliwie po to, by mieć go na oku. Są to: Robin Janvrin, osobisty sekretarz królowej, oraz były ambasador brytyjski.

Gdy wszyscy już siedzą, orkiestra jednego z królewskich pułków zaczyna grać *Marsz grenadierów*. Do Saint George's Hall wkracza królewska świta. Na czele królowa u boku Chiraca. Za nimi książę Edynburga i pani Chirac, dalej książę Walii i francuska balerina Sylvie Guillem. Camilla jest w pałacu *persona non grata*. Zaproszonych zostało aż siedmiu członków rodziny królewskiej. Wszyscy wstają. Królowa zajmuje miejsce. Goście ponownie siadają. Królowa trzyma ręce na kolanach, a Chirac na brzegu stołu. Przyjaźni francusko-brytyjskiej nie szkodzą te różnice.

Monarchini beznamiętnym głosem wznosi toast za *entente cordiale*, „które dotyczy przede wszystkim naszych dwóch tak zróżnicowanych narodów... pracujących razem, by osiągnąć wspólny cel i wspólną wizję". Prezydent Republiki po angielsku dziękuje

królowej za „wyjątkowe zaproszenie" do miejsca „pełnego historii",
a dalej już wygłasza przemówienie po francusku. Wszyscy wstają.
Wymiana toastów. Mój sąsiad, ambasador, uważa, że szampan
Krug Millésimé 1982 smakuje trochę korkiem. Odegrane zostają
hymny narodowe. Rozpoczynamy uroczystość! Przyjęcia u Windsorów regulują światła sygnalizacyjne ukryte za bukietami kwiatów.
Póki pali się światło czerwone, stu trzydziestu kelnerów i służących
pozostaje w bezruchu. Gdy zmienia się na pomarańczowe, personel
jest w pogotowiu. Przy zielonym rozpoczyna się balet kelnerów
ubranych w liberie z pięcioma dużymi pozłacanymi guzikami z herbami królowej na mankietach (z pudrowanych peruk zrezygnowano
po wojnie). Orkiestra gra na galerii nastrojową muzykę. Gdyby
jeszcze ogłoszono promocję proszku do prania, można by pomyśleć, że znajdujemy się w centrum handlowym.

Jej Królewska Wysokość zostaje obsłużona... Karta dań na
oficjalnych przyjęciach jest zawsze w języku francuskim, prawdopodobnie w hołdzie francuskojęzycznym przodkom Windsorów.
Pierwsze danie to lubiany przez królową filet z soli Grand-Duc
z winem Chassagne Montrachet, rocznik 1999. Drugie danie: filet
z polędwicy wołowej z leśnymi grzybami, któremu towarzyszą
jarzyny, brokuły w sosie holenderskim i ziemniaki. Wszystko to
podlane Saint-Julien z 1990 roku.

– Mięso ucierpiało z powodu spóźnienia się prezydenta – mruczy ambasador, bezlitosny w stosunku do królewskiej kuchni.

Sałata bez serów i na deser crème brûlée z Porto Millésimé
rocznik 1963. Nawet najodważniejsi nie decydują się na obieranie
liczi nożem i widelcem. Ja też nie mam zamiaru próbować.

Menu jest dietetyczne i nie ma nic wspólnego z dwudziestoma
daniami z czasów edwardiańskich, które zostały opisane w królewskim pawilonie w Brighton. Jej Wysokość nie ma apetytu i „je pół-
gębkiem".

Królowa wstaje, a orkiestra gra marsz bojowy Royal Navy
On the Quarter Deck. Wszyscy przechodzą do salonu na kawę. Kel-
nerzy proponują cygara. Windsor nie jest budynkiem administra-
cyjnym i dlatego można tu palić, choć sama Elżbieta nigdy tego nie
robiła. O tej wieczornej godzinie języki się rozwiązują. Całkiem

odprężony Tony Blair pozwala sobie na wygłaszanie po francusku zdań w rodzaju: „Niestety nie mam dość okazji, by rozmawiać po francusku". Ale ma się na baczności: „Dziennikarze utrudniają mi życie". Dołącza do nas trener klubu Arsenal Arsãne Wenger. Rozmawiają o nadużyciach tabloidów oraz konieczności zachowania formy i znikają po angielsku.

– Brakujące herby należały do rycerzy, którzy przynieśli hańbę Orderowi – bibliotekarka z Windsoru tłumaczy mi, dlaczego na suficie są puste miejsca.

Czyżby dopuścili się rozpusty, o jakiej codziennie piszą tabloidy?

– Nie, zdradzili ojczyznę – odpowiada z powagą.

Członkowie klanu Windsorów są dostępni i uprzejmi, chociaż rozmowa rzadko wykracza poza banały. Nie może być mowy o przedstawieniu się królowej bez zielonego światła ze strony mistrza ceremonii. Jeżeli o mnie chodzi, jest nieugięty. Może zabrakło mi cierpliwości i potrąciłem kogoś z gości, chcąc stanąć w pierwszym rzędzie, i tym zasłużyłem na wyrok śmierci?

O jedenastej wieczorem mimo późnej pory królowa z małżonkiem uczestniczą w przedstawieniu zrealizowanym na motywach musicalu *Nędznicy*. Spektakl kończy się rewolucyjną sceną, w której dwóch aktorów powiewa dyplomatycznie flagami francuską i brytyjską. Przesłanie jest jasne: niech żyje *entente cordiale*!

Kierując się w stronę swych apartamentów, królowa wyznaje po francusku komuś z prezydenckiej świty:

– To był wyśmienity wieczór.

*

Podczas pierwszej podróży do Francji z małżonkiem, w Zielone Świątki 1948 roku, Elżbieta jest w odmiennym stanie. Oczekuje Karola. Wyjazd nie ma charakteru oficjalnego. To jej druga podróż poślubna. W związku z powojennymi ograniczeniami nie mogła kupić nowych sukni na tę okazję. Z tego samego powodu Jerzy VI dyskretnie poprosił o ograniczenie liczby dań podczas kolacji w Pałacu Elizejskim do czterech; podczas jego wizyty w roku 1938 było ich jedenaście. Prezydent Auriol wręcza księżnej Wielki Krzyż Legii Honorowej. Pomimo królewskiej ciąży czterodniowa wizyta w Wersalu, Trianon, Fontainebleau i prywatny wieczór w Tour d'Argent przebiega w zawrotnym tempie. „Mała księżna", jak nazywa Elżbietę cały Paryż, udaje się do słynnego kabaretu Carrère przy ulicy Pierre Charron, aby posłuchać Edith Piaf śpiewającej *La vie en rose*, Les Compagnons de la Chanson i Henri Salvadora. Księżna pije szampana Pommery, a małżonek whisky. Elżbieta tańczy z Filipem wolniejsze walce i fokstroty. Potem para udaje się bez eskorty do pałacu w Vaux-le-Vicomte, by zobaczyć nimfy i najady, o których guwernantka opowiadała Elżbiecie w dzieciństwie. „Wydaje mi się, że z historii naszych dwóch narodów wypływa przesłanie. Mamy prawo skierować je do tak tragicznie doświadczonego świata. Ci, którzy zechcą, znajdą w nim obietnicę lepszej przyszłości dla Europy" – oświadcza po francusku, oglądając wystawę brytyjską w Muzeum Galliera. „Powiedziane to zostało z wielkim ciepłem, a akcent (r i a) jest ledwie wyczuwalny" – ocenia „Le Monde" z 15 maja 1948 roku. Komisarzem wystawy jest niejaki Georges Pompidou. W Pałacu Elizejskim Elżbieta odmawia papierosów i likierów. W tej sytuacji nikt z gości nie pali przez dwie godziny. Za nic mając protokół, republikanin Auriol, niegdyś członek Frontu Ludowego, po zakończeniu przyjęcia wyznaje Agencji France Presse: „Szczególne wrażenie zrobił na mnie jej wdzięk, urok, skromność i szlachetność". Jedynym cieniem jest to, że na przyjęcie do ambasady brytyjskiej nie zaproszono generała de Gaulle'a. Foreign Office bało się reakcji Auriola na obecność niezłomnego wroga IV Republiki.

Po wstąpieniu na tron Elżbieta II poznała wszystkich prezydentów IV i V Republiki.

De Gaulle dzięki braterstwu broni zajmował oczywiście miejsce szczególne. Anglia była kolebką Wolnej Francji i wspomnienie tej epoki stworzyło silną więź między twórcą V Republiki i rodziną królewską, która dzielnie przetrwała wszystkie polityczne burze. To w Londynie de Gaulle staje się osobą publiczną. Podczas audiencji w pałacu Buckingham przed powrotem do Francji w roku 1944 de Gaulle mówi do żony Jerzego VI:

– Król i pani byliście jedynymi osobami w Londynie, u których zawsze znajdowałem zrozumienie i miłosierdzie w czasie mojego wygnania.

Oficjalna wizyta de Gaulle'a w roku 1960 zapisała się na trwałe w zbiorowej pamięci. Przygotowując tę historyczną wizytę, premier MacMillan pisał do królowej:

> Pani de Gaulle jest bardzo nieśmiała i prawie nie mówi po angielsku. Jest to dama z charakterem. Słyszałem też, że jest jedyną osobą zdolną wywrzeć wrażenie na generale, ale to mało prawdopodobne.

W przedwojennej książce (1932) *Le Fil de l'épée* [Ostrze miecza] „człowiek 18 czerwca"* rozprawia się z tym, co nazywa „iluzją uczuć", kreśląc portret przywódcy niewzruszonego i zimnego. Wbrew temu generał jest bardzo przejęty, gdy ponownie odwiedza miasto, w którym znalazł się po klęsce Francji w 1940 roku jako nikomu nieznany buntownik. Zjednoczone Królestwo wita go muzyką, wiwatami i wielkim przepychem. Za pamięci londyńczyków nigdy taki tłum – ponad sto tysięcy osób pomiędzy Dworcem Wiktorii i pałacem Buckingham – nie wiwatował na cześć szefa obcego państwa. De Gaulle jest wzruszony. W pałacu Buckingham królowa wręcza ubranemu w mundur generałowi Order Wiktorii, jedno z najwyższych brytyjskich odznaczeń. W ten sposób odpowiada na pośmiertne przyznanie dzień wcześniej przez Francję Jerzemu VI Krzyża Wyzwolenia. Zadbała o najdrobniejsze szczegóły: książki w języku francuskim przy łóżku, wodę bez gazu, którą lubi, lukrowany krzyż Lotaryngii w menu kolacji w Buckingham.

Po uroczystościach czas na pielgrzymkę. W Carlton Gardens, które przez cztery lata były siedzibą Wolnej Francji, centrum ruchu oporu, generał oświadcza: „To był najważniejszy czas w naszym życiu, w każdym razie w moim". Potem, już poza programem, odwiedza starego towarzysza broni Winstona Churchilla, z którym pije

---

* 18 czerwca 1940 roku w słynnym apelu radiowym BBC de Gaulle wezwał Francuzów do oporu i walki o wolność (przyp. tłum.).

herbatę. Podczas kolacji wydanej przez prezydenta Republiki w ambasadzie francuskiej królowa siedzi po jego prawej stronie. Ma na sobie wielką wstęgę Legii Honorowej. Atmosfera jest tak ciepła, że Elżbieta opuszcza Kensington Palace Garden 11 dwadzieścia minut później, niż przewiduje protokół. W drodze powrotnej wyraża podziw dla szefa państwa, który przemawiał bez kartki. Ta dwudniowa wizyta przeszła do legendy ze względu na niezwykły nastrój i blask, znacznie przewyższający ten, który w poprzednim roku towarzyszył wizycie innego wojennego bohatera, amerykańskiego prezydenta Eisenhowera.

W 1993 roku na pamiątkę wielkiej przyjaźni Królowa Matka osobiście odsłoniła w Carlton Gardens pomnik „przywódcy Wolnych Francuzów".

– Nie jeździmy tą samą stroną drogi, ale zmierzamy w tym samym kierunku – oświadczyła królowa anglofilowi Georges'owi Pompidou w czasie wizyty w Paryżu (w roku 1972), po tym jak Francja wycofała podwójne weto gaulistów w sprawie przystąpienia Wielkiej Brytanii do Unii Europejskiej. W książce *La Vie quotidienne à Buckingham* [Życie codzienne w Buckingham] Bertrand Meyer zebrał wypowiedzi pani Claude Pompidou na temat tej wizyty: „Bardzo się staraliśmy, żeby przyjęcie w Pałacu Elizejskim, odbywające się na jej cześć, było bez zarzutu. Mówiliśmy sobie, że nigdy nie uda nam się sprostać jej oczekiwaniom. A była urocza. Dużo mniej wymagająca, niż można to sobie wyobrazić". W Trianon prezydent Pompidou popełnia wielką gafę, biorąc królową pod rękę, by skierować ją w stronę dygnitarzy. „Nie wiedzieliśmy, że to zabronione" – usprawiedliwia męża pani Pompidou. Królowa nie ma tego za złe. Trzeba przyznać, że był to czas zbliżenia między Londynem i Paryżem, dzięki prawdziwej przyjaźni między prezydentem Pompidou i premierem Edwardem Heathem. Obu im udało się przełamać bariery społeczne, mimo że pochodzili z raczej skromnych środowisk.

Stosunki z Valérym Giscardem d'Estaing były o wiele trudniejsze. Bardzo wytworny młody prezydent zachowywał się jak monarcha, co bawiło Pałac. „Jego maniery mają charakter nieco dydaktyczny, ale nie irytują Francuzów [...], którym nie przeszkadza jego zwyczaj nienaturalnego sylabizowania z zasznurowanymi ustami" – pisze z Paryża brytyjski ambasador przed wizytą prezydenta w Londynie w czerwcu 1976 roku, pierwszą od szesnastu lat. „Prezydent będzie tym szczęśliwszy, im częściej będą mu towarzyszyć członkowie rodziny królewskiej w roli przyjaciół".

Robiący wrażenie orszak książąt i diuków podejmuje więc w pałacu Buckingham gospodarza Pałacu Elizejskiego. Pałac kpi sobie z innego telegramu dyplomatycznego, opisującego nocne wycieczki prezydenta i słynny „wypadek z mleczarzem". Królowa dowiaduje się też o monarchistycznych skłonnościach swego gościa, które doprowadziły do tego, że podczas kolacji w Elysée obsługiwany jest jako pierwszy i nikt nie siedzi naprzeciwko niego. Królowa, jako prawdziwa Angielka, lubi przeciągi, więc w ambasadzie francuskiej prosi o otwarcie okna za swoimi plecami. Prezydent się nie zgadza. Taka jest wersja brytyjska, natomiast były prezydent tak to dzisiaj wspomina: „Był straszliwy upał, dusiliśmy się przy czterdziestu stopniach. Ale ochrona nie zgodziła się na otwarcie okien". Pomimo tej sprzeczki Valéry Giscard d'Estaing odnosi sukces dyplomatyczny, proponując doroczne spotkania obu rządów – na wzór spotkań francusko-niemieckich. Gospodarz Pałacu Elizejskiego, który utrzymuje regularne kontakty z kanclerzem Niemiec Helmutem Schmidtem, ma zamiar zrównoważyć swoją politykę zagraniczną.

Pomimo incydentu z oknem królowa jest wdzięczna prezydentowi, że uprzedził ją, by pilnowała złotych łyżeczek, po tym jak żona rumuńskiego dyktatora Ceausescu, będąc z wizytą oficjalną w Paryżu, zwędziła jedną w Pałacu Elizejskim. Ofiarowuje gościowi czarnego labradora Sambę. Od tamtej pory były prezydent zwraca się do swoich dwóch labradorów po angielsku. „To nie ze snobizmu, ale dlatego, że mają angielskie pochodzenie". Niereformowalny VGE!

Z następcą Giscarda sprawy mają się zupełnie inaczej. Jak wiele kobiet, królowa uległa wdziękowi François Mitterranda. Republikański monarcha naprawdę byłby w stanie uwieść kamień, jak ładnie ujęła to pisarka Françoise Giroud. Elżbieta II nigdy nie zapomniała wsparcia prezydenta Republiki, pomimo jego wrażliwości na sprawy Trzeciego Świata, podczas wojny o Falklandy i pomocy Paryża w kwestii europejskiego embarga dla Argentyny. 6 maja 1994 roku ramię w ramię, jak starzy znajomi, prezydent i królowa otwierają tunel pod kanałem La Manche, osiem lat po rozpoczęciu fantastycznego projektu połączenia Wyspy z kontynentem. Córka Jerzego VI niewątpliwie pamięta prostą prawdę: wyspiarskie położenie strzeże jej kraj przed napaściami niczym przed wścieklizną. Ale jako zdeklarowana frankofilka zgadza się na ten cud techniki, który na pewno podobałby się cierpiącej na chorobę morską królowej Wiktorii. Elżbieta II uważa oczywiście, że Mitterrand jest napuszony, dostojny, po prostu królewski, ale jakże interesujący. Najwyraźniej pod wrażeniem Jej Wysokości prezydent odwzajemnia się komplementem, mówiąc: „To prawdziwa królowa". Czy ostatnia? Spośród wszystkich hołdów ten niewątpliwie był jej najmilszy.

Przystojny, serdeczny, spontaniczny, chętnie mówiący w języku Szekspira Jacques Chirac może jej się tylko podobać. Nie lubi królewskich ceremonii, w przeciwieństwie do swej małżonki, z domu Chodron de Courcel, która wie, jak zgiąć kolano w pięknym dygnięciu przed królową. W maju 1996 roku trzydniowy gość Jej Wysokości siedział w karecie u boku królowej. Gdy zbliżali się do Buckingham, zaczął rozsyłać tłumowi całusy à la Chirac. Monarchini była zdumiona taką poufałością, ale nie szczędziła uprzejmości. Pułki, które otaczały karetę – Irish Guards i Welsh Guards – nie biły się pod Waterloo. Chirac, *refreshing Jacques*, jest rodzajem łącznika pomiędzy skrajnościami reprezentowanymi przez niemiecki federalizm i wrażliwy brytyjski nacjonalizm. Dwudziestego szóstego kwietnia 2002 roku – pomiędzy turami wyborów prezydenckich – królowa dzieli się ze mną obawami związanymi z przejściem Le Pena do drugiej tury obok Chiraca: „Sytuacja jest trudna". W tłumaczeniu brzmi to: ideologia skrajnej prawicy mnie odpycha. Elżbieta woli „Jacka" Chiraca.

*

Ale w stosunkach dwóch starych narodów nie zawsze panuje idylla. „Patrząc z perspektywy, nigdy nie powinniśmy podpisywać tego przeklętego traktatu, który przyniósł jatkę pierwszej wojny światowej, Hitlera i Stalina" – uważa „Daily Telegraph", czyniąc aluzję do *entente cordiale*, układu zawartego pomiędzy Francją i Wielką Brytanią 8 kwietnia 1904 roku. Po stu latach prasa powiela klisze na temat Francji, która albo jest na barykadach, albo na przedłużonym weekendzie, i Francuzów, którzy piją wino, podrywają panienki, są aroganccy i ograniczeni.

Zbiory Królewskie (Queen's Collection) przypominają, że zwycięstwa francuskie przez wieki były klęskami Korony Angielskiej i odwrotnie. Obrazy, meble, broń palna i popiersia generałów uwieczniają tę rywalizację. W Galerii Królewskiej wisi duży obraz przedstawiający spotkanie Wellingtona i Blüchera w Waterloo. W Windsorze widać, że pamięć rodziny królewskiej pozostaje w opozycji do Napoleona. Dowodzi tego francuska flaga, zdobyta przez tego samego Wellingtona w Belgii i powiewająca w Sali Straży. Królowa uwielbia Francję, ale nie przeszkadza jej to organizować corocznego przyjęcia na cześć Wellingtonów i zwycięstwa pod Waterloo. Zwycięstwa, za które wdzięczny naród ofiarował żelaznemu diukowi posiadłość Stratfield Saye w Hampshire. W zamian za ten prezent musiał co roku wręczać królowi małą francuską flagę, przypominającą o bitwie. Tradycja ta przeszła na następne pokolenia, ale nie przeszkodziła starszemu synowi oraz spadkobiercy wspomnianego diuka przewodniczyć francusko-brytyjskiemu funduszowi inwestycyjnemu. Inny przykład wrogości to rubin Czarnego Księcia umieszczony w koronie świętego Edwarda, którą miał na głowie Henryk V podczas zwycięskiej walki pod Azincourt; jest na nim nacięcie od uderzenia topora diuka d'Alençon.

Przy okazji wspaniałych obchodów stulecia entente cordiale nie powinniśmy zapominać, że ów akt przyjaźni francusko-angielskiej nie był także pozbawiony ukrytych nadziei. Zbliżenie z Francją było próbą odwrócenia uwagi od niemieckich korzeni rodziny panującej, pochodzącej przecież od książąt hanowerskich oraz Sachsen-Coburg. Podpisujący akt król Edward VII mówił biegle po francusku, ale po angielsku z silnym akcentem niemieckim.

Dzisiaj, choć w stosunkach francusko-brytyjskich bywają lepsze i gorsze chwile, *entente cordiale* ma się dobrze. Sukces pociągu Eurostar, obecność gwiazd francuskiego futbolu w lidze angielskiej, liczni Brytyjczycy mający domy letnie w departamentach Lot czy Dordogne, a także napływ młodych Francuzów do Londynu podkreślają również zbliżenie mentalności. Odwrotnie niż w przypadku stosunków z Niemcami, związki francusko-brytyjskie nie ograniczają się, tak jak dawniej, tylko do establishmentu. Są zarówno oficjalne, jak i masowe.

Ale obawy o przyszłość pozostały. „Francja zajmuje w moim sercu miejsce szczególne. Jeżdżę tam najczęściej, jak mogę, ale w moim odczuciu to wciąż za mało" – oświadcza książę Walii podczas wizyty w British Council w Paryżu w roku 1994, i mówi to po francusku. Językiem tym włada nadzwyczaj dobrze. Te uczucia nie przeniosły się niestety na młodsze pokolenie. Kolejny następca tronu, książę William, wolał się uczyć afrykańskiego języka suahili. A jego brat, książę Harry, nazwał kiedyś francuskiego kelnera „przeklętą żabą", aby później go przepraszać.

W książce zatytułowanej *Honni soit qui mal y pense* [Hańba temu, kto źle o tym myśli] francuska lingwistka Henriette Walter opowiada o niewiarygodnej historii miłości pomiędzy językiem francuskim i angielskim. Od Henryka Plantageneta, który w 1152 roku poślubił Eleonorę Akwitańską, po Karola I (1600–1649), który w 1625 roku wybrał na żonę Henriettę Marię, córkę Henryka IV, na dworze angielskim mówiono po francusku. Aż trzynaście angielskich królowych pochodziło z Francji. Ale nie tylko więzy krwi łączą oba kraje. W roku 1789 rewolucjoniści francuscy kierują swoje słynne hasło: „Wolność, równość, braterstwo" także do Anglików. Wielki poeta William Wordsworth był zwolennikiem rewolucji aż do egzekucji Ludwika XVI, potem stał się jej zaciekłym wrogiem.

Ale późniejsze związki z dynastiami niemiecką, austriacką i skandynawską powodują rozluźnienie więzów. Dopiero w 1843 roku głowy obu państw, Wiktoria i Ludwik Filip, spotykają się ponownie. Zjednoczone Królestwo zawsze jednak przyjmowało wygnańców: Talleyranda, Ludwika XVIII i Ludwika Filipa. Ludwik

Napoleon chronił się w Londynie dwukrotnie. Po nieudanym spisku strasburskim w 1836 roku i po drugiej próbie w Boulogne w roku 1840, przy okazji powrotu prochów jego wuja. Po abdykacji w wyniku wojny francusko-pruskiej Napoleon III wraca do Anglii. Po śmierci, która nastąpiła 9 stycznia 1873 roku, zostaje pochowany u boku żony, imperatorowej Eugenii, i jedynego syna, księcia Eugeniusza Ludwika, w mauzoleum Opactwa Świętego Michała w Farnborough. Choć wydaje się to dziwne, po Stu Dniach Napoleon I oświadczył (15 lipca 1815 roku), że zdaje się na łaskę regenta angielskiego i „jak Temistokles, zasiądzie w domu ludu brytyjskiego", żeby tylko nie wpaść w ręce Burbonów. Perfidny Albion deportuje go na Wyspę Świętej Heleny. Chateaubriand dwukrotnie mieszkał w Londynie. Najpierw siedem lat jako nieznany młodzieniec uciekający przed rewolucją w 1793 roku. Później pisarz wraca do Wielkiej Brytanii jako francuski ambasador Ludwika XVIII. Jego portret wisi w salonie francuskiej rezydencji w Kensington Palace Gardens. W czasach Drugiego Cesarstwa Wiktor Hugo udaje się na wygnanie na Wyspy Anglo-Normandzkie, znajdujące się w pobliżu Cherbourga, ale należące do Korony Brytyjskiej. Urząd Imigracyjny prawdopodobnie nie wiedział, że błyskotliwą karierę pisarz rozpoczął, publikując w 1827 roku tragedię *Cromwell*, która była hołdem złożonym republikańskiemu dyktatorowi.

W 2004 roku w ramach obchodów setnej rocznicy podpisania *entente cordiale* królowa Elżbieta II powraca do Francji. Znakiem czasu jest to, że wizyta jest mniej oficjalna. Elżbieta pojawia się na ulicy, gdzie spory tłum gorąco ją wita. Przyjmuje bukiet od kwiaciarki i jajko wielkanocne od Stohrera, „cukiernika królewskiego". To, co monarchia straciła ze splendoru, zyskała, stając się bardziej ludzka.

Słabość do Francji pomogła zresztą królowej w stosunkach z krajem, który zna najlepiej – z Kanadą. Monarchini „Zjednoczonego Królestwa, Kanady i innych terytoriów" uparcie jest traktowana według schematu: mówiący po angielsku, przeważnie protestanci, wynoszą „swoją" królową pod niebiosa, podczas gdy obywatele francuskojęzyczni, w większości katolicy, w najlepszym razie pozostają obojętni. Ale wielu nie ma ochoty być nazywanymi „podwładnymi Jej Wysokości". W Pięknej Prowincji w roku 1964 królowa zostaje wygwizdana przez zwolenników Frontu Wyzwolenia Quebecu. Po fiasku referendum w sprawie niezależności, które odbyło się w roku 1995, wrogość z lat siedemdziesiątych i osiemdziesiątych ustępuje respektowi z domieszką ironii. „Królowa jest jak stary mebel będący częścią skarbów rodzinnych, z którymi trudno się rozstać". Czuje się zarówno Kanadyjką, jak i królową Kanady. Gdyby musiała udać się na wygnanie albo na zagraniczną emeryturę, wybrałaby niewątpliwie kanadyjski interior z jego dziką przyrodą i spokojnym życiem.

*

Proeuropejskie sympatie królowej są od dawna znane. Wynikają z doświadczeń drugiej wojny światowej. Być może z powodu niemieckiego pochodzenia Elżbieta II zrozumiała, że pogodzenie się z Niemcami jest koniecznością. Nigdy nie podzielała odruchowej wrogości swojej matki do tego państwa. To kwestia różnicy pokoleń i wychowania. Czyż Windsorowie nie wywodzą się z rodzin europejskich? Słusznie przypominał o tym jeden z członków rodziny królewskiej. W ciągu całego panowania monarchini nigdy nie zmieniła zdania na temat konieczności stwarzania Europy rozszerzonej i solidarnej.

– Jej wizja pokrywa się z koncepcją Roberta Schumanna i twórców Wspólnego Rynku: podziela opinie centrystów, choć niepokoi ją ryzyko utracenia suwerenności narodowej – zapewnia były sekretarz stanu z Partii Pracy Denis MacShane. Jeśli chodzi o budowanie Europy, to w przeciwieństwie do swoich rządów królowa nigdy nie wybierała polityki *stop and go*, na zmianę pro- i antyeuropejskiej.

W związku z podziałami politycznymi zawsze musiała mówić o tym ściszonym głosem. Ma duże doświadczenie parlamentarne, a zatem jest zdecydowanie przychylna Parlamentowi Europejskiemu. Ale Margaret Thatcher była przeciwna pierwszej wizycie Elżbiety II w Strasburgu. Następny premier, John Major, dał już zielone światło w ramach swej polityki normalizowania stosunków z Brukselą. Zwracając się do parlamentu w Strasburgu 12 maja 1992 roku, ubrana w błękitny płaszcz, a więc w kolor zbliżony do koloru flagi europejskiej, królowa stwierdziła, że „w Maastricht wypracowano niezbędną równowagę". W jej opinii zakotwiczenie w Europie nie powinno przesłaniać „szczególnych stosunków" ze Stanami Zjednoczonymi. Poznała dziewięciu amerykańskich prezydentów. Bardzo szanowała dobrotliwego Trumana. Jego następca, Eisenhower – przy boku jej ojca, a także Churchilla, Montgomery'ego i de Gaulle'a – doprowadził do zwycięstwa nad nazizmem i dlatego zajmuje wyjątkowe miejsce. W dowód wzajemnego szacunku w czasie oficjalnej wizyty w 1957 roku „Ike" wyjątkowo zaprosił królewską parę do Białego Domu, a nie do rezydencji szefów państw. W 1961 roku królowa wspaniale przyjmuje pięknego, młodego, niezwykle czarującego Johna Kennedy'ego z małżonką. Obawia się Lyndona Johnsona, który chciał, aby żołnierze brytyjscy dołączyli do GI podczas wojny w Wietnamie. Królowa pochodząca od Jerzego III, który stracił Amerykę, nie wspomina dobrze Nixona. Był na tyle nierozważny, że marzyło mu się, by jego córka Tricia poślubiła księcia Karola. Ulubionym prezydentem królowej był najwyraźniej Ronald Reagan. Świadczy o tym ich wspólna przejażdżka konna po pałacowym parku, kulminacyjny moment oficjalnej wizyty prezydenta i jego żony Nancy w Wielkiej Brytanii w roku 1982. Pomiędzy byłym aktorem i królową nawiązała się nić porozumienia. Thatcher była nawet o to trochę zazdrosna. Jednostronna interwencja Stanów Zjednoczonych w 1983 roku na Granadzie (Antyle) nie popsuła przyjaźni, pomimo niezbyt uprzejmych wyrzutów Maggie czynionych Ronniemu: „W końcu są to wyspy Jej Wysokości".

George Bush senior wzbudza entuzjazm angielskiego dworu. To tak zwany WASP (*White Anglo-Saxon Protestant*), bardzo wytworny, z fortuną gromadzoną od kilku pokoleń, absolwent Yale, bohater wojny na Pacyfiku i w dodatku osoba praktykująca. Krótko mówiąc, wzór bogatego Amerykanina ze Wschodniego Wybrzeża, który w sposób naturalny jest bliski Windsorom. W 1991 roku oba kraje walczą w pierwszej wojnie w Zatoce Perskiej przeciwko Irakowi. Gdy w Białym Domu nastaje Bill Clinton, wyraźnie daje się odczuć różnica pokoleń. Kiedy amerykański prezydent opowiada jej dowcipy, Elżbieta musi się zmuszać do kurtuazyjnego uśmiechu. Jest mu jednak wdzięczna za rolę, jaką odegrał (w roku 1998) w związku z układem dotyczącym Irlandii Północnej. Bill, będąc w latach 1968–1970 studentem Oksfordu, nie lubił angielskich kolegów, których uważał za niegościnnych snobów, ale królowa jest jego zdaniem „otwarta, świeża i ciepła". Elżbieta sądzi, że Bushjunior, sprzymierzeniec Wielkiej Brytanii w Iraku i Afganistanie, ma cechy męża stanu. Po 11 września 2001 roku zdecydowanie stanęła po stronie zranionej Ameryki. Trzy dni po zamachach w Nowym Jorku i Waszyngtonie, w których zginęło około stu Brytyjczyków, orkiestra wojskowa po raz pierwszy w historii podczas tradycyjnej zmiany warty wykonała hymn Stanów Zjednoczonych.

– Amerykanie w jakiś sposób uważają Elżbietę II za swoją królową, zwłaszcza ci, którzy mieszkają na Wschodnim Wybrzeżu. Najstarsi pamiętają oczywiście wojnę. To naturalne, że wśród słynnych osób królowa zajmuje pierwsze miejsce po prezydencie – mówi znany badacz i komentator medialny Robert Worcester. Przewodniczy on Pilgrim's Society, brytyjsko-amerykańskiej organizacji powołanej w 1902 roku, której królowa jest honorowym prezydentem. Nie da się zliczyć amerykańskich osobistości, przede wszystkim generałów, wyniesionych do godności kawalera Imperium Brytyjskiego.

*

Francja, Europa, Stany Zjednoczone, ale także jej ukochane dziecko – Wspólnota Brytyjska. Ta pozostałość kolonialna pod berłem Elżbiety II zrzesza pięćdziesiąt siedem państw i niemal dwa miliardy dusz. Powstała w 1925 roku jako dobrowolny związek niepodległych narodów, niegdyś kolonii brytyjskich (jej członkiem jest także Mozambik, który nigdy nie należał do Korony). Francja mogłaby należeć do tej wspólnoty, gdyby premier Anthony Eden przyjął propozycję prezydenta Rady Guy Molleta z 1956 roku. Stosunki między Londynem i Paryżem były wtedy najlepsze. Gdyby ten projekt został zrealizowany, we Francji doszłoby do restauracji monarchii z królową Elżbietą II jako głową państwa! Żeby obejść trudności, które mogło sprawiać francuskie ego, Guy Mollet, były profesor angielskiego, zgodził się na pomysł wspólnego obywatelstwa na zasadach układu irlandzkiego, przyjętego przez Londyn i Dublin po uzyskaniu niepodległości przez Eire. Marzenia nic nie kosztują.

„Napisać biografię królowej? Aby ją rozgryźć, trzeba zrozumieć Commonwealth. Bo chodzi tu o związek osobisty, wręcz intymny, wynikający z jej wychowania i środowiska rodzinnego". W 1991 roku, przed moim wyjazdem do stolicy Zimbabwe, tę mądrą radę dał mi Paul Reynolds, który był wtedy korespondentem dyplomatycznym BBC. Dwanaście godzin w samolocie, by znaleźć się w byłej kolonii brytyjskiej, która uzyskała niepodległość w roku 1979, i uczestniczyć w konferencji Wspólnoty Brytyjskiej. Odbywający się co dwa lata szczyt związku byłych terytoriów Imperium przypomina hollywoodzką superprodukcję, łączącą historię, egzotykę i sentymenty. W roli głównej Elżbieta II, która takim samym uroczym uśmiechem wita premiera Indii, potęgi gospodarczej z miliardem mieszkańców, i prezydenta Kiribati, mikropaństewka zagubionego na wodach południowego Pacyfiku.

„Zwyczajna kolacja w miłej atmosferze" – tak Pałac Buckingham opisuje uroczyste przyjęcie wydane dla szefów delegacji w State House, rezydencji prezydenta Roberta Mugabego, gdzie podczas swego pobytu mieszka królowa. Wystawny bankiet był rodzajem muru odgradzającego gości od tematów, o których mieli rozmawiać: poszanowanie praw człowieka, częściowe zniesienie sankcji wobec Pretorii, zwiększenie pomocy finansowej i technicznej dla najuboższych państw. Porcelanowe talerze ze srebrnym brzegiem, kryształowe kieliszki z inicjałami ER, obrusy haftowane koronką z Brugii, ozdobne złote sztućce, stare kandelabry... Na tę okazję monarchia dostarczyła zastawę stołową z Buckingham. Tego wieczoru królowa ma na głowie tiarę Marii, wspaniałą arabeskę z diamentów, szmaragdów i rubinów, którą lubi wkładać na specjalne okazje. Najważniejsze, by nigdy nie zmieniać dekoracji i przyzwyczajeń.

Przed szefową Wspólnoty Brytyjskiej stoi poważne zadanie. Wciąż jest głową szesnastu państw, z których większość to republiki. „Rodzina" nie jest ani konfederacją, ani paktem wojskowym, ani unią ekonomiczną. To język angielski, wspólna historia i podobieństwa konstytucji odziedziczonych po parlamencie westminsterskim przyczyniają się do jedności tej organizacji, o której Churchill mówił, że jest jak światło Księżyca – niezłomna i nieokreślona.

W praktyce pozbawiona jedności Wspólnota jest tworem niezwykle kruchym. Choć z zewnątrz przypomina strukturę z czasów kolonialnych, Wielka Brytania jest dziś tylko jednym z jej członków. W wyniku przystąpienia Wielkiej Brytanii do Unii Europejskiej nieuniknione było rozluźnienie jej związków z byłymi koloniami. Wielkie umowy surowcowe są teraz negocjowane w Brukseli. Ponadto przepaść pomiędzy dużymi i małymi krajami, pomiędzy bogatymi białymi i biednymi mieszkańcami Afryki i Antyli ciągle się pogłębia. Coraz trudniej jest znaleźć konsensus. Dlatego deklaracje końcowe po takich zgromadzeniach, altruistyczne i liryczne proklamacje, pozostają tylko katalogiem pobożnych życzeń. Commonwealth pozbawiona jest narzędzi ekonomicznych i politycznych. A dawne pretensje pozostały. Na przykład (w roku 1997) to, że Elżbieta II odmówiła przeproszenia za masakrę w Amritsar z 1919 roku, podczas której angielscy żołnierze zabili trzystu siedemdziesięciu dziewięciu cywilów, legło cieniem na jej oficjalnej wizytcie w Indiach.

Gdy królowa podróżuje po krajach Wspólnoty, ma do dyspozycji specjalny ciemnoniebieski sztandar ze złotym „E" otoczonym różami. Skąd to przywiązanie Jej Wysokości do resztek imperialnej chwały? Niewiele pozostało z największego imperium wszech czasów. Tuzin parceli rozrzuconych po pięciu kontynentach i ich sto osiemdziesiąt tysięcy mieszkańców to mało. W dodatku do Gibraltaru rości sobie pretensje Hiszpania, a do Falklandów – Argentyna. Kurczenie się Imperium przyspiesza konstytucja kanadyjska, wzrost popularności republikanów w Australii, koniec władzy białych w Afryce Południowej i zwrot Hongkongu. A przecież urodzona w 1926 roku królowa jest dzieckiem epoki kolonialnej. Uczyła się z map świata, na których przeważał kolor różowy – oznaczano nim kolonie i dominia Korony. Jak całe jej pokolenie, była świadkiem rozdarcia spowodowanego dekolonizacją, rozlewu krwi w Indiach, Palestynie, Kenii i Malezji. Brytyjscy cywile nie odczuli tych konfliktów na własnej skórze tak jak Francuzi w Algierii, Belgowie w Kongo czy Portugalczycy w Angoli. Nic lepiej nie ilustruje „kultury" imperialnej niż królewski kult klejnotów, nierozerwalnie związanych z kopalniami diamentów w Afryce Południowej, izraelskimi szlifierzami i kamieniami szlachetnymi indyjskich maharadżów. Królowa wychowywała się na mitach o takich budowniczych kolonializmu, jak Stanley i Cecil Rhodes, Curzon i Gordon, Disraeli i Churchill. Jej matka była koronowaną imperatorową Indii, a wuj Mountbatten – ostatnim wicekrólem tego kraju.

Pomimo naturalnego konserwatyzmu i podziwu dla dobrotliwego paternalizmu administratorów kolonii Elżbieta II bardzo szybko zrozumiała, że ich niepodległość jest nieunikniona. Pragmatycznie skupiła się na Wspólnocie Brytyjskiej, która – używając języka pięściarzy – pozwala jej królestwu boksować w kategorii wyższej niż dopuszcza jego waga.

To w Afryce Południowej, jeszcze sprzed epoki odrzutowców i safari, księżniczka Elżbieta wygłosiła pierwszą mowę. Było to w roku 1947: „Oświadczam, że całe moje życie, długie czy krótkie, będzie poświęcone wam, naszej wielkiej imperialnej rodzinie, do której wszyscy należymy". W 1991 roku gorące przyjęcie w Bulawayo, drugim co do wielkości mieście Zimbabwe, musiało jej przypomnieć popołudnie 6 lutego 1952 roku, kiedy dowiedziała się o śmierci ojca, Jerzego VI. Ale w jej głosie nie słychać wzruszenia, gdy przemawia do tłumu zgromadzonego przed ratuszem:

– Dowiedziałam się, że Bulawayo nawiedziła susza, która zagraża jego istnieniu.

Nagle krótka ulewa zmywa estradę. Królowa znika pod parasolami, które są przeźroczyste, by publiczność mogła ją widzieć. Tłum nie posiada się z radości: w Matabeleland tradycyjnie uważa się, że tylko wielcy władcy mogą panować nad żywiołami.

– Nareszcie dobra nowina – mówi królowa na pożegnanie.

*

Elżbieta II ma nieocenione i unikatowe doświadczenie dzięki kontaktom ze wszystkimi szefami państw, których poznała w czasie swojego długiego panowania, i to sprawia, że jest wytrawnym dyplomatą. Podczas gdy w sferze polityki między królową i jej premierami powstają dziwne, alchemiczne związki, w dyplomacji jest zupełnie inaczej. Królowa świetnie sobie radzi w tej dziedzinie. Ma bowiem co najmniej pięć atutów: kompetencję, dyskrecję, elastyczność wobec wyborów politycznych narzucanych przez Downing Street, wrodzone poczucie wyższości i dobre wychowanie. Królowa nie jest szorstka ani agresywna. Jej autorytet opiera się na praworządności i Historii.

Dowodzi tego tradycyjne przyjęcie dla korpusu dyplomatycznego, które Elżbieta II wydaje w listopadzie. Mężczyźni we frakach i orderach, panie w wieczorowych sukniach i długich rękawiczkach, stroje narodowe także są mile widziane; to wydarzenie, w którym uczestniczy zwykle około tysiąca trzystu osób, jest wspaniałe. Od ambasadora Stanów Zjednoczonych po reprezentanta Vanuatu, każdy dyplomata ma prawo do paru słów królowej, a wszystko jest z góry ustalone i wyregulowane co do minuty. Pyta ich o wrażenia dotyczące Zjednoczonego Królestwa, wspomina ich kraje, w których była albo się wkrótce wybiera, dzieli się wspomnieniami. Nigdy nie patrzy na zegarek, bo intuicja jej podpowiada, kiedy należy skończyć. Gdy się oddala, rozpoczyna się bal. Goście tańczą fokstrota, walca i tango. Wielkie przyjęcie kończy się szaloną imprezą. Windsorowie to również i takie sprawy.

Królowa umie słuchać i potrafi unikać politycznych pułapek. Dyskusje na temat spraw międzynarodowych, stosunków wzajemnych czy wymiany handlowej nigdy nie odbywają się w jej obecności. Jeżeli podczas rozmowy szef obcego państwa lub rządu próbuje wyjść poza zwyczajowe banały, Elżbieta powstrzymuje go, mówiąc: „To bardzo interesujące" i z uśmiechem zmienia temat. Jej dyplomacja sprowadza się do tego, że „oliwi" tryby stosunków międzynarodowych. A rząd brytyjski bez wahania posługuje się królową, wysyłając ją do krajów, z którymi Wielka Brytania ma kłopoty. Ale ona się nie skarży. To jej zawód. W 1961 roku, w najgorszych czasach zimnej wojny, odwiedza Cypr, Indie, Pakistan, Nepal i Iran – kraje, które w różnym stopniu podlegają presji Kremla. W roku 1973, gdy Wielka Brytania dołącza do Wspólnoty Europejskiej, Elżbieta II udaje się w podróż po krajach Wspólnoty Brytyjskiej, aby pokazać, że byłe mocarstwo nie zamierza ich porzucić.

Przemówienia zagraniczne zawsze pisze Foreign Office. Nigdy nie zmieniając ich treści, Pałac ogranicza się jedynie do nadania im formy łatwiejszej przy czytaniu tekstu, zmiany języka na mniej urzędowy i słów – na takie, które są królowej bliższe, oraz do uproszczenia zbyt długich zdań. Trudne do uniknięcia podczas oficjalnych wizyt wpadki, nie pozbawiają królowej jej brytyjskiej flegmy.

– Tak naprawdę, królową chyba ekscytuje porzucanie nudnawej rutyny, która na ogół kieruje jej życiem – mówi były konserwatywny minister spraw zagranicznych Douglas Hurd, przypominając skandal, do którego doszło podczas królewskiej wizyty w Maroku w 1980 roku.

Król Hassan II zachowuje się grubiańsko: królowa w upalne popołudnie spędza dwie godziny pod namiotem bez wody. Jedynym napojem, jaki przynosi jej przerażony służący, jest koniak. Obiad zostaje podany o godzinie piętnastej czterdzieści, a więc po dwóch godzinach czekania. Na pożegnalnej kolacji, wydanej przez królową na jachcie „Britannia", Hassan II, wściekły z powodu ataków prasy brytyjskiej na jego nonszalanckie zachowanie, pojawia się z godzinnym opóźnieniem. Towarzyszy mu syn, który nie był zaproszony. Oświadcza Hurdowi, że żąda odesłania brytyjskiego ambasadora do Londynu. Królowa, która to wszystko słyszy, pozostaje niewzruszona. Ambasador nie zostaje odesłany: nazajutrz na jachcie „Britannia" otrzymuje tytuł szlachecki. Wiele hałasu o nic.

Podczas wizyty w Rosji w 1994 roku dwór królewski jest bardzo przejęty w związku z kolacją wydawaną przez królową na cześć prezydenta Borysa Jelcyna. Obawia się ekscesów. Jelcyn nie ma dobrej reputacji. Wódka jest wykluczona. Ambasada dyskretnie uprzedza Kreml, że nie wchodzi w rachubę nawet dotknięcie ramienia Jej Wysokości. Na toasty przeznaczono tylko dwa kieliszki wina. Ale sama monarchini rozluźnia „suchy" rygor i sprawia, że kieliszek jej gościa jest cały czas napełniany jej najlepszym Bordeaux. Zdaniem ówczesnego ministra spraw zagranicznych Douglasa Hurda to radosny nastrój tamtego wieczoru skłonił rosyjskiego prezydenta do podpisania układu START II i wyrażenia zgody na rozszerzenie NATO. To była dyplomacja z użyciem wina z dobrego rocznika.

Podczas pierwszej wizyty w Chinach, w roku 1986, Elżbieta II przezwycięża wstręt do papierosów, pozwalając chińskiemu premierowi Deng Xiao-pingowi palić w swojej obecności.

– Ten drobiazg spowodował rozluźnienie ciężkiej atmosfery podczas negocjacji związanych ze zwrotem Hongkongu – wspomina Douglas Hurd.

Wreszcie w roku 1992, podczas wizyty królowej w zjednoczonych Niemczech, na dosyć trudny zanosi się etap drezdeński jej podróży. To barokowe miasto w 1945 roku zostało zbombardowane przez RAF. Miało to przyspieszyć koniec wojny. Mieszkańcy Drezna byli oburzeni obecnością królowej matki przy odsłonięciu pomnika Artura „Bombera" Harrisa, dowódcy brytyjskich bombowców z okresu drugiej wojny światowej. Królowa wpadła na pomysł, aby towarzyszył jej biskup Coventry, miasta zniszczonego przez Luftwaffe. To rozbroiło władze miasta.

Nawet w obecności swoich ministrów królowa unika oceniania zagranicznych rozmówców, obawiając się przecieków do prasy. Ogranicza się do uwag w rodzaju: „Jest uparty", „Temu bym nie wierzyła" czy „Po tym spotkaniu muszę się napić mocnego dżinu z tonikiem". Ale dla otoczenia, które umie ją rozszyfrować, tego rodzaju stwierdzenia mają wagę wyroku. Tylko wizyty Mobutu w 1973 roku i Ceausescu w 1979 sprawiły, że straciła swą brytyjską flegmę. Zachowanie obu despotów i ich otoczenia było szokujące. Pani Mobutu przyjechała do Windsoru z ulubionym psem, mimo że brytyjska straż graniczna bezwzględnie wymagała kwarantanny z obawy przed wścieklizną. Spanikowana królowa musiała natychmiast ewakuować z pałacu wszystkie swoje corgi. Pani Mobutu zażądała dla psa steku. Królowa osobiście zadzwoniła do dyrektora urzędów celnych z żądaniem odprowadzenia prezydenckiego psa *manu militari* do schroniska. Z kolei Ceausescu, bojąc się próby otrucia, przywiózł ze sobą do Windsoru człowieka, który miał za zadanie próbować dania. Nie został on wpuszczony do pałacu. Wiele lat później dyktator zemścił się za ten afront, chwaląc się przed prasą telegramem gratulacyjnym od monarchini w związku z jego sześćdziesięcioleciem. Królowa nigdy takiego telegramu nie wysłała, a ta impertynencja wcale nie była jej do śmiechu. „To obraza dla Jej Wysokości, która nigdy nie wysyła telegramów urodzinowych do szefów państw" – oburza się Foreign Office.

W dziedzinie dyplomacji królowa potrafi mieć poczucie humoru. Jednemu z doradców, który pozwolił sobie na uwagę, że z powodu podeszłego wieku Benedykt XVI nie będzie papieżem zbyt długo, odpowiada:

– Proszę pamiętać, że jest o sześć miesięcy młodszy ode mnie.

Jej pole manewru na froncie dyplomatycznym jest jednak ciągle ograniczane przez premiera. Musiała na przykład zaakceptować rządowe restrykcje dotyczące liczby tytułów szlacheckich. Ambasadorowie brytyjscy w krajach, które królowa odwiedza, nie uzyskują ich automatycznie, jak chciała tradycja.

*

Elżbieta II zajmuje centralne miejsce w panteonie monarchów europejskich. W Europie jest jeszcze sześć monarchii konstytucyjnych: Hiszpania, Belgia, Holandia, Norwegia, Szwecja i Dania. Trzeba także dodać Wielkie Księstwo Luksemburga i Księstwo Monako. Państwa te, wbrew nieprawdziwemu, uproszczonemu i stereotypowemu obrazowi, należą do najnowocześniejszych krajów naszej planety.

Jakie są związki Elżbiety II, głowy najwspanialszej i najbardziej medialnej monarchii konstytucyjnej, z północnymi i południowymi monarchiami Starego Kontynentu? Stopień ich zażyłości zależy przede wszystkim od pokrewieństwa.

W biurze przy Grosvenor Square, w samym sercu Londynu, Konstanty, były król Grecji, jest pewnym siebie biznesmenem, ale zachowuje uroczystą powagę właściwą monarchom.

– Królowa nie ma sobie równych, jeśli chodzi o genealogię monarchii europejskich. Nie licząc mojej żony, jest największą ekspertką jaką znam w tej bardzo trudnej dziedzinie. Wszyscy jesteśmy ze sobą związani bardzo złożonymi więzami rodzinnymi – mówi były grecki monarcha. Przykład? – Książę Filip jest synem greckiego księcia Andrzeja. Królowa Aleksandra, żona Edwarda VII, była siostrą greckiego króla Jerzego I, który był moim pradziadkiem. On sam jest bratem hiszpańskiej królowej Zofii i szwagrem duńskiej królowej Małgorzaty. – Skomplikowane? Król Konstanty dodaje: – Świat zewnętrzny ma kłopoty ze zrozumieniem, że dynastie europejskie są po prostu jedną wielką rodziną. Łączą nas bliskie związki, które nie mają nic wspólnego z protokołem. Widujemy się regularnie podczas urodzin, pogrzebów i chrztów. Proszę spojrzeć na następne pokolenie. Nie brakuje mu motywacji, jest bardzo dobrze wykształcone i nowoczesne. Aranżowane małżeństwa to przeszłość.

Od 1974 roku żyjący na wygnaniu w brytyjskiej stolicy Konstanty pozostaje w bliskich stosunkach ze wszystkimi Windsorami. Jest przyjacielem księcia Walii i diuka Edynburga, a także ojcem chrzestnym księcia Williama. Bardzo związana z nim Elżbieta II nazywa go Tino. O trwałości tej przyjaźni świadczyła obecność królowej w roku 1995 na ślubie starszego syna byłego króla, księcia Pavlova, z bogatą Amerykanką. Niemożliwa do sprawdzenia plotka głosi, że podobnie jak greccy armatorzy działający w Londynie, Elżbieta II wspierała finansowo emigranta, któremu często brakowało pieniędzy. Greckie pochodzenie Filipa czasami stwarza Windsorom pewne problemy. W roku 1963 podczas wizyty oficjalnej króla Grecji Pawła i królowej Fryderyki obie pary zostały wygwizdane w londyńskim teatrze. Publiczność protestowała przeciwko skrajnie prawicowym sympatiom przypisywanym królowej Fryderyce, Niemce z pochodzenia. Lider opozycyjnej Partii Pracy, późniejszy premier, zbojkotował przyjęcie. Utworzona przez Brytyjczyków dynastia grecka została uratowana dzięki ich wsparciu militarnemu podczas wojny domowej, wywołanej w 1947 roku przez powstanie komunistyczne.

Konstanty zdetronizowany w roku 1967 z powodu dwuznacznej roli, jaką odegrał podczas zamachu stanu greckich pułkowników, jest dziś uważany za członka brytyjskiej rodziny królewskiej. Widać tu wyraźną różnicę w porównaniu z brakiem jakichkolwiek stosunków z innym londyńskim wygnańcem, Aleksandrem Jugosłowiańskim, synem Piotra II, obalonego w roku 1945. Przyczyną nie jest brak sympatii, lecz brak pokrewieństwa z Windsorami.

Silne więzy uczuciowe łączą królową z potomkami króla Norwegii Haakona VIII i wielkiego księcia Jana Luksemburskiego. Pierwszy był jej kuzynem, drugi walczył w szeregach armii brytyjskiej. Jeśli chodzi o dynastię belgijską, holenderską czy duńską, to można mówić raczej o szacunku niż o bliskich relacjach. Królowa była w bliższym kontakcie z belgijskim królem Baudouinem, ponieważ ceniła go za prawość. Wybaczyła młodemu królowi Belgów odmowę uczestniczenia w pogrzebie Jerzego VI, spowodowaną atakami Londynu na proniemiecką politykę Leopolda III w latach drugiej wojny światowej. Monarchini, która nigdy nie uczestniczy w zagranicznych pogrzebach, wyjątkowo była obecna na mszy żałobnej za Baudouina I w Katedrze Świętego Michała i Guduli.

Stosunkom z holenderską królową Beatrix i duńską Małgorzatą brakuje spontaniczności. To intelektualistki, a królowa, która nie ma za sobą żadnych studiów, zawsze obawiała się wykształconych kobiet. W pałacu Buckingham nie mówi się o Karolu Gustawie, królu szwedzkim. Monarchie północnej Europy w oczach angielskiej królowej błądzą, rezygnując z przepychu. Wybryki uczuciowe księcia Monako Alberta II i jego dwóch sióstr nie robią na królowej wrażenia, bo dla niej to nie pierwszyzna. Dziewiętnastego kwietnia 1956 roku nie była obecna na ślubie księcia Rainiera i Grace Kelly – ślubie XX wieku.

Windsorowie chwalą Juana Carlosa za rolę, jaką odegrał w przywracaniu demokracji w Hiszpanii. Elżbieta II ma jak najlepsze mniemanie o królowej Zofii, spokrewnionej z jej małżonkiem, w którego żyłach płynie królewska krew. Nieporozumienia między Madrytem i Londynem w kwestii Gibraltaru, okupowanego przez Anglię od 1704 roku, zatruwają jednak oficjalne stosunki między tymi dwoma krajami. Z tego powodu Juan Carlos nie mógł przybyć na ślub Karola i Diany. Mimo to rodziny często widują się prywatnie.

W sprawach dynastycznych, jak dowodzi troska o Konstantego Greckiego, Elżbieta II kieruje się raczej względami rodzinnymi niż racją stanu. I tu różni się od swego dziadka Jerzego V, który odmówił ratowania rodziny carskiej, kajzera i dynastii austrowęgierskiej, oraz ojca, Jerzego VI – ten z kolei pozostawił na pastwę losu rodziny panujące Rumunii, Bułgarii i Albanii. Rodzina przede wszystkim.

W tej konfraterni europejskich królów i królowych Elżbieta II pozostaje na uboczu, identyfikując się bez reszty ze swoim krajem. Zawsze spędza w nim wakacje. Wszystkie jej dzieci poślubiły Brytyjczyków.

VIII
Wizerunek królowej

Elżbieta II jest osobą powściągliwą, nieśmiałą, skrytą – i nie lubi pokazywać się publicznie. Ale w kraju rządzonym przez media, gdziekolwiek by się znalazła, przyciąga światła kamer i mikrofony.

Dwudziestego szóstego kwietnia 2002 roku z okazji pięćdziesiątej rocznicy swego panowania Jej Wysokość zaprosiła do Windsoru siedmiuset pięćdziesięciu dziennikarzy. Koleżanki z branży w pięknej biżuterii i markowych kreacjach, pismacy przebrani za światowców, raczej szepty niż krzyki i tłok wokół rodziny królewskiej. Ta premiera w burzliwej historii stosunków królowej z czwartą władzą jest prawdziwym sukcesem. Zaproszeni rozpływają się nad wspaniałością obrazów, zbroi, broni palnej i innych pamiątek. Wszyscy są wpatrzeni w gospodynię, uśmiechniętą stosownie do sytuacji. Spojrzenie jej błękitnych oczu zdaje się przenikać nieskończoność. Można odgadywać myśli królowej: gdyby to zależało ode mnie, wszyscy ci hultaje z prasy popularnej zostaliby strąceni z wieży. „Jest urocza" – powtarzają dziennikarze, zachłystując się niewinnymi słowami monarchini. Bełkoczą prawie niesłyszalne odpowiedzi, dziękując władczyni: *Thank you, Ma'am* – i pochylają głowy.

Żeby się zbliżyć do królowej, rozpychają się łokciami także korespondenci królewscy. Nawet dziennikarze akredytowani przy angielskim dworze właściwie nigdy jej nie widują. Zawód królewskiego kronikarza nie jest tak prestiżowy jak jego reputacja. Jeżeli ktoś zajmuje się polityką, City czy Kościołem, regularnie spotyka się z ministrami, związkowcami, biskupami. Korespondent przy dworze nigdy nie rozmawia z królową. Musi zadać jej pytanie z daleka, tak jak korespondenci przy Białym Domu pytają prezydenta Stanów Zjednoczonych. Bo królowa nigdy nie zwołuje konferencji prasowych i nie przyjmuje wybranych dziennikarzy, tak jak to czyni król Belgów czy Juan Carlos, król Hiszpanii. Wysocy urzędnicy Pałacu Buckingham także unikają prasy. Byli dygnitarze są bardziej królewscy niż sama królowa, czasami wręcz wyniośli. Wypowiadają konwencjonalne, arcyciekawe formułki. Pełnią rolę parawanu chroniącego królową. Najbardziej oddani dostają tytuły szlacheckie i odznaczenia. Podczas podróży zagranicznych pole manewru specjalnych wysłanników jest z góry wytyczone. Nie wolno cytować wypowiedzi urzędników, którzy mają pozostać anonimowi, należy uszanować majestat pary królewskiej, zachowując odpowiedni dystans. Gdy otrzymujemy program wizyty, te zasady są w nim wyraźnie wypunktowane.

W porównaniu z nami dziennikarze francuscy obsługujący prezydenta są wręcz rozpieszczani. W Pałacu Elizejskim jest biuro zajmujące się biletami i hotelami korpusu prasowego towarzyszącego prezydentowi Republiki za granicą. Dziennikarze brytyjscy podróżują niezależnie, każda gazeta ma własne ustalenia w tej sprawie. W czasie wizyt nie ma rozmów na stronie pomiędzy oficjelami i mediami. BBC jest traktowana tak samo jak gazeta prowincjonalna, doświadczony kronikarz czy młody dziennikarz agencyjny. Pośród zaprogramowanych co do minuty przemówień, uścisków dłoni i inauguracji nie ma miejsca dla zaklętego kręgu. W przeciwieństwie do tego, co dzieje się we Francji, dziennikarz nie zabiega o własny rozgłos i jest poza *star system*. Jedyną gwiazdą jest królowa. Skupia całą uwagę. To, czy wygłasza mowę, nie ma większego znaczenia, bo ludzie przychodzą po to, by ją zobaczyć, a nie usłyszeć. Za granicą nigdy nie towarzyszą jej artyści, intelektualiści ani biznesmeni. Parlament i media wzięły bowiem pod lupę koszty królewskich podróży.

Czasy, gdy *court correspondent* co tydzień udawał się do pałacu, żeby uzyskać informacje dotyczące królewskich planów, minęły bezpowrotnie. Nie wchodzi już w rachubę dumny przemarsz po różowym żwirze w stronę prawego skrzydła, w którym znajduje się biuro sekretarza prasowego, i to na oczach zdumionych turystów. Wszystkie informacje można znaleźć na znakomicie redagowanej oficjalnej stronie internetowej monarchii brytyjskiej. Względy bezpieczeństwa tłumaczą te ograniczenia tylko częściowo. Informacje płynące z Pałacu są bardzo ograniczone w porównaniu z supermedialną erą księżnej Diany. Prasę popularną przepędzono. W Wielkiej Brytanii ma ona duże znaczenie i astronomiczne nakłady. Dziennik „Sun", sztandarowy tytuł grupy Murdocha, rozprowadzany jest w trzech milionach egzemplarzy, co przewyższa nakład całej prasy francuskiej. Żyje ze skandali.

Otwarcie na tabloidy, zainicjowane w związku z jubileuszem 2002 roku, nie trwało długo. Rok później królowa odstąpiła od tego po rewelacjach „Mail on Sunday" (z 2 listopada 2003 roku) o rzekomym incydencie natury seksualnej między księciem Karolem i jego służącym.

W związku z tą nową restrykcyjną polityką informacyjną rozpowszechnianych jest mnóstwo nieprawdziwych wiadomości. Tabloidy podają wieści z drugiej ręki, oczywiście z wszelkimi możliwymi przekłamaniami, które z tego wynikają. Eksperci od Pałacu co najwyżej ocierają się o rodzinę królewską, która jest ich obsesją. Rozmawiają z kimś, kto tylko widział królową. Źródłem informacji dla prasy popularnej jest często – za odpowiednim wynagrodzeniem – służba pałacowa. Jest ona bardzo liczna. Do druku nadaje się wszystko, szczególnie sekrety alkowy.

Jennie Bond przez czternaście lat pracowała dla BBC, zajmując się rodziną królewską. Jej elegancja, naturalny ton pozbawiony poufałości, zdecydowanie i ładny język sprawiły, że zdobyła duży szacunek. W 2005 roku ta gwiazda dziennikarstwa trzaska drzwiami BBC, zwołuje konferencję prasową i reguluje rachunki z Pałacem.

– Tak naprawdę nigdy nie lubiłam członków rodziny królewskiej. Są wyniośli, skryci, nieprzystępni. Przez te wszystkie lata nie nawiązałam właściwie żadnych kontaktów. Królową spotykałam dwa razy do roku na koktajlu dla mediów. Rozmowa zawsze była zdawkowa i bardzo krótka.

Wspomina incydent z Seulu, do którego doszło w 1999 roku na przyjęciu pożegnalnym. Królowa, która właściwie nie ma ochoty na rozmowę z dziennikarką, pyta, czy specjalnie przyjechała z Wielkiej Brytanii, żeby się z nią spotkać.

– Doskonale wiedziała, że tak. Miałam ochotę odpowiedzieć: „Och nie, Ma'am, tylko tędy przejeżdżałam i wpadłam do rezydencji ambasadora, żeby uścisnąć pani dłoń". Potraktowała mnie jak jakiegoś paparazzo.

Jennie Bond nie oszczędza także księcia Edynburga, opisując go jako grubianina, który „jest mistrzem w mówieniu mi jednocześnie dzień dobry i do widzenia".

Wszystko to trafia na pierwsze strony gazet. Perfidna Jennie złość do Windsorów wylewa także na falach prywatnego radia. Królowa zleca sekretarzowi prasowemu kontratak:

> Jennie jest bardzo dobrą dziennikarką, świetnie poinformowaną. Problem polega jedynie na tym, że uważa się trochę za królową bis, z tymi swoimi pozami, fryzurami wielkiej księżnej i kostiumami od wielkich projektantów. A tymczasem w pałacu Buckingham jest miejsce tylko dla jednej królowej.

Strzał jest celny i już nikt nie mówi o Jennie Bond.

Wszyscy wiedzą, że posada sekretarza prasowego jest z kategorii *missions impossibles*. W starciu z walcem brytyjskich mediów koniec zasiadającego na tym stołku jest oczywisty. Inna praca w Pałacu nie wchodzi w grę, skoro nie udało się uniknąć błędów strategicznych. Albo rzecznik mówi otwarcie, biorąc na siebie ryzyko, albo nie mówi nic i jest podejrzewany o ukrywanie skandali – i wtedy prasa go wykańcza. Zwykle udręczony po paru latach męki odchodzi z ulgą, żeby rozpocząć wszystko od nowa w jakiejś prywatnej firmie *public relations*.

Wszyscy, którzy byli rzecznikami, uważają, że jest to zadanie pasjonujące.

– To jedyna posada w Pałacu, która pozwala uniknąć «stanu nieważkości». Ma się kontakt z ludźmi – mówi Charles Anson, rzecznik w latach 1990–1997. W skomplikowanym świecie monarchii brytyjskiej rzecznik musi dużo podróżować, wiedzieć, czego chce i co ma powiedzieć, musi umieć zachować dystans i nie dramatyzować. Powinien unikać przyjaźnienia się z dziennikarzami, którzy mogliby go skłonić do rezygnacji z urzędowo drętwego języka oraz nieprzyjaciół, którzy mogliby zaatakować samą królową.

Po roku 1997 pod wpływem paniki związanej ze skandalami wywołanymi zachowaniem jej rodziny Elżbieta II funduje sobie dyrektora do spraw kontaktów z mediami. Mają takich prywatne firmy. Jego zadaniem jest planowanie strategii na dłuższą metę. W roku 2002, po sukcesie jubileuszu, rezygnuje jednak z tego eksperymentu. Nie znosi nadmiaru medialnych gadżetów.

Na południowym końcu Fleet Street, ulicy, przy której miały siedziby gazety, stoi wspaniały budynek w stylu art déco, dawna siedziba „Daily Express". W 1952 roku, jej właściciel, Beaverbrook, wydał redaktorom naczelnym następujące polecenie: „O rodzinie królewskiej wyłącznie dobre wiadomości". Dotyczyło całej prasy. Do roku 1969 wszystko, co związane z życiem prywatnym rodziny królewskiej, pozostawało poza zasięgiem kamer. Dlatego kiedyś Windsorowie nie byli ciekawym tematem. Zainteresowanie dziennikarzy ślubem księżniczki Małgorzaty i Snowdona, znanego fotografa i playboya związanego ze środowiskiem cyganerii, było minimalne. Dzisiaj podobnym wydarzeniem mógłby być chyba tylko ślub księcia Harry'ego z francuską raperką Diam's. Proszę sobie wyobrazić, jaką wrzawę medialną wywołałby taki związek. Wyreżyserowana przez tego samego Snowdona inwestytura Karola na księcia Walii 2 sierpnia 1969 roku nie wzbudziła zainteresowania. Srebrny jubileusz w roku 1977 i zabawy uliczne organizowane spontanicznie w całym kraju po raz pierwszy wywołują windsoromanię. Wtedy jeszcze Pałac utrzymuje dobre stosunki z dziennikarzami, którzy ograniczają się do pisania suchej kroniki bieżących wydarzeń. Ten układ rozpada się cztery lata później, w związku ze ślubem Karola i Diany. Od połowy 1985 roku machina medialna się rozpędza, wybuchając w czasie kryzysu w ich związku. Rozmowy telefoniczne Diany i Karola często są podsłuchiwane. Czytelnikom spragnionym pikantnych historii i wszelkiej maści podglądaczom nie szczędzi się telefonicznych fantazji Karola marzącego o reinkarnacji w spodniach Camilli, rewelacji o byłym trenerze jazdy konnej księżnej Diany oraz fotografii tej ostatniej na siłowni.

Na początku lat dziewięćdziesiątych najlepszymi informatorami o sprawach książęcej pary są dziesiątki paparazzich, wystających dzień i noc przed pałacami, modnymi restauracjami, klubami i siłowniami, które odwiedza Diana. Całą dobę czatują w restauracji Garfunkel, w fast foodzie naprzeciwko pałacu Kensington, rezydencji księcia i księżnej Walii, a później, po separacji, już tylko księżnej. Królem polowań na informacje jest Jason Fraser.

– Ta robota wymaga cierpliwości i uporu. Członkowie rodziny królewskiej mają swoje przyzwyczajenia. Ale nie wystarczy znać ich ulubione restauracje czy kluby i przyjaciół, z którymi się widują. Trzeba jeszcze polubić pracę w samotności.

Spokojna twarz, jasny głos, zwodniczy wygląd dżentelmena i krwiożerczy uśmiech – Fraser należy do dziennikarzy, dla których pożywką są weseli spadkobiercy Windsorów. Jego metoda? Wojskowa organizacja, śledzące samochody, wielkie teleobiektywy, mikrofony, książeczki czekowe i adresowe oraz doświadczenie, które zdobywał od piętnastego roku życia w „Sun". Niezwykle sprawny i sprytny, dla pieniędzy gotowy na wszystko, został milionerem dzięki szokującym zdjęciom, które sprzedaje na całym świecie. Uwiecznił „numery", które znalazły się na większości okładek: Diana z twarzą ukrytą za ciemnymi okularami udająca się na spotkanie z kochankiem, mały książę William siusiający na drzewo.

– Proszę mnie nie nazywać paparazzim, lecz fotoreporterem – powiedział mi wtedy.

Ale gdy Fraser trzyma teleobiektyw, jest reporterem bezwzględnym.

– Wolę pracować z oddali. Wybieram potem jedną z gazet i negocjuję bezpośrednio z redaktorem naczelnym – wyjaśniał mi. – Moim zdaniem dozwolone jest wszystko, poza fotografowaniem kogoś na szpitalnym łóżku albo rodziny w żałobie. Diana w bikini na jachcie? Morze należy do wszystkich. Fergie z nagim biustem w willi w Saint-Tropez, w towarzystwie rzekomego doradcy finansowego? To przestrzeń publiczna. Jeżeli książęta narzekają na obowiązki, które mają w zamian za przywileje, to mogą mieć pretensje tylko do siebie...

W najczarniejszych godzinach *annus horribilis* 1992 naczelny dziennika „Sun" namawiał paparazzich i redaktorów kroniki towarzyskiej, aby skupili się na rodzinie królewskiej:

– Nie przejmujcie się, jeżeli informacje okażą się nieprawdziwe.

„Rewelacje" zdobywane są wątpliwymi metodami. Niektórzy agenci współpracujący z prasą nie są warci polecenia. Tabloidy nie wahają się zastawiać pułapek na Windsorów. Żyje z nich kontrowersyjny mistrz przebieranek, Mazher Mahmood Mahmouz, dziennikarz „News of the World".

Czy dzisiaj można sobie wyobrazić, żeby „Daily Express", który stał się skandalizującym brukowcem, zachował się tak powściągliwie jak w roku 1952? Nawet żelazna zasada, że „to, co się mówi w klubie dżentelmenów Pall Mall, nigdy nie wychodzi na zewnątrz", nie jest dziś przestrzegana. Gazety, kusząc pieniędzmi, rozwiązują języki najwierniejszych służących i pokojówek. To w ramach tej strategii bezwzględnego nękania fotografowie ścigają Dodiego i Dianę w tunelu Alma. Z wiadomym skutkiem.

Nowe pokolenie paparazzich zastąpiło gwiazdy tego zawodu. Szczury gwałcące prywatność muszą sprostać dwóm wykluczającym się warunkom: opanować własną agresję (od czasu śmierci Diany) i zaspokoić podglądactwo publiczności. Tak jak Julian Parker, specjalista od fotografii „kradzionych" w Sandringham i Balmoral, deklarują: „Staram się unikać fotografii sensacyjnych. Chcę uzyskiwać zdjęcia jak najbardziej *glamour*, pokazujące rodzinę królewską w prawdziwym świetle, jak zwykłą rodzinę". Ale nikt w to nie wierzy.

Jak Windsorowie radzą sobie z molochem medialnym, który jest gotów ich pożreć? Tak jak premier i City – zamawiają sondaże. Przeprowadza je brytyjski instytut badania opinii społecznej Ipsos MORI. Stanowi on łącznik pomiędzy Pałacem i „zwykłymi ludźmi", jak mówi się w języku reklamy. Wyniki sondaży są omawiane na zebraniach Way Forward Group, grupy zajmującej się refleksją nad przyszłością monarchii, której przewodzą królowa i jej małżonek.

Monarchia ma się dobrze, jest popularniejsza niż jakakolwiek inna instytucja państwowa: Kościół, wojsko, policja czy Parlament. Królowa wygrywa przez aklamację jako symbol kraju przyczyniający się do jego promocji poza granicami Wielkiej Brytanii, a także wzór wytrwałości, stabilności i ciągłości historycznej. Mimo jej podeszłego wieku sześciu na dziesięciu Brytyjczyków chce, by pozostała głową państwa. Dwie trzecie poddanych uważa, że część zadań powinna powierzyć księciu Walii lub innym członkom rodziny. Co czwarty respondent jest zdania, że monarchia nie oddaje specyfiki wielokulturowego społeczeństwa, ale nie wiadomo, jak miałaby to robić.

– Królowa właściwie nie ma minusów. Inaczej jest z pozostałymi członkami rodziny. Książę Karol i jego ojciec wyrażają zdecydowane opinie, a to nie wszystkim się podoba. Elżbieta II nie popełniła najmniejszego błędu. Poddani są jej za to wdzięczni – mówi Bob Worcester. – Dzięki polityce informacyjnej monarchia dała się lepiej poznać i dzięki temu jest jeszcze bardziej popularna.

Królowej nic nie mówią pracowite wyliczenia ankieterów i nie ufa takim guru jak Jacques Pilhan. Ale po dramatycznej śmierci Diany zrozumiała, że nastroje społeczne są zmienne. Dzięki Bobowi Worcesterowi może skuteczniej kontrolować własne instytucje, aby móc się zbliżyć do poddanych. Elżbieta II zdaje sobie sprawę, że komunikacja odgrywa niezwykle istotną rolę we współczesnym świecie. Nie należy przesadzać, ale niewątpliwie trzeba się nią zająć. Królowa panuje nad językiem, mówi bardzo niewiele. Nie udziela wywiadów. Jeżeli nawet kiedyś miała taki zamiar, matka jej to wyperswadowała. Gdy Królowa Matka zaręczyła się w 1923 roku z księciem Yorku, udzieliła dosyć niezręcznego wywiadu londyńskiej popołudniówce, narażając się na gromy ze strony teścia, Jerzego V. Od tej pory przez całe swoje długie życie nic więcej nie wyjawiła gazetom. Mowy Elżbiety II są krótkie, wolne od niepotrzebnego liryzmu czy teatralności. Królowa nie ma tremy przed kamerami ani fotografami. Jak na kobietę z jej pokolenia, bardzo dba o wizerunek i symbolikę sprawowanej funkcji. Dlatego jej doradcy podczas misji rozpoznawczych, które zawsze poprzedzają wizyty oficjalne za granicą lub w Zjednoczonym Królestwie, przygotowują program, biorąc pod uwagę rozmieszczenie kamer telewizyjnych.

– Nigdy nie pozuje przed kamerami. Nie znosi odgrywania spektaklu, kiedy ma kamery przed oczami. Nigdy nie gra, jest bardzo naturalna – zdradza kamerzysta od dawna jeżdżący za królową. – Nigdy jej nie filmuję, jak je, pije czy schodzi po schodach. To starsza pani, która zasługuje na szacunek choćby z racji wieku. Filmuję ją tak, jak filmowałbym własną matkę.

Bardzo ważne jest filmowanie w miejscach historycznych i znaczących: w katedrach, pałacach, klasztorach, na plażach, gdzie odbywał się desant aliantów, w Kongresie Stanów Zjednoczonych, w Parlamencie Europejskim czy w więzieniu Nelsona Mandeli... Królowa dobrze przyswoiła sobie refleksję Jacquesa Séguéla, doradcy do spraw wizerunku prezydenta Mitterranda: „Przekaz to telewizja, ona jest najważniejszym medium. A telewizja to wzruszenie, a zatem przekaz jest wzruszeniem. Opuszczamy epokę opinii publicznej, by wkroczyć w epokę wrażliwości publicznej".

Elżbieta II uważa media za zło konieczne, ponieważ byt monarchii w dużej mierze zależy od jej publicznego wizerunku. To wyjaśnia współpracę królowej z BBC przy kręceniu trzech ambitnych dokumentów, które zapisały się w historii telewizji państwowej. Słynny reportaż Richarda Cawstona *Royal Family* [Rodzina królewska], wyemitowany w 1969 roku, podkreślał prostotę życia rodzinnego, pokazując królową i jej bliskich wśród koni, psów, podczas pieczenia kiełbasek na pikniku w Szkocji. W roku 1992 film *Elizabeth R* przedstawia królową podczas zajęć oficjalnych. „Chciałem po prostu pokazać, co królowa robi, aby w ten sposób odpowiedzieć na odwieczne pytanie: kim ona jest?" – wyjaśnia producent Edward Mirzoeff. Jego ekipę tworzyli jeden dźwiękowiec i kamerzysta, ci sami, którzy pracowali przy długim metrażu w roku 1969. Pałac dał im wolną rękę, Nie mogli tylko nagrywać spotkań królowej z biskupami Kościoła anglikańskiego. Elżbieta gestem dłoni dała ekipie do zrozumienia, że wiara ma pozostać tajemnicą serca. Trzecia część reportażu, nakręcona w 2006 roku, to długi ciąg banalnych pochlebstw. Za każdą częścią tej trylogii kryje się godna podziwu praca specjalistów od wizerunku, przedstawiająca taki obraz Elżbiety II, jakiego królowa sobie życzy.

*

W przeciwieństwie do księcia Karola czy swego małżonka Filipa królowa nigdy się nie złości na gazety, które publikują zdjęcia „kradzione" przez paparazzich. Wie, że byłaby to strata czasu i że mogłoby to zaszkodzić jej wizerunkowi. Wytaczanie procesów gazetom jest ryzykowne, bo nawet w przypadku wygranej trzeba się liczyć z przykrymi skutkami. W imię wolności prasy prawo brytyjskie jest dużo łagodniejsze niż francuskie. Nie chroni ściśle życia osobistego, lecz zabrania rozpowszechniania informacji pozyskanych w zaufaniu. Specjalna komisja rozpatrująca skargi na prasę, powołana dla ochrony osób atakowanych i oskarżanych przez media, wydaje opinie, wyraża zastrzeżenia lub oburzenie, ale nie pociąga to za sobą żadnych konsekwencji. Odpowiedzi i wyjaśnienia rodziny królewskiej nie mają sensu, bo i tak trafiają na dalsze strony gazet. Zresztą mogłyby tylko wzmóc zainteresowanie plotką, która wcześniej mało kogo obchodziła.

Są jednak granice stosowania słynnej zasady premiera Disraelego, ulubieńca królowej Wiktorii: *Never complain, never explain* [Nigdy się nie skarż, nigdy się nie tłumacz]. Jak zatrzymać serial fotograficzny, nieustannie przedłużany przez nowe perypetie? To pytanie zadawano sobie przy okazji związku księcia Williama z Kate Middleton. Brukowce nie dawały im spokoju. William zażądał poszanowania jego prywatności, angażując adwokatów wyspecjalizowanych w ochronie sławnych osób. Królowa też się zabezpiecza. Działania wnuka pozwalają jej przypomnieć, że nawet w królestwie tabloidów nie wszystko wolno. Doradcy i służący zostali ponownie uprzedzeni o konsekwencjach nieprzestrzegania tajemnicy państwowej.

Afera „News of the World", gazety o największym niedzielnym nakładzie (trzy miliony trzysta tysięcy egzemplarzy), jest przykładem nowej „siłowej" polityki Pałacu. Weteran wśród królewskich kronikarzy, Clive Goldman, źle znosił spadek zainteresowania czytelników rodziną królewską. W pogoni za rewelacjami na temat Windsorów nie raz włamywał się do poczty głosowej telefonów komórkowych współpracowników księcia Williama. Skazanie w roku 2007 Goldmana na cztery miesiące więzienia i dymisja redaktora naczelnego gazety to dowód surowości sądów wobec dziennikarstwa opartego na przekupstwie. Parę lat temu spotkałem się z Goldmanem w związku z moją książką o księżnej Dianie. Ostrzyżony na jeża, z kolczykiem w uchu, bardzo sympatyczny, powiedział mi:

– Wszyscy paparazzi, bez wyjątku, kochają i szanują monarchię. Ale co mam pisać, jeśli rodzina królewska zachowuje się jak gwiazdy show-biznesu? Zarzucanie nam, że uczestniczymy w porachunkach pary książęcej jest niesprawiedliwe.

Księżna Walii była mistrzynią podwójnej gry, utrzymywała przyjazne stosunki z niektórymi tabloidami. Richard Kay z „Daily Mail" został jej powiernikiem, bo chodziło o upowszechnienie jej wersji kłótni małżeńskich. Trzydziestego sierpnia po południu – parę godzin przed śmiercią i zamknięciem wydania niedzielnego – Diana dzwoniła do niego, by opowiedzieć, jak jest szczęśliwa u boku Dodiego. Działy fotograficzne kilku tabloidów pamiętają, że były uprzedzane przez samą księżną albo jej sekretarza o prywatnych i „niespodziewanych" wizytach w szpitalach i instytucjach charytatywnych. Dianie, najczęściej fotografowanej kobiecie świata, chodziło o przeciwstawienie się ofensywie medialnej, którą od 1991 roku prowadził jej mąż i jego rodzina.

Prasa popularna jest odbiciem purytańskiego dziedzictwa, bo jej zdaniem to, jak znana postać zachowuje się w życiu prywatnym, ma wpływ na jej działalność publiczną. Osoba, która źle się prowadzi, nie może sprawować ważnej funkcji. Jeśli dodać do tego ludzką skłonność do podglądania i potrzebę piętnowania osoby, której moralność pozostawia sporo do życzenia, to mamy krzyczące tytuły wzbudzające powszechną sensację.

Roy Greenslade, były naczelny tabloidu, dziś profesor dziennikarstwa na London's City University dwadzieścia lat życia poświęcił badaniu gazet w swoim kraju. Autor monumentalnej historii prasy brytyjskiej po roku 1945 uważa, że rodzina królewska już nie dostarcza pracy wydawcom.

– Diana na pierwszej stronie mogła zwiększyć sprzedaż o dwadzieścia procent. Po jej śmierci to się skończyło. Dlatego Windsorowie potrzebują następnych osobowości. Kate Middleton (dziewczyna księcia Williama) nie porwała tłumów. Żeby zwiększyć zainteresowanie, potrzebna jest nowa Diana.

Nowe pokolenie dziennikarzy wyrosło w epoce braku szacunku do monarchii i traktuje ją tak, jak słynne gwiazdy. Nie chodzi o zniszczenie Windsorów, ale przy najmniejszym potknięciu rzucają się na nich jak sępy.

Problemem Windsorów jest to, że nie ma już gazet monarchistycznych. Zmieniły one front po śmierci Diany. „Daily Mail" nie zapomniał, że był ulubionym organem prasowym księżnej Walii i do końca sprzeciwiał się małżeństwu Karola z Camillą. „Daily Express" był rzecznikiem Mohameda Al Fayeda oskarżającego rodzinę królewską o zamordowanie Diany i jego syna. Dawny bastion tradycyjnej Anglii, „Daily Telegraph", wywołał niezadowolenie Pałacu, rozpisując się o trudnych relacjach księcia Karola z ojcem. Dobre imię Windsorów nie obchodzi młodego redaktora naczelnego gazety, bo takie już jest to młode pokolenie dziennikarzy. Wyjątek stanowi prasa prowincjonalna, która nadal ma wielki szacunek dla rodziny królewskiej. Ale jak długo to potrwa?

Tytuły zdecydowanie republikańskie, takie jak „The Guardian", „The Observer" czy „Independent", oscylują między obojętnością i krytyką. Najbardziej snobistyczny „Independent", który nigdy nie zamieszcza kalendarza zajęć rodziny królewskiej, jest dla tej grupy reprezentatywny. Gdy powstawał, w roku 1986, jako dziennik centrolewicowy w ogóle odmawiał pisania czegokolwiek na temat rodziny królewskiej, twierdząc, że monarchia jest zbyt nudna i zarezerwowana dla klas niższych, czytających tabloidy. Opublikował tylko krótką wzmiankę o ślubie Andrzeja i Sarah i dalej trzyma się tej polityki.

Były naczelny popularnego „Daily Mirror" jest innego zdania niż Greenslade:

– Monarchia w dalszym ciągu wpływa na wzrost sprzedaży, ale pod warunkiem, że publikuje się rewelacje.

Tak jak w jednym z numerów z 2003 roku. Jego dziennikarz, Ryan Parry, zatrudnił się jako służący w pałacu Buckingham i dzięki temu powstał niezwykły, ilustrowany zdjęciami opis królewskiego trybu życia i przedpotopowego protokołu. Te rewelacje, opublikowane 19 listopada 2003 roku, w drugim dniu wizyty prezydenta Busha w Wielkiej Brytanii, wywołały wielki skandal. Decyzją sądu „Mirror" musiał przerwać opowieść „służącego" i zapłacić królowej trzydzieści tysięcy funtów zadośćuczynienia. Bagatela, gdy się weźmie pod uwagę wzrost sprzedaży tamtego dnia. Dziennik zdobył przewagę nad konkurencją, bo jako jedyny zamieszcza teraz fragmenty książki Paula Burrella, byłego majordomusa księżnej Diany.

Śmierć Diany położyła kres pikantnym opowieściom o Windsorach. W roku 2002, gdy obchodzono złoty jubileusz królowej, tylko co piąty Brytyjczyk w wieku od szesnastu do dwudziestu czterech lat znał imiona czworga dzieci królowej. Ci sami młodzi ludzie wiedzieli za to wszystko o piłkarzach. Wayne Rooney czy Thierry Henry w nagłówku opłacają się bardziej niż rewelacje na temat Karola i Camilli. Jesteśmy daleko od „złotego wieku", kiedy to „Mirror" poświęcił dziewięć stron romansowi księżnej Yorku z jej doradcą finansowym. Dla monarchii największym zagrożeniem nie jest ruch republikański, lecz brak zainteresowania ze strony młodzieży.

*

Zdjęcie królowej, które w lipcu 1999 roku zamieściła na pierwszych stronach cała brytyjska prasa, jest dowodem na to, że popularyzowanie monarchii może się też łączyć z ryzykiem. Przedstawia królową przy herbacie z Susan McCarron, mieszkanką blokowiska w Glasgow. Na drugim planie syn tej pani dłubie w nosie, ku wyraźnemu zgorszeniu i przerażeniu damy dworu. Pałac wpadł na pomysł ocieplenia wizerunku monarchini, podkreślając jej empatię wobec prostych ludzi. Ktoś z królewskiego dworu mówi przy tej okazji o misji wśród Stuartów, domatorstwie Hanowerów i o germańskiej powadze rodziny Sachsen-Coburg, przemianowanej na Windsorów. Po prostu historia monarchii w pigułce.

Operacja okazała się kompletnym fiaskiem. Z fotografii, która pokazuje podział na „tych z góry" i „tych z dołu" nie emanuje żadne ciepło. Antymonarchistyczny „The Guardian" pęka ze śmiechu: „Prawdopodobieństwo takiego spotkania jest równie duże, jak tego, aby dwa słonie usiadły obok siebie w autobusie".

Uderzający jest kontrast między realistyczną fotografią z Glasgow a ugrzecznionym, prostodusznym wizerunkiem królowej na zdjęciu wykonanym przez wielkiego fotografa osób z wyższych sfer Cecila Beatona podczas koronacji w roku 1953. Królowa w koronie, z berłem i jabłkiem w dłoniach, w gronostajach. Tło stanowi pełna nostalgii dekoracja teatralna, na którą składają się biżuteria, mundury, obrazy, flamandzkie tapiserie i inne symbole monarchii.

Kilka tygodni później młoda królowa pozuje Jamesowi Gunnowi. Ten bardzo uroczysty portret jest jedynym, który znalazł się w Kolekcji Królewskiej. Wystawiony w Windsorze, bez wątpienia jest monarchini najbliższy, nawet jeżeli się do tego nie przyznaje, w obawie przed posądzeniem o próżność. Równie wierny heroicznej tradycji królewskiej *Błękitny Annigoni* z roku 1954, uwieczniający młodą królową udekorowaną Orderem Podwiązki, wyraża jednocześnie jej samotność i oddanie swojemu ludowi. Elżbieta II nie przepada za tym portretem.

W latach pięćdziesiątych i sześćdziesiątych monarchia cieszy się powszechnym szacunkiem. Gazety zamieszczają zdjęcia z pobytu królowej na wsi. Monarchini ubrana jest w proste suknie, nosi dyskretną biżuterię, chodzi w sportowych butach i w chuście od Hermesa na głowie. Autorami tych zdjęć są najwięksi fotografowie, do których królowa ma zaufanie, wśród nich oczywiście Cecil Beaton, któremu po raz ostatni pozuje w roku 1968. Także jej szwagier, Snowdon, z którym zawsze miała dobre stosunki, mimo przykrego rozwodu z księżniczką Małgorzatą. Ufała też kuzynowi Patrickowi Lichfieldowi, należącemu do najlepszego towarzystwa; fotografował ją aż do śmierci w roku 2005. Czwartym królewskim fotografem był Norman Parkinson, ekspert od gwiazd Hollywoodu, który unowocześnił wizerunek monarchii. W czasie rodzinnych seansów fotograficznych królowa wskazuje, gdzie kto ma zająć miejsce. Sama zawsze zajmuje pozycję centralną.

Ważny jest rok 1977. Z okazji jubileuszu wszystko jest przedstawiane w różowych barwach, bardzo pogodnie, lekko. Tymczasem na okładce punkowej płyty grupy Sex Pistols, *God Save the Queen*, widzimy Elżbietę II z agrafką w nosie. Sid Vicious wrzeszczy: „To kretynka". Powszechne potępienie zespołu za obrazę Jej Wysokości sprawia, że płyta trafia na pierwsze miejsca list przebojów. Następnym znakiem końca epoki szacunku, z innej już dziedziny, jest pierwsza nieautoryzowana biografia monarchini, zatytułowana *Majesty*, autorstwa Roberta Laceya. Wielcy wydawcy brytyjscy, przekonani, że książka zawierająca poważne analizy i najzwyklejsze plotki nie będzie się sprzedawać, odmawiają publikacji. Ratunek przychodzi ze strony małego wydawnictwa amerykańskiego. Odpowiedzialny za dział „Style" w „Sunday Times" Lacey zaprzyjaźnił się ze Snowdonem, który przedstawił go Mountbattenowi, a ten z kolei księciu Filipowi. Obchody srebrnego jubileuszu w roku 1977, spowodowały, że książka święciła triumfy na całym świecie. A królowa długo nie mogła wybaczyć autorowi opisującemu „teatr Windsorów" zbrodni obrazy majestatu. Został przedstawiony swojej bohaterce dopiero ćwierć wieku później.

Sukces, jaki odniosła królewska lalka w serialu kukiełkowym *Spitting Image*, dodatkowo nadwyręża wizerunek monarchii. W komicznej operze mydlanej Elżbieta II jest ekscentryczną babką otoczoną zwariowaną rodziną. W tym samym duchu tygodnik satyryczny „Private Eye" nazywa ją „Brendą". Publikacja fotografii wykonanej podczas wygłaszania przez nią mowy w Waszyngtonie (w roku 1991), na której wskutek braku taboretu widoczny jest tylko kapelusz królowej, zapowiada zbliżający się *annus horribilis*.

– Minął czas oficjalnych portretów przedstawiających piękne wizerunki, pozbawione takich śladów życia, jak zmarszczki czy blizny. Dzisiaj portreciści pokazują modela takim, jaki jest – mówi

Portret rodziny królewskiej podczas chrztu
Elżbiety Aleksandry Marii Windsor, 29 maja 1926
(© REX FEATURES)

Elżbieta w wieku czterech lat z rodzicami,
księciem i księżną Yorku, 1930
(© ADAMS MARCUS/CAMERA PRESS)

Od lewej: księżniczka Elżbieta i lady Helen Graham,
księżniczka Małgorzata i Marion Crawford w Londynie, 1939
(© ILN/CAMERA PRESS)

Edukacja muzyczna przyszłej królowej
(© REX FEATURES)

Księżniczka Elżbieta, numer 230873,
w Ośrodku Szkolenia Mechaników Transportu numer 1,
na południu Anglii, 1944
(© IWM/CAMERA PRESS)

Księżniczka Elżbieta bawi się w berka
na pokładzie HMS „Vanguard", 1947
(© BETTMANN/CORBIS)

Ślub księżniczki Elżbiety i lorda Mountbattena, księcia Edynburga,
w Opactwie Westminsterskim, 20 listopada 1947
(© KEYSTONE–FRANCE)

Rodzina królewska w Balmoral.
Od lewej: książę Karol (w wieku trzech lat), królowa Elżbieta,
księżniczka Małgorzata, książę Edynburga, król Jerzy VI,
księżniczka Elżbieta i roczna księżniczka Anna, 1951
(© BETTMANN/CORBIS)

Elżbieta i książę Karol w Balmoral, 1952
(© REX FEATURES)

Koronacja Elżbiety II. Obok niej książę Filip, Królowa Matka
i dwoje dzieci – Karol i Anna, 2 czerwca 1953
(© REX FEATURES)

Premier Winston Churchill i królowa Elżbieta II
wychodząca z kolacji na Downing Street, 1955
(© HULTON-DEUTSCH COLLECTION/CORBIS)

Królowa Elżbieta II przyjmuje Jacqueline Kennedy
w pałacu Buckingham, 1961
(© BETTMANN/CORBIS)

Charles de Gaulle i Elżbieta II w Londynie, kwiecień 1960
(© ROGER-VIOLLET)

Królowa Elżbieta II przybywa do Aberdeen ze swoimi corgi,
aby spędzić lato w rezydencji w Balmoral, 1974
(© HUSSEIN ANWAR/SIPA)

Valéry Giscard d'Estaing z wizytą oficjalną w Wielkiej Brytanii, 1976
(© PICOT/STILLS)

Diana Spencer i Camilla Parker-Bowles na wyścigach, 1980
(© REX FEATURES)

Rodzina królewska z balkonu pałacu Buckingham
pozdrawia tłum zebrany z okazji ślubu księcia i księżnej Walii,
29 lipca 1982
(© DOUGLAS KIRKLAND/CORBIS)

Elżbieta II w towarzystwie papieża Jana Pawła II
podczas jego pierwszej wizyty w Wielkiej Brytanii, 1982
(© DOUGLAS KIRKLAND/CORBIS)

Powitanie królowej Elżbiety II w Tuvalu, 1989
(© TIM GRAHAM/CORBIS)

Elżbieta II podczas derby w Epsom, 1989
(© DAVID HARTLEY/REX FEATURES)

Elżbieta II oddaje się swojej pasji w Sandringham, 1992
(© REX FEATURES)

Pożar Windsoru, 20 listopada 1992, *annus horribilis*
(© REX FEATURES/REX/SIPA)

Borys Jelcyn przyjmuje Elżbietę II podczas jej wizyty w Rosji, 1994

Królowa i królowa matka ze strażą irlandzką
w koszarach w Chelsea, 1996
(© LLOYD IAN/CAMERA PRESS)

Elżbieta II w państwowym powozie wiozącym ją do pałacu Buckingham;
Jacques Chirac rozsyła zgromadzonemu tłumowi pocałunki, maj 1996
(© TIM GRAHAM/CORBIS)

Królowa Elżbieta II i książę Filip czytają listy
złożone w hołdzie Dianie, 1997
(© P.A. NEWS/CORBIS KIPA)

Królowa Elżbieta II i premier Wielkiej Brytanii Tony Blair
podczas złotych godów królewskiej pary, listopad 1997
(© NILS JORGENSEN/REX FEATURES)

Bankiet w St. George's Hall na cześć prezydenta Węgier Arpáda Göncza
z okazji jego wizyty w Wielkiej Brytanii w 1999 roku
(© MARK STEWART/CAMERA PRESS)

Elżbieta II w Australii. Przygląda się tańcowi Aborygenów, 2000
(© MARK STEWART/CAMERA PRESS)

Książę Karol, William, Harry oraz Camilla Parker-Bowles
biorą udział w koncercie z okazji złotego jubileuszu
panowania Elżbiety II, ogrody pałacu Buckingham, 2002
(© CAMERA PRESS/ROTA/GAMMA)

Królowa Elżbieta II na szczycie państw G8 w Gleneagles.
Towarzyszą jej: Manuel Barroso, Silvio Berlusconi, Gerhard Schröder,
Junichiro Koizumi, Paul Martin, George W. Bush, książę Filip,
Jacques Chirac, Tony Blair i Władimir Putin, 6 lipca 2005
(© POOL/TIM GRAHAM PICTURE LIBRARY/CORBIS)

Margaret Thatcher wita królową Elżbietę II
na przyjęciu wydanym z okazji osiemdziesiątych urodzin
byłej pani premier, 13 października 2005
(© TIM GRAHAM/CORBIS)

Elżbieta II, książę Karol i Camilla w Braemar Games Highland, 2006
(© TIM GRAHAM/TIM GRAHAM PHOTO LIBRARY/CORBIS)

Hugh Roberts, dyrektor Kolekcji Królewskiej, odnosząc się do ostatnich portretów starzejącej się Lady.

Siergiej Pawlenko, rosyjsko-angielski malarz, który w 2002 roku namalował portret królowej, stwierdza:

– Malowanie to czynność bardzo stresująca, jest mało czasu i nie ma seansów powtórkowych. Otrzymałem zgodę na sześć sesji, z których każda trwała godzinę i dziesięć minut. Jedna na Wielkich Schodach i pięć w salonie. Skupiłem się na tym, co najtrudniejsze, na twarzy i dłoniach. Królowa nie ma wielu zmarszczek. Ma otwartą twarz i zwyczaj prowadzenia konwersacji podczas pozowania. Pokazałem ją taką, jaką sama siebie widzi: poprawną, sympatyczną, pozostającą w zgodzie z epoką.

Portret się podobał, bo Elżbieta zgodziła się pozować Pawlence ponownie. Tym razem z rodziną, podczas ceremonii nadania księciu Harry'emu szlifów oficerskich w Akademii Wojskowej w Sandhurst (w roku 2006). Później jeszcze jeden słynny absolwent tej uczelni, król Jordanii Abdullah II, zamówił u Pawlenki oficjalny portret.

Królowa może śmieszyć na ekranie, w teatrze czy w pubach, ale są granice, których nie wolno przekroczyć. Może dlatego, że jest symbolem państwa. Potwierdziło to przyjęcie w pałacu Buckingham wydane na cześć zasłużonych poddanych. Znalazł się wśród nich David Williams, jeden z aktorów grających w telewizyjnej komedii satyrycznej *Little Britain* [Mała Brytania].

Ona: Jak pan tu dotarł?

On: Przepłynąłem kanał La Manche wpław, w ramach kampanii na rzecz stowarzyszenia pomagającego sportowcom będącym w trudnej sytuacji.

Ona: Czy to trudne?

On: Bardzo trudne, pani.

Ona: A jaki jest pana zawód?

On: Jestem aktorem.

Ona: O, to interesujące.

David Williams twierdzi, że pomimo całkowicie prowokacyjnego charakteru tego programu absolutnie nie ma tam drwin z królowej.

– Próbowaliśmy skecz, w którym dwóch emerytów wymiotuje na królową. Nikogo to nie rozśmieszyło, więc scenę wycięto – mówi aktor. – Nie jestem rojalistą, ale uważam, że należy unikać spektakli w złym guście, godzących w majestat tego stanowiska.

Chyba że kiedyś rzeczywistość sama prześcignie fikcję.

IX
Królowa i jej dwór

Każdemu monarsze towarzyszy dwór. Prawdziwej królowej przystoi posiadanie prawdziwego dworu. Sprzyja temu ogrom pałacu Buckingham z jego ośmiuset pomieszczeniami. W porównaniu z nim pałace Zarzuela w Madrycie czy Laeken w Brukseli są willami z garstką służby.

Salon-poczekalnia pozwala zwiedzającemu, który wszedł przez Privy Purse Door z prawej strony fasady, wyrobić sobie pojęcie o charakterze tego dworu. Niewielki pokój z żółtymi ścianami, zieloną wykładziną i niemodnymi meblami jest udekorowany trzema obrazami. Pierwszy o tematyce batalistycznej, drugi jeździeckiej, a trzeci z panoramą Quebecu. Na marmurowym blacie konsoli stoi ciężki pozłacany zegar, a obok fotografia królowej w żółtym kostiumie (to jeden z jej ulubionych kolorów) oraz miesięczny program działalności członków rodziny królewskiej. Na stole leży „Daily Telegraph" i „Times", a obok miniatura samolotu Hurricane, który rozbił się na Palace Buckingham Road we wrześniu 1940 roku. Parę kroków dalej stoi roślina w donicy i kanapa. Typowy swojski wystrój w angielskim stylu.

Organizacja królewskiego domu to sprawa królowej. Ona jest tu panią karier administracyjnych, motywuje wiernych pracowników i eliminuje dysydentów. Przez dziesięciolecia odciska piętno na sposobie działania monarchii. Dlatego dwór jest bardzo zhierarchizowany.

Machina administracyjna monarchii składa się z trzech koncentrycznych kół: dam dworu, domu królewskiego i tych, którzy sprawiają, że „maszyna" się kręci: urzędników, robotników, sekretarzy, pokojówek, odźwiernych, służących, rzemieślników.

*

Lady uśmiecha się, a jej oczy błyszczą z radości:
– Królowa jest taka dostojna.

Ale natychmiast sztywnieje, gdy pytam ją, czy prawdą jest, że Jej Wysokość nie znosi goździków, a uwielbia groszek pachnący. Pytanie jest jak najbardziej na miejscu, bo przecież podczas wizyt królowa oddaje damie dworu stosy bukietów, z którymi nie miałaby co zrobić. Rozmowa nagle się urywa. Ze służbowym półuśmiechem i wyrazem twarzy ani za poważnym, ani zbyt swobodnym Lady mówi: „Niech pan uprzedzi szefową (tak te panie nazywają Elżbietę II), że pisze pan jej biografię" – i znika.

Moja rozmówczyni, której obiecałem, że nie wyjawię jej nazwiska, jest jedną z dwunastu dam dworu. Należy do pierwszego kręgu. Królowa ma do tych przedstawicielek arystokracji i wielkiej burżuazji pełne zaufanie. Sama je wybrała. Panie Grafton, Airlie, Hussey i Rupert-Neville noszą dziwne tytuły, nieadekwatne do pełnionych ról. Mistress of the Robe (garderobiana) i sukienne wcale nie zajmują się królewską garderobą. Pierwsza jest najważniejszą damą dworu, te następne żeńskimi odpowiednikami masztalerzy. Ich zadaniem jest odgadywanie myśli, potrzeb i życzeń monarchini, a także wyręczanie jej w konwersacji z tymi dygnitarzami, których porzuca dla innych. W Pałacu czytają korespondencję, pomagają królowej podczas oficjalnych ceremonii lub po prostu dotrzymują jej towarzystwa. Laikowi to zajęcie może się wydać najczystszą formą pańszczyzny. Jednak damy uważają, że służą nie tylko królowej, ale i krajowi. Tak, jak już się nie robi. Nie otrzymują bowiem wynagrodzenia, jedynie zwrot poniesionych kosztów. Zwykle należą do kręgu przyjaciółek Elżbiety II. Dzięki nim królowa ma kontakt z „koleżankami". Wybranki, jako osoby wysoko urodzone, mają nienaganne maniery, tego nie można się nauczyć z podręcznika. W dodatku muszą być inteligentne, ponieważ w obecności królowej nie wypada milczeć. Trzeba wiedzieć, jak bezpośrednio, ale z najwyższym szacunkiem zwracać się do monarchini i mieć tyle wyczucia, by nie przekroczyć najsubtelniejszych granic. W wielu sprawach muszą się wykazać inicjatywą. Mają zalety podobne do królewskich: opanowanie, ogładę, uprzejmość, skromność – z typowo angielską lekką skłonnością do udawania, że jest się mniej inteligentnym niż w rzeczywistości. Muszą być silne fizycznie, bo nie wolno im opuścić stanowiska nawet w celu „odświeżenia się", a to w związku z rozkładem zajęć uregulowanym jak szwajcarski zegarek. Ani schlebiające, ani uwodzicielskie, a tym bardziej uniżone, są zwolenniczkami tradycji w każdej dziedzinie. Elżbieta Windsor nie musi być kochana, nie potrzebuje pochlebstw ani wsparcia. Bezcenne doświadczenie dam dworu sprawia, że chętnie są zatrudniane na długie lata. Zwykle zaczynają służyć królowej po odchowaniu dzieci.

*

Drugim kręgiem dworu są doradcy. Na szczycie znajduje się generalny administrator domu królewskiego, Lord Szambelan. Mechanizm monarchii obraca się wokół sześciu osi: szefa ceremoniału, intendenta, prywatnego sekretarza, skarbnika, wielkiego koniuszego i kustosza Kolekcji Królewskiej. To ci dżentelmeni zarządzają pałacem Buckingham. Noszą eleganckie garnitury, a nie jak za Jerzego V – śmieszne bufiaste spodnie i jedwabne pończochy. To czołówka pałacowych pracowników. Ich funkcje i stanowiska mają bardzo stare, tradycyjne nazwy, nieco dziwaczne dzisiaj. Wszyscy oni mają prawo do tytułów szlacheckich. Ale w pałacu nie zwracają się do siebie Sir, lecz po imieniu, jak w każdej innej firmie. Są kimś w rodzaju rycerzy, których królowa sama pasowała. Dobre wykonywanie powierzonych im zadań wymaga długiego szkolenia. Każdy z nich musi przebyć wszystkie szczeble dworskiej kariery.

Trzeci krąg to współpracownicy, którzy wprawiają w ruch maszynerię o nazwie Windsor: prasa, księgowość, dział personalny, prawny, sekretarki.

Funkcja Lorda Szambelana jest honorowa i polega na dbaniu o sprawne działanie królewskiego domu. W 2007 roku pełnił ją hrabia Peel, potomek Roberta Peela, premiera królowej Wiktorii i założyciela Scotland Yardu. Wykształcony w elitarnej szkole rolniczej w Cirencester, wielki właściciel ziemski, jest znakomitym ambasadorem wyższych sfer. Przyjaźni się z księciem Karolem, a ożenił się z wnuczką Winstona Churchilla. Do roku 1968 Lord Szambelan zajmował się też cenzurowaniem sztuk teatralnych. Ten zwyczaj wprowadzono cztery wieki temu, aby chronić monarchię, a także dbać o moralność. Funkcję tę przypomniano niedawno w filmie *Zakochany Szekspir*.

Ale w Wielkiej Brytanii nie należy przykładać wagi do nazw i etykietek. Szambelan to funkcja czysto reprezentacyjna, hrabia Peel nie ma żadnej władzy.

– Jestem koordynatorem ceremoniału, który symbolizuje przymioty narodu: dokładność, dyscyplinę, powagę, szacunek dla prawa, grzeczność i przyzwoitość. Dbamy o porządek, by oszczędzić królowej przykrych niespodzianek. Nic nie powinno być pozostawione przypadkowi. Każdy uczestnik danego wydarzenia musi znać swoją rolę i miejsce w szeregu.

Do Andrew Forda, mistrza ceremonii i szefa protokołu w jednej osobie, należy organizacja uroczystości królewskich. Uprzejmy, energiczny mężczyzna o mocnych nerwach i radykalnych poglądach, były dowódca grenadierów, przywykł do wydawania rozkazów, o czym dobitnie świadczy jego władcze spojrzenie. Z biura, które znajduje się na końcu labiryntu mrocznych korytarzy, organizator uroczystości na dworze Windsorów dowodzi małym imperium. Jego zadania są imponujące. Co roku przygotowuje dwie wizyty szefów państw. Każda wymaga półrocznej pracy. Ich program przeważnie jest stały: przyjazd we wtorek, wyjazd w piątek, zakwaterowanie w pałacu Buckingham, rzadziej w Windsorze, wycieczka na prowincję wedle życzenia gościa. Mistrz ceremonii ma też w swoim terminarzu takie wydarzenia, jak otwarcie sesji parlamentu, spotkanie kawalerów i dam Orderu Podwiązki, cztery *garden parties*, przyjęcie dla korpusu dyplomatycznego i wiele innych.

Ford odpowiada także za codzienną ceremonię zmiany warty, która odbywa się o godzinie jedenastej trzydzieści na dziedzińcu pałacu Buckingham, przy wtórze instrumentów dętych i bębnów, ku wielkiej radości turystów ściśniętych pod bramą lub siedzących na pozłacanym pomniku królowej Wiktorii. Z powodu ograniczeń budżetowych praca mistrza ceremonii jest coraz trudniejsza. Niestety zagraniczne misje wojskowe wpłynęły na zmniejszenie liczby żołnierzy mogących uczestniczyć w paradach. Wydawałoby się, że państwo, które ma dobrze zorganizowaną armię zawodową, nie powinno mieć kłopotu z wydelegowaniem żołnierzy na takie ceremonie. Tymczasem koszary są puste z powodu misji w Iraku, Afganistanie, na Falklandach, na Cyprze i w Kosowie. Andrew Ford ma coraz większe trudności ze znalezieniem odpowiedniej liczby żołnierzy na defilady i obchody rocznicowe. Trzeba nie lada talentu i zręczności, by przy dużo skromniejszych środkach zadbać o tradycyjny splendor. Zwiększono więc odstępy pomiędzy żołnierzami straży honorowej.

Podczas królewskiej parady każdy ruch jest opracowany w najdrobniejszych szczegółach i ustalony raz na zawsze. Wszystko jest uregulowane jak w zegarku, i to od stuleci. Można zrozumieć podziw świata dla organizacji brytyjskich defilad wojskowych. Ford przyznaje, że wykonywanie zadań ułatwia mu umiejętność pracy w zespole, którą wyżsi urzędnicy państwowi mają doskonale wyćwiczoną, a także wojskowe wykształcenie.

Trzecią bardzo ważną osobistością na królewskim dworze jest prywatny sekretarz Elżbiety II. Jest jednym z tych wysokich urzędników państwowych, którzy nie bawią królowej, ale bez nich byłaby w kłopocie. W jego odczuciu służenie królowej jest służbą państwu.

Tapeta w kolorze byczej krwi, stare meble, ogromny żyrandol i duży obraz, na którym widnieją Pitt z Wellingtonem – biuro prywatnego sekretarza wygląda tak, jakby nic tu nie zmieniano od XIX wieku, czyli od czasów królowej Wiktorii. A jednak właśnie to ponure, wysokie pomieszczenie z plafonem jest sercem królewskiej władzy. Na kominku stoją słynne czerwone pudełka z monogramem ER (Elizabeth Regina), zawierające telegramy dyplomatyczne, raporty tajnych służb i inne oficjalne dokumenty, z którymi królowa musi się zapoznać. Dostaje taką porcję pięć razy w tygodniu, niezależnie od tego, gdzie przebywa – w Kanadzie, Tanzanii czy w Balmoral. To jej osobisty sekretarz wybiera informacje oficjalne i poufne przeznaczone dla królowej. Jest jej oknem na całe królestwo i świat. Na półce, która stoi tuż obok stołu do pracy, odkrywamy wiklinowy kosz, do którego każdego ranka trafiają dokumenty i korespondencja przeznaczone do parafowania. Dostarcza go do rąk królowej sekretarz lub któryś z jego dwóch zastępców. Nie zapominajmy, że monarchini jest najwyższą instancją w odczuciu jej poddanych. Cała ta ogromna korespondencja przechodzi przez tak niewielki departament.

Biuro królowej znajduje się na pierwszym piętrze, nad biurem prywatnego sekretarza, który jest głównym doradcą Elżbiety II. Ma do niej bezpośredni dostęp. Czasami widują się kilka razy dziennie. Pole jego działania jest dosyć rozległe. Pośredniczy między monarchinią a premierem w dziedzinach zarezerwowanych dla Jej Wysokości, dotyczących Wspólnoty Brytyjskiej, stosunków z innymi rodzinami królewskimi, terytoriów zamorskich, wizyt zagranicznych, organizacji charytatywnych i pułków, którym królowa patronuje. Prowadzi kalendarz jej spotkań. Jego zadaniem jest także znalezienie w nim chwil wolnych na karmienie psów i kaczek (ze srebrnych naczyń), na samotne spacery po parku czy oglądanie zawodów hipicznych w telewizji. Nawet dzieci umawiają się z Elżbietą II za pośrednictwem sekretarza. Pełni on także rolę bufora między Pałacem a policją, wojskiem, sekretarzem generalnym Wspólnoty Brytyjskiej, który ma biuro w Londynie, oraz Kościołem anglikańskim. W departamencie pracuje pięćdziesiąt osób. Zajmują się obsługą prasową królowej, podróżami, archiwami i redagowaniem przemówień – z pomocą ministerstw, których dotyczą. Za ich pośrednictwem Elżbieta II wysyła także osobiste gratulacje do stulatków.

Dyrektor generalny firmy Windsor musi mieć wszechstronne przygotowanie: doświadczenie w sprawach państwowych, ogromne poczucie odpowiedzialności, umiejętność syntezy, bezbłędne wyczucie rangi informacji. Ponieważ królowa nie może czytać wszystkiego, to on wybiera dokumenty, które zostaną jej przedstawione. Dla ułatwienia często zakreśla najistotniejsze fragmenty. Musi wiedzieć, co jest najważniejsze, unikać dygresji, a przede wszystkim udzielić królowej najlepszej rady, nawet gdyby miała być dla niej nieprzyjemna. Z tych powodów Jej Wysokość zawsze wolała widzieć na tym stanowisku zawodowych dyplomatów niż urzędników.

Osobisty sekretarz dzieli z królową zarówno chwile kryzysu, jak i godziny chwały. Jest lojalny. Znając wszystkie sekrety, podobnie jak ona unika prasy. Bardzo elegancko uchyla się od odpowiedzi na delikatne pytania i uważa na to, co mówi. Wybiera go sama królowa. Po śmierci monarchy traci posadę, zwalniając miejsce ekipie następcy.

Ze względu na wymagane na tym stanowisku talenty organizacyjne szefem intendentury tradycyjnie jest wojskowy, przedstawiciel jednego z trzech rodzajów broni, w stopniu generała bądź admirała. Zarządza największym departamentem Pałacu, zatrudniającym dwieście dwadzieścia osób. W skład intendentury wchodzą trzy sekcje. Sekcja F (*food*) zajmuje się jedzeniem. Odpowiedzialny za nie oraz za przygotowywanie jadłospisu i jego wykonanie pałacowy kucharz, Brytyjczyk, musi karmić królową, doradców i pozostały personel, a jeśli trzeba, także wielkich tego świata. Sekcja G (*general*) to centrum zakupów i służby techniczne: magazynierzy, stolarze, złotnicy, dekarze, służący i paziowie, tragarze oraz ci, którzy nakręcają zegary. Sekcja H (*housekeeping*) zajmuje się sprzątaniem pałacu i zatrudnia pięćdziesiąt osób, w tym sprzątaczki i pokojówki.

Zarządca domu ma dwóch zastępców. Do obowiązków pierwszego należy wyłącznie układanie listy gości i rozmieszczanie ich przy stole, drugi nadzoruje sekcje F, G i H. Główne role w codziennym życiu królowej odgrywają cztery osoby: garderobiana, porządkowa i dwóch prywatnych paziów. Ci ostatni podają do stołu i zajmują się psami. Muszą mieć niezłą kondycję, żeby biegać po piętrach i kilometrowych korytarzach.

Katalog Royal Collection, czyli Kolekcji Królewskiej, ogląda się z wypiekami na twarzy. Osiem tysięcy obrazów wielkich mistrzów pędzla, w tym arcydzieła Rembrandta, Rubensa, Canaletta, dwadzieścia tysięcy rysunków i pasteli, między innymi kilka rysunków Leonarda da Vinci, najpiękniejsza na świecie kolekcja porcelany z Sèvres, zabytkowe meble francuskie, tysiące starych książek... To bogactwo przyprawia o zawrót głowy. Kolekcja jest rozproszona po różnych pałacach, ministerstwach i muzeach. Królowa bardzo często wypożycza swoje obrazy na duże wystawy. Jest dzisiaj jedynym monarchą na świecie posiadającym na własność kolekcję narodową. Drugą taką osobą jest papież – właściciel skarbów watykańskich. Ze względu na rozmiary, znaczenie i niezwykłą różnorodność eksponatów kolekcja królowej cieszy się opinią jednej z najznakomitszych na świecie.

Powołana do życia w 1987 roku, aby zgromadzić obiekty znajdujące się w siedmiu miejscach (Buckingham, Windsor, Kensington, Hampton Court, Tower, Banqueting Hall i Kew), Royal Collection zatrudnia dzisiaj trzysta pięćdziesiąt osób. Jest instytucją niezależną finansowo. Dochód czerpie z biletów i pamiątek sprzedawanych w Windsorze, Holyrood House i Queen's Galery w pałacu Buckingham. Dodatkowe wpływy zawdzięcza otwarciu pałacu dla publiczności. Przyjmuje pięć milionów zwiedzających rocznie, czyli więcej niż British Museum. Jest podzielona na trzy duże działy: obrazów, porcelany, książek i rysunków. Ma też własne pracownie konserwatorskie.

Za jej fundatora uważa się Jerzego IV (1762–1830). Monarcha mógł dowolnie kupować i sprzedawać dzieła sztuki. Dzisiaj byłoby to niemożliwe. Królowa jest posiadaczką tych skarbów w imieniu narodu, bo przedmioty te zostały zdobyte, otrzymane w darze lub kupione za publiczne pieniądze. Sukces finansowy Wielkiej Wystawy w Crystal Palace pozwolił rozszerzyć kolekcję. Teraz zakupy zdarzają się rzadko.

– To mi ułatwia życie – mówi cichym, spokojnym głosem Hugh Roberts, dyrektor kolekcji.

Czy wyrastając wśród tych wspaniałych dzieł sztuki, królowa rozwinęła jakiś szczególny zmysł estetyczny?

– Jestem przekonany, że jeżeli nie spodoba jej się to, co wystawiam, powie mi o tym – wyjaśnia dyrektor, patrząc na mnie oczami niebieskimi jak porcelana z Sèvres.

Styl Elżbiety II właściwie nie istnieje. Pompidou odcisnął swoje piętno na wystroju Pałacu Prezydenckiego, choć mieszkali w nim tylko generał de Gaulle i Jacques Chirac. Królowa nie zrobiła ze swoich apartamentów wystawy współczesnego designu, architektury wnętrz czy galerii sztuki dekoracyjnej. Tylko dawne apartamenty książęce na drugim piętrze zostały zaprojektowane bardzo elegancko i funkcjonalnie przez Davida Hicksa, zięcia Mountbattena. Jej Wysokość, która nigdy nie lubiła pałacu Buckingham, musi w nim rezydować. Je w nim wszystkie posiłki i kładzie się spać. Nie może się spotykać z przyjaciółmi w restauracji czy u nich w domu. Żyje w odosobnieniu.

*

W przeciwieństwie do prezydenta Francji królowa nie narzuca sposobu funkcjonowania Pałacu. „Nie ma takich ambicji. Zdaje sobie sprawę, że to, iż jest królową, nie jest jej zasługą, tylko wynikiem wysokiego urodzenia i splotu wielu okoliczności. Spokojna i zrównoważona, akceptuje decyzje doradców. Jest szefową, która nie rządzi, i ma do podwładnych pełne zaufanie. Jeżeli uważa, że jakaś decyzja jest zła, mówi im o tym. Ale jest zbyt dobrze wychowana, by podpowiadać rozwiązania". Słuchając byłego dworzanina, można by pomyśleć, że królowa ma przed sobą całe życie, zmiany wprowadza powoli.

„Dla biurokracji to marzenie. Zawsze wiadomo, czego się trzymać". Wszyscy podkreślają jej doskonałe zorganizowanie. Podpisuje dokumenty, które są jej dostarczane, i z odpowiednimi adnotacjami natychmiast je odsyła. Ma świetną pamięć, zgadza się lub nie na zaproponowane rozwiązania, nie wchodząc w szczegóły. Trzeba jednak umieć interpretować jej swoisty kod. Na przykład pytanie: „Czy jest pan pewny?" – oznacza odmowę. „W czym to może pomóc?" – znaczy, że pomysł jest dziwaczny. W sprawach ważnych decyduje sama, nie pytając o zdanie męża. Jerzy VI bez przerwy radził się żony. Podwładni Elżbiety II mówią, że ma ścisły, logiczny umysł, i wychwalają jej punktualność, kurtuazję, a zwłaszcza umiejętność słuchania. Gdy rozmówca zabiera jej zbyt wiele czasu, patrzy na niego beznamiętnie, by dać mu odczuć królewskie niezadowolenie.

Nie ma nic przeciwko pałacowym plotkom. W tym tak klaustrofobicznym świecie izolacja, przywileje i podziały tylko wzmacniają zazdrość, pretensje i humory. O tym, co dzieje się w jej własnej rodzinie, informuje ją służba. To właśnie oni dali jej znać o kłopotach Karola i Diany.

Elżbieta II trafnie ocenia ludzi, bez złudzeń i zbytniej pobłażliwości.

– Trzeba zdobyć jej zaufanie. Referuje się problem i przedstawia jego rozwiązanie, a ona bardzo szybko decyduje, co dalej. Nie znosi tracić czasu i być zaskakiwana – mówi jeden z jej współpracowników.

Córka Jerzego VI jest nie do pobicia w sprawach etykiety i protokołu. Przed przyjęciami osobiście koryguje plan stołu. Monarchia ma swoje symbole i ceremoniał, których nie wolno zmieniać. Królowa nie oswoiła się z nowymi technologiami. Wie o istnieniu Internetu, ale z niego nie korzysta, wbrew temu, co opowiadają jej hagiografowie. Ale jej kadra zarządzająca jest wyposażona w BlackBerry. Ona sama zawsze ma w torebce telefon komórkowy, ale nie używa go publicznie. Jej numer jest tajemnicą państwową.

„Jestem tradycjonalistką" – lubi powtarzać Elżbieta II. Jej krytycy mogliby dodać, że jest z tego dumna. Ich zdaniem jest osobą zasadniczą, konserwatywną, potrafi akceptować zmiany, zamiast je wyprzedzać. Po co zmieniać coś, co jest dobre? Taka mogłaby być jej dewiza. Szanuje ustalone reguły i uważa, że wszelkie innowacje psują istniejący system.

– Jest to osobowość rozmiłowana w przeszłości, pod żadnym pozorem nie lubi ryzykować – żali się jej były doradca. Podkreśla też niezdolność królowej do wyrażania uczuć. – Gdy się do pana zwraca, ma pan wrażenie, że jest niewidoczny, nie istnieje. Ma spojrzenie płaza.

*

Wyobraźmy sobie, że jakiś młody człowiek chciałby pracować w Pałacu. Jak ma się do tego zabrać? Po pierwsze, tak jak w każdej instytucji, jest tam podział na stanowiska kierownicze i personel. Do niedawna wszyscy kierownicy i szefowie wywodzili się głównie z Foreign Office. Dostrzeżony podczas jednej z wizyt w Indiach Robert Janvrin, wówczas młody dyplomata, został przyjęty jako personel do biura prasowego i mozolnie wspinał się po szczeblach kariery, zostając z czasem prywatnym sekretarzem królowej.

Politycy są na straconej pozycji, odwrotnie niż w tradycji francuskiej czy amerykańskiej. Pensja nie jest wysoka, ale prestiż pracodawcy wart jest zawrotnych premii w City. W dodatku można mieć nadzieję na tytuł sir lub lady. Schemat organizacyjny to litania parów, rycerzy, członków Imperium Brytyjskiego i kawalerów Orderu Świętego Jerzego. W Pałacu Buckingham minął czas potomków wielkich arystokratycznych rodzin, podobnie uformowanych dyletantów.

Pod względem wynagrodzenia zwykły personel dzieli się na cztery kategorie. Rekrutuje się go przez ogłoszenia prasowe.

Wbrew deklaracjom Pałac jest splamiony seksizmem. Królowa woli przystojnych mężczyzn. Brodaci i wąsaci nie mają szans, podobnie jak otyli, pryszczaci czy niechlujni. Nie życzy sobie, by jej najbliżsi doradcy nosili kamizelki, które kojarzą jej się raczej z odźwiernymi i ochmistrzami.

Podobno jest tak dlatego, że dorastała w otoczeniu mężczyzn. Jej dzieciństwo upływało w rytmie podwieczorków, które matka wydawała na cześć wojskowych, zwłaszcza lotników amerykańskich, nowozelandzkich, kanadyjskich, australijskich, i przyjęć dla uczniów Eton, oraz na odwiedzaniu królewskich regimentów. Poza damami dworu otoczenie królowej jest całkowicie męskie: doradcy, politycy, żołnierze, kler, hodowcy koni i myśliwi. Elżbieta myśli po męsku i nie znosi kobiecej paplaniny. W czasie tak zwanych obiadów tematycznych małżonki traktowane są trochę jak dodatki do mężów. Podobnie jest w przypadku polityków, zarówno brytyjskich, jak i zagranicznych. Jej stosunki z paniami Thatcher, Bandaranaike czy Gandhi były dosyć chłodne. Tylko dwie kobiety zajmowały ważne funkcje w królewskiej administracji jako zastępczynie osobistego sekretarza królowej. W Buckingham panie pracują głównie w biurze prasowym, w dziale personalnym i księgowości. Jako pułkownik około dwudziestu pułków Elżbieta II nigdy nie miała w nich żadnej amazonki.

*

Mniejszości etniczne w domu królewskim też są reprezentowane słabo. Na sześciuset pięćdziesięciu zatrudnionych tylko około pięćdziesięciu osób pochodzi ze środowiska imigrantów. Jedynie Coleen Harris, pochodząca z Antyli, pełniła w latach 1998–2003 ważną funkcję rzecznika księcia Karola. Gdy pojawiła się na dworze następcy tronu, jako osoba odpowiedzialna wcześniej za komunikację w różnych ministerstwach, zatrudniona przez łowców głów, została przyjęta z otwartymi ramionami. Ale dwór Karola jest przychylniej nastawiony do wielokulturowej społeczności.

– Pałac Buckingham w dalszym ciągu jest zhierarchizowany, mało wrażliwy na poprawność polityczną i zróżnicowanie kultur. Najważniejsza jest lojalność i staż pracy; utarte nawyki, lęk przed nieznanym i unikanie kontaktów z prasą pozwalają utrzymywać status quo – mówi Coleen Harris.

Tę opinię potwierdza gwardia królewska. Istniejący od trzystu lat pułk pierwszego czarnoskórego oficera przyjął dopiero w 2007 roku, mimo że książę Walii prowadził kampanię mającą na celu rekrutację wojskowych z Antyli i Indii. Oficer ten nie pochodzi jednak z getta w Brixton, lecz jest synem nigeryjskiego przywódcy, ma dyplom elitarnej szkoły prywatnej w Harrow i Akademii Wojskowej w Sandhurst, gdzie szkolił się u boku księcia Williama.

Drugim chlubnym przykładem może być posada zastępcy szefa serwisu prasowego. Tradycyjnie jest zarezerwowana dla obywatela Wspólnoty Brytyjskiej, ale zawsze przypadała w udziale białym. Pod pretekstem – któremu nikt nie dawał wiary – że musi być finansowana przez kraj pochodzenia tego urzędnika. W 2007 roku czarnoskóry obywatel Wspólnoty zajmował ważne stanowisko koniuszego królowej. Tylko kilka tygodni – w czasie przygotowań do wizyty Elżbiety II w jego kraju.

Rodzina królewska nie może być posądzana o rasizm, bo jest ponad wszystkimi klasami społecznymi. A jednak niektórzy jej członkowie byli oskarżani o wypowiedzi obraźliwe dla mniejszości. Księżniczka Kentu podczas kolacji w modnej nowojorskiej restauracji poprosiła grupę hałaśliwych czarnoskórych, by „wrócili do swoich kolonii". Podczas wizyty w Chicago w związku z zamordowaniem lorda Mountbattena przez IRA księżniczka Małgorzata powiedziała, że Irlandczycy są „wieprzami... wieprzami nie do oczyszczenia". Książę Filip bawił towarzystwo, dowcipkując na temat skośnych oczu Chińczyków.

– Byłoby fantastycznie, gdyby królowa potępiła kiedyś dyskryminację. Jej siła polega na tym, że w trudnych chwilach może scementować społeczeństwo. Nie użyła tej broni. W XXI wieku trzeba mieć więcej odwagi, aby udzielić wsparcia grupom będącym w trudniejszym położeniu – mówi Coleen Harris.

W bożonarodzeniowych wystąpieniach, w które ludzie bardzo się wsłuchują, królowa nigdy nie wypowiedziała się nawet słowem przeciwko ksenofobii. W tej sprawie ma poglądy dość osobliwe. Popierała dekolonizację, ale jest naznaczona, jak całe jej pokolenie, wspomnieniem imperium, w którym wyrosła. Akceptuje społeczeństwo wielokulturowe, ale go nie rozumie. Zupełnie tak samo jak zwykli biali w królestwie, którzy tradycyjnie ją popierają. W otwieraniu się na mniejszości Pałac natrafia na dodatkową barierę: przyzwyczajenia rodzin pochodzących z Antyli czy Azji. Rodzice wolą, aby ich najzdolniejsze dzieci wybierały wolne zawody – pracę w mediach albo posady w administracji – gdzie ich zdaniem zostaną lepiej przyjęte. Kolorowi imigranci ciągle postrzegają dwór jako bastion starego imperialnego porządku, sprzyjającego białym.

Coleen Harris stara się jednak zrozumieć i usprawiedliwić brak przedstawicieli mniejszości w Pałacu:

– W dniu kiedy zostałam zatrudniona poprosiłam dwóch kolegów, żeby zjedli ze mną obiad. Odmówili z zażenowaniem. Czy to rasizm? Nie. Po prostu nie mieli prawa wstępu do jadalni dla kierowników i musieli się zadowolić stołówką dla niższych rangą pracowników.

*

Kontrast pomiędzy pompatycznym pałacem Buckingham i skromnym pałacem Saint James, gdzie mieszczą się biura księcia Karola, jest dość wyraźny. Niskie stropy, na ścianach ryciny przedstawiające sceny polowań, sporo chińskich przedmiotów sprawiają wrażenie, że jesteśmy w sympatycznym dworku. No cóż, tradycyjnie dwór następcy tronu nie może się w żaden sposób równać z dworem monarchy, i pewnie tylko o to tu chodzi. Tuzin doradców chyba nie czuje się usatysfakcjonowany, wspierając człowieka, którego jedynym zadaniem jest czekanie. Z powodu podeszłego wieku matki syn przejął jednak część obowiązków reprezentacyjnych, takich jak wręczanie odznaczeń czy odwiedzanie miejsc, w których doszło do katastrof. Z tego powodu organizacja pałacu Saint James musiała ulec zmianie, wzorując się na strukturze administracyjnej Pałacu Buckingham. Ta reforma powinna wyeliminować ciągłe nieporozumienia pomiędzy pałacami i przygotować księcia do objęcia tronu.

Po fiasku, jakim był wywiad telewizyjny z 1994 roku, w którym Karol wyznał niewierność, książę Walii robi porządek, pozbywając się prywatnego sekretarza i rzecznika prasowego. W 1996 roku na stanowisko zastępcy dyrektora gabinetu przyjmuje Marka Bollanda, wcześniej dyrektora generalnego komisji skarg na prasę. Jego nominacja jest zaskoczeniem, ponieważ nie spełnia on warunków. Jest synem murarza, ma dyplom chemika małego uniwersytetu w północnej Anglii. Krótko mówiąc, nigdy nie zaliczyłby egzaminu z jedzenia czereśni i wytwornego wypluwania pestek. Albo nakładania nożem groszku na grzbiet widelca. Ale sytuacja jest kryzysowa – popularność księcia Walii, obwinianego o rozpad małżeństwa z Dianą, bardzo zmalała. A Bolland dobrze zna mechanizm działania prasy. W dodatku jest bliskim znajomym naczelnej redaktorki dziennika „The Sun", pani Wade. Pomaga więc zneutralizować wrogość głównego tytułu prasy popularnej wobec księcia. Bardzo prędko staje się też kimś w rodzaju guru księcia Walii, w wyniku rozwodu pozbawionego stabilizacji. Pierwszego września 1997 roku Bolland jedzie z Karolem do Paryża po ciało Diany. Prasa nazywa Bollanda „książęcym Machiavellim" i negocjuje z nim układ w sprawie pozostawienia w spokoju Williama i Harry'ego aż do końca ich studiów. Ale jego najważniejsza misja ma na celu doprowadzenie do zaakceptowania Camilli Parker-Bowles, książęcej metresy, przez opinię publiczną. Rozumowanie księcia jest proste: jeżeli lud zaakceptuje Camillę, królowa nie będzie się mogła sprzeciwić ich małżeństwu. Bolland opracowuje strategię. Po pierwsze chodzi o to, aby książę Karol jak najczęściej pokazywał się w towarzystwie gwiazd piosenki, telewizji, kina, i żeby prowadził dalej część akcji charytatywnych Diany, takich jak walka z AIDS. Spin doktor ma też drugi, znacznie ryzykowniejszy plan: polega on na przyćmieniu obrazu innych Windsorów, aby w ten sposób poprawić wizerunek następcy tronu i Camilli. Głównym celem Bollanda jest Edward, najmłodszy syn królowej, i jego żona. Będą mu służyli za czarne owce. Podczas gdy prasa szanuje prywatność księcia Williama, firma należąca do Edwarda w tajemnicy filmuje młodego księcia na Uniwersytecie Saint Andrews. Edward złamał pakt medialny, a Karol ku uciesze tabloidów daje do zrozumienia, że jego brat „jest kompletnym idiotą".

Królowa jest wściekła, że jej jedyne nierozwiedzione dziecko trafia na łamy brukowców. Mark Bolland staje się wrogiem królowej. Narzędziem zemsty jest Michael Peat, dyrektor finansowy Pałacu Buckingham. Elżbieta mianuje go prywatnym sekretarzem księcia Karola i wysyła do pałacu Saint James, by zrobił porządek. Ten łysy człowieczek, lubiący, kiedy nazywa się go Mike, tłumaczy księciu Walii, że jeżeli chce poślubić Camillę, musi zbliżyć się do matki. Bolland, który wzniecał kłótnie w rodzinie Windsorów, musi zniknąć. Karol się zgadza. Bolland zostaje zwolniony bez jakiejkolwiek rekompensaty za swoje starania. To wielka niezręczność, bo gdy zakłada własną firmę PR, pluje jadem na księcia Karola, a nawet prowokuje incydenty dyplomatyczne. To właśnie Bolland ujawnia prasie, że książę zbojkotował kolację wydaną przez królową na cześć prezydenta Jiang Zemina, aby wyrazić sprzeciw wobec okupacji Tybetu.

– Opowiedzenie się po stronie Camilli okazało się moją wielką klęską – przyznaje dzisiaj ten specjalista od PR. Jego upadek jest typowo, rozpaczliwie angielski, wynika z nierówności klas społecznych.

Od czasu afery Bollanda strategia księcia Karola polega na nagłaśnianiu działalności charytatywnej i mówieniu jak najmniej o życiu prywatnym. Realizuje ją z wielkim poświęceniem dyrektor od książęcego PR, Paddy Harverson były rzecznik prasowy klubu piłkarskiego Manchester United. W Saint Jame's Palace znalazł się specjalista od futbolu: Beckham – Karol, czyż to nie wszystko jedno?!

Podobnie jak inne wielkie instytucje w królestwie, także monarchia dysponuje siecią wiernych organizacji i osób. Nie chodzi o przyjaciół, jak w przypadku Chiraca czy Mitterranda. Podczas koronacji, w 1953 roku, królowa wsparła się na trzech filarach, które do dziś są jej wierne: armii, Kościele anglikańskim i szlachcie.

*

Monarchinię tradycyjnie wspiera też Partia Konserwatywna, angielska prawica i labourzyści ze starej szkoły, którzy z zasady opowiadają się za monarchią. Trudno pominąć i Foreign Office, którego pracownicy dbają o to, by królową otaczała odpowiednia aura podczas wizyt w krajach Wspólnoty Brytyjskiej i w monarchiach Zatoki Perskiej. Wielu zwolenników ma także wśród rozlicznych stowarzyszeń, ich stałych członków, wolontariuszy, jak również darczyńców. Ma wsparcie szefów firm i City, gdzie procentują królewskie pieniądze.

Z drugiej strony królowa zupełnie nie robi wrażenia na intelektualistach. Nieufność jest zresztą wzajemna. Wydaje się, że Elżbieta II łaskawym okiem spogląda tylko na historyków monarchii i ekspertów wojskowych.

Ludzie wysoko postawieni w królewskiej hierarchii mają swoje zwyczaje i zamknięte miejsca spotkań dla wyższych sfer. W dzisiejszych czasach kierowanie monarchią to także kontakty towarzyskie. Królewska loża w Albert Hall, wielkiej londyńskiej sali koncertowej, jest jednym z takich miejsc, gdzie dwór może zapraszać grube ryby ze świata polityki, Kościoła, biznesu, mediów i sztuki. Podczas antraktów można wymieniać poglądy, miło spędzając wieczór. Takie kontakty są cennym źródłem informacji. Niebagatelną rolę pełnią też kluby dla dżentelmenów: White's, Garrick, Brook's. Są to miejsca, gdzie między porto i stiltonem może dojść do porozumienia w trudnych sprawach, wymagających nie lada zręczności. Nie należy zapominać o dorocznych rautach – spotykają się na nich wszyscy, którzy mają w królestwie coś do powiedzenia – ani o turnieju w Wimbledonie, regatach w Henley, operze Glyndebourne czy wyścigach konnych w Ascot i Epsom, gdzie rodzina królewska ma zarezerwowane dla siebie loże. Lobby królewskie nikogo do niczego nie zmusza. Królowa dostaje poparcie wielu grup, nie dając nic w zamian, poza łaskawym poważaniem.

X
Królowa i pieniądze

Królowa nigdy nie musiała zabiegać o dobra doczesne, wielka fortuna była chyba jej sądzona. W jej wełnianej pończosze znajdują się odziedziczone pieniądze rentierki. Nie musi zarządzać przedsiębiorstwem i go rozwijać w nadziei stworzenia dynastii przemysłowej. Nie jest gwiazdą show-biznesu, mediów ani sportu, która dzień w dzień sprzedaje swój wizerunek, jedyny kapitał, jaki posiada. W przeciwieństwie do innych miliarderów głowa państwa nie musi się obawiać włamania ani porwania. Elżbieta II uważa swoją własność za majątek rodowy dzieci i wnuków. Jak inni bogacze poświęca się wolontariatowi oraz pomocy bliskim w potrzebie. Żyje pośród obrazów wielkich mistrzów, wspaniałych mebli i pięknej porcelany, a w sprawach majątkowych zachowuje dyskrecję bliską manii. Wszystko zgodnie z dewizą: „Aby żyć szczęśliwie, żyjmy w ukryciu". Nie musi się obawiać fiskusa, a jej prywatnej „skarbonki" nie osłaniają fikcyjne firmy zarejestrowane w rajach podatkowych. Wielkie fortuny starają się zdobywać sympatię polityków, ale jej to nie dotyczy, jest przecież królową.

Frak, biały kołnierzyk i skrzypiące czarne buty powodują, że finansiści z Banku Coutts wyglądają tak, jakby właśnie sfrunęli z kart powieści Dickensa. To tylko pozory. Ci dżentelmeni są bankierami królowej. *By Appointment of Her Majesty the Queen* – zgodnie z rytualną formułą. Firma powstała w Londynie trzysta lat temu i symbolizuje alians między pieniędzmi i Koroną. „Członkowie mojej rodziny przez wieki korzystali z waszych mądrych i ostrożnych porad" – mówiła Elżbieta II na otwarciu nowej siedziby banku w roku 1978. Ciekawa historia: w tym samym miejscu w XVII wieku Elżbieta I kazała ściąć zdrajcę Thomasa Howarda, czwartego księcia Norfolk. Od tamtego czasu jego duch błąka się po korytarzach banku. W 1993 roku czterech recepcjonistów zabrano do szpitala, po tym jak ujrzeli go na ruchomych schodach. Dyrekcja wynajęła wtedy zaklinacza duchów, który nakazał zjawie zrezygnować z zemsty na potomkach Elżbiety I. Wtedy wszystko się uspokoiło.

„Królowa jest taką samą klientką jak inni". Pozwolę sobie wątpić w te słowa jednego z dyrektorów banku Coutts. Królowa nie ma książeczki czekowej ani karty kredytowej. Elżbieta nie wie, co to są pieniądze, i nigdy nie ma przy sobie ani grosza. To jej dama dworu zajmuje się nielicznymi płatnościami gotówką, których królowa musi dokonać. Bank kontaktuje się z Pałacem Buckingham bezpieczną pocztą elektroniczną. Można sobie wyobrazić radość tabloidu „News of the World", gdyby udało mu się zdobyć wyciąg z konta bankowego królowej.

Na liście wielkich fortun sporządzonej w 2007 roku przez „Sunday Times" monarchini z trzystu dwudziestoma milionami funtów znajduje się dopiero na dwieście dwudziestej dziewiątej pozycji, czyli na tym samym miejscu co armator John Goulandris, książę Northumberland i założyciele sieci salonów optycznych „Specsavers". W Anglii to średnia fortuna, a królowa jest „ubogą krewną" sułtana Brunei, króla Arabii Saudyjskiej Fahda, emira Kuwejtu i holenderskiej królowej Beatrix, głównej akcjonariuszki angielsko-holenderskiej firmy naftowej Shell.

Siedemnaście lat wcześniej Elżbieta II została uznana za posiadaczkę pierwszej fortuny w królestwie. Co się więc stało?

Autor rankingu z „Sunday Times", Philip Beresford, jest specjalistą od fortuny Windsorów. Oto jego wypowiedź:

– Do lat dziewięćdziesiątych dobra osobiste królowej i te, którymi dysponuje w imieniu państwa, nie były rozdzielone. Stało się to w roku 1994. Coroczne publikowanie rachunków Pałacu Buckingham miało uzmysłowić społeczeństwu oficjalne wydatki monarchii, ale wiele pytań dotyczących prywatnej części tych dóbr dalej pozostaje niewyjaśnionych. Tylko podanie do publicznej wiadomości zeznania podatkowego królowej – co jest mało prawdopodobne – mogłoby na nie odpowiedzieć.

Dobrze, że rozdzielono fortunę Jej Wysokości na pieniądze prywatne i publiczne. Wcieleniem tej dwoistości jest Alan Reid. *Keeper of the Privy Purse* (strażnik prywatnej szkatuły), dyrektor finansowy, były audytor, który pełni dwie funkcje: zarządzającego prywatną fortuną królowej oraz skarbnika dotacji państwowych i dóbr królewskich, które nie mogą być nikomu przez królową odstąpione.

Skromność osoby odpowiedzialnej za królewskie finanse jest zaskakująca. Jego biuro z widokiem na wewnętrzny dziedziniec pałacu Buckingham nie ma podwójnych obitych drzwi strzeżonych przez odźwiernego. Posiadacz kluczy do sejfu Windsorów sam nalewa mi herbatę z termosu. Ten sympatyczny Szkot, raczej księgowy niż finansista, na pewno nigdy nie zdradzi tajemnic portfela i lokat Elżbiety II, jest dobrym dyplomatą:

– Mogę potwierdzić jedną rzecz – mówi – wszystkie szacunki dotyczące fortuny królowej, nad czym ubolewamy, są bardzo mocno przesadzone. Nawet informacja o dwustu pięćdziesięciu milionach funtów, opublikowana w roku 2004, jest niedokładna.

Więcej nie powie. Ale postarajmy się bliżej przyjrzeć fortunie prywatnej. Każdy drobiazg z listy mówi sam za siebie. Najważniejszą częścią królewskiego dziedzictwa są lokaty finansowe. Wartość i skład portfela akcji i obligacji są wielką niewiadomą. Ostatnia wycena tych inwestycji, którą podał Pałac Buckingham, pochodzi z 1971 (!) roku i mówi o dwudziestu jeden milionach funtów. Dzisiaj daje to kwotę w przedziale osiemset sześćdziesiąt jeden milionów – miliard dwieście pięćdziesiąt milionów funtów.

– To za dużo. Te sumy są po prostu śmieszne – replikuje bez wchodzenia w szczegóły wielki skarbnik Pałacu Alan Reid.

Około stu milionów funtów wydaje się sumą bardziej prawdopodobną, a dywidenda w tym przypadku wynosiłaby od jednego do trzech milionów rocznie. Podczas gdy Coutts jest bankiem, w którym królowa trzyma pieniądze, Barclays i maklerzy o niebieskiej krwi z rodzin Cazenove, Schroder czy Barings są jej agentami giełdowymi. Wybierają pewne i solidne brytyjskie firmy z indeksu FT100, największe potęgi przemysłowe na londyńskiej giełdzie. Inwestycje w firmy zagraniczne są wykluczone ze względu na możliwy konflikt interesów dyplomatycznych. Podobno niektóre sektory, jak kasyna, zbrojeniówka, badania medyczne, uważane za kontrowersyjne, są omijane. Pałac chce uniknąć takich problemów, jakie miał Watykan, gdy odkryto, że inwestuje w laboratoria farmaceutyczne produkujące prezerwatywy. Pałac woli lokaty długoterminowe niż szybki zysk. To przecież leży w nader wyważonej naturze monarchini.

Królowa czerpie też zyski z księstwa Lancaster, które zostało założone w 1399 roku, aby suweren miał pieniądze niezależne od państwa. Dochody księstwa pochodzą głównie z dwunastu i pół tysiąca hektarów ziemi rolnej w hrabstwach Yorkshire i Cheshire, budynków w centrum Londynu oraz portfela akcji i obligacji. W latach 2006–2007 księstwo przyniosło królowej dziesięć milionów funtów dochodu. Jest on opodatkowany. Jej Wysokość nie może tknąć kapitału. Tak długo, jak – zgodnie ze zwyczajem – księstwo będzie przekazywane kolejnym monarchom, nie będą oni płacili podatku spadkowego.

Własne nieruchomości królowej to trzy pałace: Balmoral w Szkocji, Sandringham w księstwie Norfolk i Kensington w Londynie. Gotycki Balmoral otoczony jest dwudziestoma tysiącami hektarów ziemi i zatrudnia na pełnych etatach około pięćdziesięciu osób. Wiktoriański Sandringham zarządza ośmioma tysiącami hektarów, ale zatrudnia aż setkę osób, ponieważ przez cały rok jest dostępny dla zwiedzających. Pierwszy z nich przynosi straty, drugi zysk. Majątki Balmoral i Sandringham z pałacami, ziemiami uprawnymi, rzekami i lasami, w których odbywają się polowania, byłyby świetnymi rezydencjami dla miliarderów. Ich wartość rynkową szacuje się na trzysta, czterysta milionów funtów. Pałac Kensington to przypadek szczególny. Jego parter został zamieniony na muzeum, a pierwsze piętro zajmują mniej ważni członkowie rodziny

Windsorów. Wynajmują od królowej wspaniałe apartamenty za śmieszne sumy, równe cenie wynajmu mieszkania M3. Królowa posiada także na własność mieszkania przy Dworcu Wiktorii, które wynajmuje osobom ze swojego kręgu.

Najbardziej znane pałace królowej – Buckingham, Windsor i Holyrood House w Szkocji – wbrew rozpowszechnionej opinii należą do państwa, które zapewnia ich utrzymanie.

W Balmoral i Sandringham królowa ma dzieła sztuki warte dwadzieścia milionów funtów, zabytkowe meble (dwadzieścia milionów) i kolekcję samochodów (dziesięć milionów).

Wartość królewskiej biżuterii eksperci wyceniają na siedemdziesiąt do stu trzydziestu milionów funtów. Słynne klejnoty Korony, zamknięte w londyńskim zamku Tower, od 1760 roku są własnością państwa.

Wyceniany na siedemset dziewięćdziesiąt do ośmiuset milionów funtów zbiór znaczków pocztowych, pozostawiony przez Jerzego V i wzbogacony przez Jerzego VI, jest prywatną własnością królowej. Za to zbiór, który powstał po roku 1952 – czyli już za panowania Elżbiety II, niezbyt zainteresowanej zbieractwem – nie należy do niej. Są to głównie nowe emisje znaczków, ofiarowane królowej przez Pocztę Królewską i poczty krajów Wspólnoty Brytyjskiej.

Monarchini ma osiemdziesiąt koni wyścigowych czystej krwi, piętnaście koni przeznaczonych do *steeple chase*, odziedziczonych po królowej matce, a wychowanych w Sunninghill Park w Berkshire, dwadzieścia ogierów i kucyków hodowanych w Balmoral. Konie zaprzęgane do królewskiej karety są własnością państwa.

Jakie są dochody stadnin królewskich? Ich dyrektor Michael Oswald twierdzi, że „wychodzą na zero". Ale znawcy są odmiennego zdania. Uważają, że to komercyjne przedsięwzięcie przynosi jednak straty. Od kiedy królowa zgodziła się płacić podatki, stadniny nie mogą być zarządzane jak stowarzyszenie niedochodowe, skoro chce ona korzystać ze zniżek podatkowych zachęcających do inwestowania. Jeśli chodzi o dochody z krycia czy wyścigów, to są one minimalne w porównaniu z olbrzymem Maktoum należącym do monarchii z Dubaju czy ze stadninami szkockimi.

*

Jako królowa Elżbieta II co roku otrzymuje z tak zwanej „listy
cywilnej" sumę przyznawaną jej na wydatki związane z pełnieniem
funkcji. Nie jest to pensja, to byłoby zbyt trywialne, ale zwolniona
z podatku dotacja. Te siedem milionów dziewięćset tysięcy funtów
rocznie pokrywa bieżące wydatki, koszty reprezentacyjne i pensje
personelu w Pałacu Buckingham, w Windsorze i Holyrood House.
Pieniądze na utrzymanie pałaców i podróże królowej oraz jej
współpracowników pochodzą z innej puli. Monarchia kosztuje
podatników trzydzieści siedem milionów funtów rocznie. Tyle, co
samolot Eurofighter lub roczny budżet Victoria and Albert Museum. W 2005 roku Elżbieta II każdego podatnika kosztowała
sześćdziesiąt dwa pensy. Tyle, co litr mleka w supermarkecie albo
jedna trzecia biletu na londyńskie metro. Rodzina królewska na
rzecz instytucji charytatywnych, którym patronuje, przeznacza
rocznie od stu do dwustu milionów funtów.

Pałac Elizejski w Paryżu kosztuje dwa razy tyle. Ministerstwo
Finansów i biuro rachunkowe przeprowadza audyty kont publicznych, ale nie prywatnych. Budżet królewski, w przeciwieństwie do
budżetu prezydenta Francji, nie jest tajemnicą. Przejrzystość górą.
Bezpieczeństwo finansowe królowej zależy jednak od dobrej woli
rządu, a to może się wiązać z pewnym ryzykiem. Każde zwiększenie budżetu monarchii od razu wywołuje debatę publiczną i jest
wodą na młyn zwolenników republiki. Sprzeciwiają się oni finanso-
waniu osoby, którą uważają za najbogatszą na świecie. To dosyć
nieuczciwe, bo chętnie mieszają „listę cywilną" z królewską własnością prywatną i własnością państwową. Wycenianie wartości
pałacu Buckingham niczemu nie służy. Nawet dom aukcyjny Christie's twierdzi, że nie jest w stanie wycenić wartości obrazów, rysunków, mebli i porcelany z Kolekcji Królewskiej.

– Królowa nie może wystawić na sprzedaż swoich bogactw
i wydać uzyskanych w ten sposób pieniędzy. Ma te skarby w imieniu nas wszystkich. Tylko powstanie republiki, co jest mało
prawdopodobne, mogłoby spowodować, żeby te przedmioty po-

jawiły się na rynku – upiera się Philip Beresford, ekspert „Sunday Times".

Nie wchodzi w rachubę włączanie do fortuny królewskiej Crown Estate, firmy zarządzającej olbrzymimi nieruchomościami Korony angielskiej. A jest to tysiąc zabytkowych budynków administrowanych przez instytucję publiczną. Do monarchii należą całe dzielnice Londynu: Kensington, Regent's Park, High Holborn, Regent's Street, Saint James i inne. Do tego trzeba dodać centra handlowe na prowincji, tereny rolnicze, połowę wybrzeża i dno brytyjskich wód terytorialnych. Wartość tych nieruchomości szacuje się na sześć miliardów funtów.

*

Po drugiej wojnie światowej monarchia osiąga szczyt popularności. Wydatków na nią nikt nie kwestionuje. Któż zresztą potrafiłby je policzyć. Oprócz „listy cywilnej", o której decyduje Parlament, wydatki monarchii pokrywa kilka ministerstw. Księgowością zajmują się emerytowani wojskowi, znający tylko podstawy rachunkowości, więc jest bardzo niedokładna. Zakup żarówki wymaga zgody Ministerstwa Środowiska. Brak podwójnych szyb w oknach pociąga za sobą ogromne wydatki na ogrzewanie. Przedpotopowe pralki są naprawiane za ogromne pieniądze, chociaż dawno mogłyby być zastąpione nowymi. Niewielki dział personalny musi się zajmować aż stu dwudziestoma stopniami zaszeregowania w hierarchii pałacowej. Darmowy bar do dyspozycji personelu nie dość, że zachęca do pijaństwa w godzinach pracy, to jeszcze dużo kosztuje. Brak przetargów zwiększa wydatki. Z powodu marnotrawstwa i szalejącej inflacji pod koniec lat siedemdziesiątych monarchii zaczyna brakować pieniędzy. Powstają wtedy dwie koncepcje rozwiązania tego problemu. Obie krótko mówiąc, sprowadzają się do upaństwowienia lub prywatyzacji dworu. Rząd premiera Callaghana proponuje utworzenie Ministerstwa Korony, które byłoby wyposażone we wszystkie atrybuty domu królewskiego. „To niedopuszczalne" – stwierdza królowa, dopatrując się w tym rozwiązaniu podporządkowania monarchii i jej „upaństwowienia".

Dynastii po raz kolejny przychodzi z pomocą City. W roku 1983 posadę Lorda Szambelana obejmuje David Airlie, prezydent brytyjskiego banku Schroder i kacyk giełdy londyńskiej. Ten szkocki arystokrata ma rodowód bez zarzutu. Jego brat, Angus Ogilvy, poślubił księżniczkę Aleksandrę, kuzynkę królowej. Patrycjusz wielkiej finansjery z przerażeniem odkrywa brak jakiejkolwiek kontroli, kiepską informatyzację, licznych wojskowych oraz ponad setkę stopni w hierarchii pałacowego personelu.

Aby zrobić z tym porządek, w roku 1986 Airlie zleca audyt swojemu znajomemu, Michaelowi Peatowi, ekspertowi wywodzącemu się z dynastii Peat Marwick. Opracowanie liczy tysiąc trzysta osiemdziesiąt trzy strony i postuluje utworzenie „firmy Windsor" w pałacu Buckingham. Czyli prywatyzacja!

Teraz Peat ma uporządkować zarządzanie instytucją. Krok po kroku wymienia dyletantów na zawodowców. W 1991 roku połączenie pałaców Saint James i Windsor z Buckingham i stworzenie Royal Household zapobiega dublowaniu stanowisk i usprawnia administrowanie. Peat gorliwie obcina nadmiary, by zachować to, co istotne. W 1993 roku ze skarbów rozproszonych po National Gallery, Tate i National Portrait Gallery powstaje Kolekcja Królewska. Prestiżowe, płatne wystawy i sprzedaż pamiątek pozwalają dzisiaj na samofinansowanie tych zbiorów.

Aby rozwiać wrażenie, że Windsorowie żyją na koszt państwa, w roku 1994 „lista cywilna" zostaje ograniczona do królowej, jej małżonka i królowej matki, która dziś już nie żyje. Od tego czasu Elżbieta II z własnej kieszeni płaci rachunki swoich dzieci, kuzynów i członków klanu będących w potrzebie.

Społeczeństwo uważa, że królowa powinna płacić podatki od dochodów. Michael Peat zdaje sobie sprawę, że w czasie recesji jest to szczególnie ważne. Królowa odmawia. Co gorsza, po pożarze w Windsorze (20 listopada 1992) mówi, że to państwo powinno pokryć zawrotne koszty odbudowy spalonego skrzydła pałacu. Ta kropla przepełnia czarę. Premier John Major stawia królową przed faktem dokonanym. Żeby ocalić autorytet Korony, oficjalnie mówi się, że królowa „z własnej woli" postanowiła płacić podatki. Elżbieta II jednak nie płaci podatku spadkowego.

Czas największych oszczędności nastąpi dopiero po śmierci Diany, w roku 1997. Świadczy o tym utworzenie biura obsługującego królewskie podróże – Royal Travel Office. Z powodu oszczędności korzysta się raczej z samolotów cywilnych niż Royal Air Force. Na zasadach leasingu Pałac wynajmuje helikopter Sikorsky 76. Królowa musi podpisywać wszystkie programy podróży i uzasadniać ich koszty. Zwraca państwu wydatki poniesione na swoje podróże prywatne i wyjazdy rodziny.

Bezpośrednio w służbie Jej Wysokości zatrudnionych jest prawie siedemset osób. Czterysta pięćdziesiąt jest opłacanych z „listy cywilnej". Ze swojej kasy królowa wypłaca pensje tylko dwustu pięćdziesięciu osobom.

Według opinii związków zawodowych na królewskim dworze pensje szeregowego personelu są bardzo niskie w porównaniu ze stawkami w sektorze prywatnym i państwowym. Lokaj zarabia średnio trzynaście tysięcy funtów rocznie. Ale ma zapewniony wikt, opierunek i niezłą emeryturę. Jego roczna pensja jest więc szacowana raczej na dwadzieścia tysięcy funtów, co odpowiada średniej krajowej pracowników niewykwalifikowanych.

Reorganizacja administracji obsługującej monarchię opłaciła się. W porównaniu z rokiem 1990 koszt jej funkcjonowania obniżył się o sześćdziesiąt pięć procent. Oficjalny budżet francuskiego Pałacu Prezydenckiego za czasów Chiraca wzrósł dziewięciokrotnie.

*

Jerzy VI nazwał kiedyś rodzinę królewską firmą. I to się przyjęło. Elżbieta II z łatwością podjęła rolę prezeski tego przedsiębiorstwa. Ona zajmuje się dużymi interesami, a inni poszczególnymi działami. Każdy z dziewięciu członków rodziny Windsorów koncentruje się na jednej dziedzinie: książę Filip to armia i sport, książę Walii – rolnictwo, architektura, mniejszości etniczne, księżna Kornwalii – zdrowie, księżniczka Anna – Trzeci Świat, zdrowie, książę Yorku – handel zagraniczny, hrabia Wessex – sztuka, książę Gloucester – architektura, książę Kentu – zagadnienia ekonomiczne.

Jedna z karykatur ukazuje królową w oficjalnym stroju, z diademem i orderami, w centrum dowodzenia Royal Air Force podczas bitwy o Anglię. Monarchini przestawia jak chce pionki o wyglądzie członków jej rodziny. Dobrze to uchwycono, bo gdy tylko jakiś Windsor źle się prowadzi, Elżbieta natychmiast go odsuwa i w centrum szachownicy umieszcza inny pionek. Robi to trochę w stylu trenera drużyny piłkarskiej. Gwiazdy futbolu też muszą czasem odpocząć na ławce rezerwowych, aby nabrać sił. Trzeba odnawiać drużynę, angażując nowych zawodników przy okazji ślubów.

Ale nawet w niełasce Windsorowie mogą liczyć na hojność królowej. Firma jest kółkiem pomocy finansowej.

– Królowa zawsze znajduje pieniądze na wynagrodzenie i pomoc dla członków rodziny, którzy znaleźli się w trudnej sytuacji – mówi dziennikarz Philip Beresford.

Elżbieta Windsor regularnie przelewała ze swojego konta miliony funtów, by zlikwidować debet matki, która prowadziła rozrzutny tryb życia. Pokrywała też część kosztów utrzymania czterech zajmowanych przez Królową Matkę pałaców. Księciu i księżniczce Kentu, którzy nie mają pieniędzy, pozwoliła zamieszkać w mieszkaniu służbowym w pałacu Kensington. Jako dobra matka pomogła swemu najmłodszemu synowi Edwardowi, lokując go po ślubie w Bagshot Park. Z własnej kieszeni zapłaciła też za Gatcombe Park, rezydencję Anny, i Sunninghill Park, dom Andrzeja. Może ma nadzieję, że hojnością wynagrodzi dzieciom brak matczynej czułości.

Część przychodów większości członków rodziny królewskiej pochodzi z tej nieformalnej firmy. Działa ona jak duża kancelaria adwokacka, służąc przede wszystkim swemu założycielowi, którego otaczają współpracownicy z różnymi tytułami, funkcjami i zarobkami. Królowa, jak się domyślamy, pełni rolę głównej akcjonariuszki.

Propagator rolnictwa ekologicznego, książę Karol, korzysta finansowo na sprzedaży produktów pochodzących z księstwa Kornwalii. Oznaczone nalepką Duchy Originals biskwity, konfitury, czekolada, cydr i bekon są podawane również w pałacu Buckingham. Młodszy książę, Andrzej, jest szefem instytucji promującej handel zagraniczny i reprezentującej przedsiębiorstwa brytyjskie poza granicami Królestwa. Jego była żona Sarah nadal reklamuje w Stanach Zjednoczonych całą serię produktów – od soków owocowych po tabletki odchudzające – jako królewskie. Siostrzeniec królowej, wicehrabia David Linley, wyrabia ozdobne pudełka ofiarowywane przez królową jako prezenty, i przy okazji reklamuje swoją firmę designerską. James Ogilvy, syn księżniczki Aleksandry, wydaje ekskluzywny magazyn „Luxury Briefing". Księżna Kentu ma firmę, która zajmuje się sprzedażą antyków. Książę Kentu zasiada w zarządach różnych firm i wykorzystując swój tytuł, organizuje płatne seminaria. Hrabia Wessex założył Ardent, wytwórnię filmów dokumentalnych o rodzinach królewskich. Jego żona Sophie została przyłapana przez dziennikarza, gdy w stroju arabskim reklamowała swoją firmę PR.

Królowa znajduje się w centrum tego systemu firm, które, choć nie są bezpośrednio od niej zależne, nie przetrwałyby bez jej błogosławieństwa. Tak wygląda *royal connection*.

Z interesami zawsze wiążą się kłopoty, czasami nawet skandale. W 2001 roku kontrowersje wokół Sophie Wessex sprawiły, że królowa zarządziła postępowanie administracyjne dotyczące ewentualnego konfliktu interesów pomiędzy statusem i aktywnością zawodową członków rodziny królewskiej. Ustanowienie nowego kodeksu postępowania, który miał chronić instytucję i jej szefa, sprowokowały liczne spekulacje w samej rodzinie królewskiej. Z jednej strony grupa reformatorów, dowodzona przez księcia Karola, która w imię etyki chciała zmusić członków rodziny do wyboru między funkcjami królewskimi i działalnością biznesową. Z drugiej skrajnie liberalny książę Filip, dla którego łączenie tych dwóch działalności jest nie tylko możliwe, ale wręcz wskazane. Królowa jak zwykle stanęła po stronie męża. Przyjęte wytyczne, choć wzorują się dość luźno na kodeksie zawodowym pracowników państwowych, nie są restrykcyjne. Jak się wydaje, za życia królowej nic nowego w tej dziedzinie się nie wydarzy. Gdy książę Karol wstąpi na tron, łączenie funkcji będzie zabronione, aby przede wszystkim zamknąć usta tym, którzy uważają, że firma ma skłonność do mylenia dóbr państwowych z prywatnymi interesami członków rodziny królewskiej.

Zdaniem krytyków monarchii inną budzącą wątpliwości cechą firmy jest przywłaszczanie przez nią dóbr państwowych. Twierdzą, że najlepszym tego przykładem jest Kolekcja Królewska. Queen's Gallery i dostępne dla publiczności muzeum w pałacu Buckingham rzeczywiście gromadzą tylko niewielką część najcenniejszej prywatnej kolekcji sztuki w Europie. Choć trzy tysiące dzieł jest rozproszonych po wielkich muzeach i pałacach Zjednoczonego Królestwa, Royal Collection podobno nie chce użyczać swoich zasobów. Na każde wypożyczenie musi się zgodzić królowa, która lubi być otoczona zawsze tymi samymi rzeczami i nie znosi się z nimi rozstawać nawet na krótko. Firma sprawuje kontrolę nad kolekcją za pośrednictwem szefa Royal Collection Trust, którym jest... książę Karol. „Obywatele nie mają wrażenia, że te skarby należą do nich, a w przypadku National Gallery są wręcz tego pewni. Zwiedzający kolekcję królowej czują, że są goszczeni niechętnie. Obecność personelu w liberiach, skąpa informacja i handel pamiątkami związanymi z Windsorami potęgują to odczucie" – skarżył się niedawno „The Guardian" w artykule zatytułowanym *Ukryte skarby. Czy nie nadszedł czas, aby królowa podzieliła się dziełami sztuki z narodem?*

Obraz przez wieki uważany za kopię zaginionego dzieła znajdował się od dziesiątków lat w jednym z pokojów pałacu w Hampton Court. Ostatnio okazało się, że jest to oryginał Caravaggia. Dyrektor Royal Collection Hugh Roberts dementuje pogłoski o nadużyciach:

– Codziennie dostaję listy od konserwatorów z całego świata, którzy proszą mnie o wypożyczenie obiektu na wystawę tematyczną. Prośby te są starannie rozpatrywane, ale kłopot w tym, że wiele dzieł znajduje się w przestrzeni publicznej. W pałacu Buckingham nie do pomyślenia jest zostawienie gołej ściany z napisem: obraz został wypożyczony.

Jednoczesne służenie królowej i prowadzenie państwowej kolekcji jest nie lada wyzwaniem.

*

Chociaż monarchia kosztuje, ma także udział w rozwoju ekonomicznym królestwa. Znak *By Appointment of Her Majesty the Queen* jest bezpłatnie przyznawany przez Pałac wybranym dostawcom dworu na pięć lat, z możliwością przedłużenia tego okresu. To zdanie, któremu towarzyszy herb królewski, jest na wagę złota, gdy znajdzie się na papierze listowym, wizytówce, sprawozdaniu zarządu, samochodzie dostawczym czy szyldzie sklepowym. Tylko sześćset osiemdziesiąt dwie firmy posiadają *royal warrant*, licencję dostawcy dworu Elżbiety II (ma ją zarówno książę Edynburga, jak i książę Karol). „To wyróżnienie nie jest przyznawane z powodów komercyjnych. Jest wyrazem wdzięczności królowej za jakość świadczonych usług. Nie można go używać do celów reklamowych, a powód drakońskiej kontroli jest prosty: licencja może się okazać ważnym atutem, szczególnie w eksporcie do Stanów Zjednoczonych, Europy Wschodniej i Azji" – twierdzi Pałac. *Royal warrant* otrzymał luksusowy sklep spożywczy Fortnum and Mason.

– Klimat tego miejsca ma charakter historyczny. Kontynuacja, tradycja, lojalność są nieodłącznymi cechami takiej firmy jak nasza – mówi personel tego ekskluzywnego sklepu, w którym ekspedienci w surdutach zapewniają obsługę godną Korony.

Royal warrant jest w cenie, gdyż wpływa na wzrost sprzedaży. Odpowiedzialni za niego przedstawiciele Pałacu mają opinię biznesmenów twardych i bezlitosnych w sprawach dotyczących pieniędzy królowej. Plotka głosi, że ciągle domagają się jakichś odszkodowań, ale Pałac dementuje te wieści. Tak czy inaczej znaczenie handlowe tego znaku wydaje się maleć. Młodsze pokolenia nie są aż tak podatne na jego oddziaływanie. Królewski gust jest konserwatywny i wyważony, pasuje raczej do wnętrz tradycyjnych niż nowoczesnych.

Oprócz *royal warrant* Windsorowie bronią również interesów gospodarczych kraju. To zadanie wykonuje Andrew Albert Christian Edward Mountbatten-Windsor, lepiej znany jako Andrzej, książę Yorku, specjalny przedstawiciel Wielkiej Brytanii do spraw handlu zagranicznego i inwestycji. Srebrne skronie, miłe spojrzenie, wytworna dykcja i oczywiście nienaganne maniery. Średni syn królowej ma najlepszy styl, jakiego można wymagać od plenipotenta do spraw handlu zagranicznego swego kraju.

Czy monarchia w jakiś sposób wpływa na sprzedaż towarów? – Członkowie rodziny królewskiej mogą pomagać królowej w dwojaki sposób. Na jej prośbę możemy ją wyręczać w pewnych obowiązkach reprezentacyjnych. Ma zbyt wiele zadań. Oprócz tego jesteśmy trochę w sytuacji osób odpowiedzialnych za autonomiczne filie firmy, których strategię wypracowuje centrala. Zadaniem mojej filii jest promowanie interesów ekonomicznych poza granicami kraju. Rodzina królewska jest dodatkowym narzędziem wspierającym przemysłowców. Stanowią oni halę maszyn naszej firmy – mówi książę Andrzej, przypominając swoją przeszłość oficera marynarki wojennej.

Przydałby się do przekonywania zagranicznych konsumentów co do zalet parasoli, whisky, kruchych ciasteczek czy koszy piknikowych. Czy taka konserwatywna instytucja jak monarchia może „sprzedawać" biotechnologię, sieci handlowe, usługi finansowe albo pociski? Książę na czele misji ekonomicznej może otworzyć drzwi przedsiębiorcom z Bliskiego Wschodu, Wspólnoty Brytyjskiej czy Stanów Zjednoczonych. Szefowie firm mówią o „wartości dodanej".

Misja księcia wykracza poza zwykłą promocję produktów Albionu. Zagranicznym rozmówcom książę zachwala zalety brytyjskiej przedsiębiorczości: partnerstwo prywatno-publiczne przy budowie infrastruktury, renowacji miast, inżynierii finansowej. Książę Yorku jest również rzecznikiem firm produkujących w Wielkiej Brytanii na przykład japońskie samochody. Ten czterdziestolatek nie zasługuje na krytykę ze strony prasy, która skłonna jest opisywać go jako osobę niezdarną i mało inteligentną, żyjącą na koszt podatników. Królowa wypłaca mu z własnej kieszeni pensję w wysokości dwustu pięćdziesięciu tysięcy funtów rocznie. Rząd utrzymuje jego doradców, pokrywa koszty podróży i ochrony.

Branża turystyczna, której udział w dochodach państwa jest znaczący, robi świetny interes na „Windsor Inc". Kolekcja Królewska, Tower, Windsor, Kensington, Hampton Court i inne posiadłości królewskie przyjmują więcej zwiedzających niż British Muzeum.

Te atrakcje turystyczne są nieocenionym źródłem dochodów. Przemysł ceramiczny zniknąłby w wyniku konkurencji pochodzącej z krajów, gdzie praca jest tańsza, gdyby nie regularne wsparcie związane z obchodami różnych królewskich jubileuszy, ślubów, narodzin. Ślub księcia Karola z Dianą, podobnie jak złoty jubileusz Elżbiety II, podniósł dochody wielu sprzedawców pamiątek. Hotele, piwiarnie, sklepy z pamiątkami, luksusowe sklepy spożywcze i producenci chorągiewek bardzo skorzystali przy okazji tych wydarzeń. Złoty jubileusz sprawił, że zapomniano o epidemii wśród zwierząt hodowlanych, zamachach z 11 września i ograniczeniu ruchu turystycznego do Stanów Zjednoczonych. Lord Szambelan, którego zadaniem jest także kontrola wykorzystywania portretów i herbów rodziny królewskiej, został zasypany podaniami o pozwolenie na ich używanie. Prostota, która miała charakteryzować ceremonię, trochę ucierpiała przez tę szaloną komercjalizację. Wszystko to przypominało raczej pchli targ niż królewską rocznicę. Ku zdumieniu organizatorów zmieniono nawet trasę pochodu przez wzgląd na reprezentantów pięciuset sponsorów i ich rodziny. Ponad sto pięćdziesiąt firm, w tym British Airways, Kellog's i Walker Snackfood, częściowo pokryło koszty jubileuszu. Za resztę zapłaciła królowa z prywatnej kasy.

– Nie chodzi nam o monarchię tanią, ale o korzystny stosunek jakości do ceny – lubi powtarzać Wielki Skarbnik dworu Alan Reid. W związku z nowym, komercyjnym charakterem monarchii wizerunek z pewnością się zmieni, ale symbole tworzące jej magię pozostaną. Finansowo monarchia została bardzo unowocześniona i nie można już mówić o uprawianiu amatorszczyzny. Pod tym względem od czasów pani Thatcher ewoluuje tak, jak cały kraj. Specjaliści od marketingu są zdania, że ten proces jeszcze się nie zakończył.

– Monarchia nadal jest ważna, tylko zarządzanie było fatalne i zabrakło kontroli nad jej produktami, czyli członkami rodziny królewskiej. W związku z kolejnymi kryzysami ciągle zmieniano strategię. Nie było jednolitego planu – twierdzi Alec Rattray, dyrektor do spraw badań w biurze marketingowym Landor Associates. Konieczna jest zmiana wizerunku, *rebranding*, jak się mówi w marketingu. – Należy wybrać segment rynku, który monarchia chce zająć, i reprezentowane przez nią wartości, by określić strategię odnowy, i trzymać się tego za wszelką cenę.

Następny lokator pałacu Buckingham będzie musiał być królem i szefem firmy w jednej osobie.

Podsumowanie
Ostatnia królowa

Ostatnia królowa? Ten tytuł może się wydawać dość prowoka-cyjny. Zwłaszcza teraz, kiedy popularność królowej sięgnęła zenitu, a ruch republikański zamiera. Królewski sztandar dobrze symboli-zuje ten sukces: z jednej strony realna siła, z drugiej – fantazja i wy-obraźnia.

Sprawa abdykacji nie jest obecnie rozważana. Brytyjska mo-narchini nie oddaje korony. Z okazji osiemdziesiątych urodzin przypomniała, że „ma dożywotnią posadę". Jednemu z dygnitarzy Kościoła anglikańskiego oświadczyła: „Pan odchodzi na emeryturę? Hm! Ja nie mogę sobie na to pozwolić". Takie stanowisko akurat daje się wytłumaczyć. Brytyjscy suwerenowie nigdy nie abdykowa-li. Jedynym wyjątkiem był wuj królowej – Edward VIII. Elżbieta bardzo to przeżyła i dlatego będzie służyła do śmierci. Tak jak jej ideał, królowa Wiktoria, która zasiadała na tronie sześćdziesiąt cztery lata, traktuje swą funkcję jak powołanie religijne. Zresztą angielska koronacja jest rytuałem religijnym, podczas gdy w innych monarchiach sprowadza się do złożenia uroczystej przysięgi.

Skąd więc tytuł *Ostatnia królowa*? Nie chodzi o to, że Elżbie-ta jest ostatnią kobietą na tym stanowisku, a jej następcami będą mężczyźni, lecz o to, że trudno jej będzie kiedykolwiek dorównać w tym, jak pojmowała i pełniła swoją funkcję.

Po pierwsze, w naszych czasach, pozbawionych wielkich osobowości w polityce, reprezentuje Historię, i to jaką! Królowa rozbudza marzenia, co na pewno nie będzie łatwe dla jej następców. Urodziła się w roku strajku generalnego (1926), dorastała w latach drugiej wojny światowej, na tron wstąpiła w roku 1953. Brała udział we wszystkich wielkich przeżyciach narodu i doprowadziła do końca cykl historyczny, w wyniku którego jej królestwo zostało wymyślone od nowa. Elżbieta II jest jedną z ostatnich osobistości na Ziemi, która przeszła przez tragedie XX wieku i brała w nich udział w stylu, który tylko jej jest właściwy. Rodzinne wspomnienia sprawiają, że należy jednocześnie do pokolenia międzywojennego, które naznaczyło jej dzieciństwo, i powojennego. Oryginalność drogi, którą przebyła polega na jej ciągłości – i to w czasie zmiany z państwowego socjalizmu na konserwatyzm czy z thatcheryzmu na blairyzm. Zawdzięcza to fenomenalnej wręcz zdolności przystosowywania się do wszelkich okoliczności.

W jej pojęciu protokół, ceremoniał, wizerunek – wszystkie te reguły, które mogą się wydawać niepotrzebne i z innej epoki – zapewniają ciągłość i trwałość monarchii brytyjskiej. Wystąpienia królowej polegające na tym, że czyta tekst napisany przez kogoś innego, są według niej symbolem monarchii konstytucyjnej. To, że do Parlamentu udaje się niewygodną karetą, w koronie i płaszczu z gronostajów, nie wynika z chęci pokazania się tak w telewizji, ale z tego, że reprezentuje historyczną łączność pomiędzy Izbą Gmin i Izbą Lordów oraz monarchią. Szanując tradycję, utrzymuje niezbędny dystans w stosunku do władzy wykonawczej i ustawodawczej.

Trudno sobie wyobrazić, żeby jej wnuk William, który lubi nosić dżinsy, koszulki polo od Ralpha Laurena i brazylijską bransoletkę, udawał się do Izby Lordów w koronie, otoczony podobnym dekorum jak jego babka. Podróżując ze znajomymi incognito promem P&O, łączącym Dover z Calais książę i jego blondyneczka chcieli wejść do salonu pierwszej klasy. Nie zostali wpuszczeni, a William nie zrobił awantury. Odpowiadając na protesty prasowe, P&O ograniczyła się do oświadczenia: „Książę nie uznał za stosowne nas uprzedzić. Dzięki temu mógł zobaczyć, jak wygląda życie zwykłych śmiertelników". Książę robi zakupy w centrach handlowych, gra w Lotto i lubi modne dyskoteki. Potrzebuje zwykłych przyjemności, tak jak państwo Smith czy Dupont. Zresztą mówi tak jak oni. Już książę Karol wyzbył się sztywnej i wyszukanej intonacji na rzecz tej zwyczajnej, powszechnie używanej. Zniknęły gdzieś zabawne samogłoski podniebienne, które sprawiały, że Elżbieta II mówiła kiedyś: *Thet men in the bleck het* zamiast *that man in the black hat* [ten pan w czarnym kapeluszu]. Albo *dutay* zamiast *duty* [obowiązek]... Otwarcie dworu na świat zewnętrzny, łagodniejsza rekrutacja służby, wpływ telewizji, którą ogląda młody książę i jego koledzy z Uniwersytetu Saint Andrews oraz z Akademii w Sandhurst – tłumaczą tę małą rewolucję językową.

Ostatnia królowa? Zawsze była wierna koncepcji monarchy, który jest ponad podziałami i sporami politycznymi. W królestwie niepisanej konstytucji, gdzie wszystko opiera się na zwyczaju i prawie, nigdy nie wyszła poza swoją rolę, jak to robili inni monarchowie. Baudouin, król Belgów, w 1990 roku odmówił – jako katolik – podpisania ustawy zezwalającej na aborcję. Wolał abdykować, i to w ciągu trzydziestu sześciu godzin. Konstanty Grecki utracił tron, bo nie chciał potępić zamachu stanu dokonanego przez pułkowników w roku 1967. Książę Rainier, broniąc monakijskiego raju podatkowego, sprzeciwił się uchwaleniu ustawy zwalczającej pranie brudnych pieniędzy. Elżbieta II nigdy nie wypowiada się na temat bieżących problemów ewolucji społeczeństwa, obyczajów, wielokulturowości, religii, rodziny. W sprawach polityki zagranicznej wykonuje polecenia Foreign Office, dlatego jej mowy są banalne i nigdy nie wzbudzają kontrowersji.

Mimo tego przystosowywania się reprezentuje koncepcję monarchii białej, anglikańskiej, imperialnej. Chociaż Anglia nie jest już biała, lecz wieloetniczna i coraz mniej chrześcijańska, a Imperium jest tylko historią, królowa wciąż ucieleśnia dawną Anglię, głęboko konserwatywną i hierarchiczną. Własność, przywileje, arystokratyczny akcent i dobre maniery oznaczają podziały klasowe, czy raczej kastowe, nadal obecne, pomimo ciosów za rządów pani Thatcher i trzeciej drogi Blaira. Tym, co wyróżnia Zjednoczone Królestwo, jest ustrój klasowy skodyfikowany bardziej niż gdzie indziej. Wiąże się to z dwutorowym systemem edukacji. Krajem w dalszym ciągu kieruje zaklęty krąg osób wykształconych na prywatnych pensjach oraz uniwersytetach w Oksfordzie i Cambridge. Ich wyższość nie zatrzymała dynamicznego awansu mniejszości etnicznych, które stanowią dzisiaj siedem procent mieszkańców Wielkiej Brytanii. Te grupy nie identyfikują się z monarchią. A książę Karol nie przepada za ludźmi, którzy odnieśli sukces („Co jest nie tak w naszych czasach? Skąd się to bierze, że wszystkim się wydaje, iż mogą podejmować się zadań, które ich przerastają?"), dla niego wciąż najważniejsze jest arystokratyczne pochodzenie. Nowe społeczeństwo raczej współżyje ze starym, niż je zastępuje.

Świat Elżbiety II już nie wróci, ale żyje jeszcze w jej mowie bożonarodzeniowej, w jej strojach i głosie. We wszystkim. Mimo że doszło do separacji monarchii i arystokracji, jak tego dowodzą małżeństwa królewskich dzieci. Monarchia jest dzisiaj raczej drobnomieszczańska niż szlachecka.

Era elżbietańska zakończy się z chwilą śmierci Elżbiety II. Następni królowie nie będą otoczeni królewskimi atrybutami: pałacami, obrazami, biżuterią. Będą musieli przywyknąć do życia mniej bajkowego. Nie jest pewne, czy książę Karol będzie mógł mieszkać na zmianę w siedmiu pałacach, otoczony licznymi dworzanami i lokajami. Czy będzie karmił swoje psy ze srebrnej tacy, jak jego matka? Albo poleci personelowi ugotować osiem jajek na miękko, by mógł wybrać to idealne? Na pewno nie. Al Gore dynastii Windsorów nie może równocześnie zachęcać ludzi do walki z ociepleniem klimatu i przyczyniać się do produkcji dwutlenku węgla przez samoloty, królewskie samochody czy ogrzewane cały rok pałace.

Ostatnia królowa? Nic nie stoi na przeszkodzie, by Karol ogłosił, że Camilla jest królową. Zresztą książę uważa, że jego małżonka króluje u jego boku. Podczas ich ślubu ustalono, że gdy Karol zostanie koronowany, otrzyma tytuł księżnej małżonki. Aby nie dopuścić do tego, by została królową, trzeba byłoby stworzyć odpowiednie ustawy, które musiałaby przegłosować Izba Gmin i siedemnaście państw należących do Wspólnoty Brytyjskiej, albo monarcha i szef rządu. A to mało prawdopodobne. Nawet gdyby Camillę koronowano, to ze względu na przeszłość nigdy nie będzie mogła się zrównać z Elżbietą II.

Każdy monarcha w jakiś sposób definiuje zasadnicze cele swojego panowania. Elżbieta II poświęciła się Wspólnocie Brytyjskiej, armii i religii. Jej następca może odnaleźć swoją misję w propagowaniu ekologii, biorolnictwa czy architektury, co jest popularne zarówno na lewicy, jak i na prawicy.

Trwanie monarchii opiera się na zgodzie poddanych, jak stwierdził książę Filip. W XX i XXI wieku wiele monarchii zniknęło bez śladu. Jedynym przykładem restauracji królestwa jest Hiszpania. Książęta nie są wieczni. Charyzma odejdzie razem z Elżbietą II, więc instytucja będzie się musiała zmienić, jeśli chce przetrwać.

Kształt, jaki przybierze monarchia, jest dość trudny do przewidzenia, ponieważ wysiłki związane z jej modernizacją nie zawsze będą przynosić oczekiwane skutki. Jakim królem może być sześćdziesięcioletni książę Walii, hrabia Chester, książę Kornwalii, książę Rothesay, hrabia Carrick, baron Renfrew, Lord Wysp, Wielki Steward Szkocji? To właściwie bez znaczenia, bo przecież Anglia miała monarchów pijaków, rozpustników i szaleńców i nie miało to trwałego wpływu na byt królestwa. Na tym polega zasadnicza różnica między monarchią i republiką, twierdzi książę Andrzej: „Prezydent republiki dochodzi do władzy w określonym momencie, a po zakończeniu kadencji odchodzi. Chce zostawić dodatni bilans. Monarcha wstępuje na tron po śmierci swego poprzednika, nie wiedząc, na jak długo. Jego rola polega na tym, by dzień po dniu trwał u boku swego ludu, zapewniał ciągłość, *leadership* i stabilność państwa. Jego wolą nie jest zmienianie przyszłości, lecz bycie obecnym dzisiaj".

Przyszły Karol III jawi się jako człowiek, który ma odwagę wygłaszać własne poglądy, nawet jeżeli spotyka się z brakiem zrozumienia. Dzisiaj za bardzo się rozprasza, jest przesadnie entuzjastyczny, zbyt gadatliwy. Będzie musiał okiełznać swoją naturę. Za panowania Karola, który określa siebie jako dysydenta politycznego, neutralność też będzie miała inną formę. Czy jako monarcha konstytucyjny zadowoli się rozkazywaniem jesiotrom, łabędziom i wielorybom? Jeżeli wierzyć Lindzie Colley, profesor historii brytyjskiej na uniwersytecie w Princeton, raczej nie:

> Wyznaczając granice królewskiej władzy, monarchia konstytucyjna kastruje królów, którzy już nie mogą dowodzić wojskiem ani uczestniczyć w walce politycznej. Jak wskazuje panowanie Wiktorii i Elżbiety II, taki ustrój jest odpowiedni raczej dla kobiet niż dla mężczyzn. Monarchini jest także kobietą, matką rodziny, patronką.

Historia brytyjskiej monarchii konstytucyjnej przypomina historię mitycznego Koh-I-Noora, prezentu ofiarowanego przez Kompanię Indyjską królowej Wiktorii. Jego przekleństwo dotyka mężczyzn, omija kobiety. Noszące go królowe – od Wiktorii, przez Aleksandrę, Marię i Elżbietę, po Elżbietę II – cieszyły się długim życiem.

Trzech następców Wiktorii naznaczyło swój czas dyplomacją (Edward VII i *entente cordiale*) lub wojną (Jerzy V w latach 1914–1918, Jerzy VI w latach 1940–1945). Monarchie Skandynawii i Beneluksu lepiej się sprawdzają w czasach pokoju. Książę Karol odrzuca pomysł monarchii na rowerze, który lepiej pasuje do małych krajów, takich jak Holandia czy Norwegia, niż do potężnych.

Ostatnia królowa – także dlatego, że poddani Jej Wysokości stali się obywatelami całej zjednoczonej Europy. Ta zmiana wymaga zasadniczej demokratyzacji instytucji: spisania konstytucji, oddzielenia Kościoła od państwa, zniesienia zakazów dotyczących mniejszości katolickiej, bezpośrednich wyborów do Izby Lordów. W Wielkiej Brytanii tak wielkie zmiany odnotowano ostatnio w XVII wieku. We współczesnej Francji zmiany ustrojowe dokonywały się zawsze w bólu – w wyniku rewolucji (I i II Republika), wojen (IV i V Republika), okupacji (Komuna, III Republika, Vichy).

Ostatnia królowa – także dlatego, że instytucje, które reprezentuje, właściwie już utraciły znaczenie. W czasie jej panowania arystokracja musiała oddać ostatnie okruchy władzy wielkiej burżuazji (Tony Blair, David Cameron) i zawodowcom (Gordon Brown). Armia, a w szczególności jej ukochana Royal Navy, została skazana na nędzne uposażenie. Kościół anglikański ma mniej wiernych niż jego wielki rywal Kościół rzymskokatolicki, wzmocniony przez imigrantów z Europy Wschodniej i Azji. Obraz flegmatycznego policjanta, dobrotliwego i bez broni, raczej pracownika socjalnego niż łowcy nagród, zdezaktualizował się w związku z przemytem narkotyków, zagrożeniem terrorystycznym i nielegalną imigracją. Media odniosły zwycięstwo nad szacunkiem. Wspólnota Brytyjska w porównaniu ze Stanami Zjednoczonymi czy Unią Europejską jest reliktem przeszłości. Całkowitą dominację protestantów w Irlandii Północnej zastąpił podział władzy z mniejszością katolicką.

Królestwo Elżbiety bardzo się zmieniło od czasu jej wstąpienia na tron. Kraj stał się bardziej tolerancyjny, otwarty, bardziej kosmopolityczny. Ale też bardziej podzielony niż kiedykolwiek. Szkocja flirtuje z niepodległością. Irlandia mogłaby się zjednoczyć. W konfrontacji z tymi siłami odśrodkowymi Anglia przechodzi kryzys tożsamości, buntując się przeciwko solidarności narodowej z Walijczykami, Szkotami i Irlandczykami. Kraj stracił część swojej duszy. Małe sklepiki zastąpiły wielkie sieci handlowe, ujednolicając krajobraz miejski w cieniu logo Vodafone lub Tesco. Przeraża alkoholizm wśród młodzieży, zwłaszcza wśród dziewcząt. Królestwo ma najwyższy w Europie procent ludzi otyłych oraz porodów dziewcząt nieletnich, poniżej szesnastego roku życia. Uprzejmość – „ta życiowa potrzeba" (zdaniem Jankélévitcha) – i kurtuazja nie są już tym, czym były kiedyś. Bogactwo Londynu, pępka świata, przygniata prowincję. Pomimo gloryfikacji zysku i wydajności może nastąpić *blackout*. Służby publiczne mają pełne ręce roboty. Londyńskie City zdominowało ekonomię dzięki bajecznym pensjom, arogancji urzędników i kulturze chciwości, a wszystko w pogoni za zyskiem. Osobisty komfort nowobogackich poprawiających sobie samopoczucie filantropią wygrywa z duchem obywatelskim, który pozwolił narodowi samodzielnie oprzeć się Hitlerowi w roku 1940. Edukacja ledwo zipie, o czym świadczy niedostatek naukowców czy inżynierów i nadmiar dyplomów w dziedzinie PR. Sukcesy takich filmów, jak *Królowa* wskazują na amerykanizację kultury, propagowaną przez prasę i media, kontrolowane w dużej części przez amerykańskiego magnata Ruperta Murdocha. Intelektualiści milczą. *Dumbing down* [skretynienie] telewizji spowodowało, że nawet BBC zrezygnowała z ambicji na rzecz zwiększenia oglądalności. W wielkich miastach bogaci wykupują dzielnice biednych, spychając ich na dalekie przedmieścia. Aby każdej społeczności umożliwić zachowanie tożsamości kulturowej, zwolennicy społeczeństwa wielokulturowego stworzyli getta, których mieszkańcy żyją w coraz większej izolacji. Przysięga wiernopoddańcza, narzucana osobom starającym się o obywatelstwo brytyjskie, nie pozwoliła wytworzyć szczerej lojalności wobec narodu i monarchy. Podczas międzynarodowych meczów piłki nożnej widzowie śpiewają *Boże, chroń królową*, ale czy znają słowa? W początkach lat osiemdziesiątych ten hymn był grany przed podniesieniem kurtyny w teatrach i kinach. Państwo pełnego zatrudnienia, bez regulacji rynku pracy, mające nową elitę społeczną, kieruje się nowymi busolami. „Kocham Londyn" – ogłasza „New Yorker" pod wrażeniem stolicy, która buduje, odnawia, regeneruje. Londyn jest miastem szalonym, tyglem kulturowym mówiącym w stu dziesięciu językach. Dwie jego twarze uzupełniają się niczym u Janusa. Jedną stanowi wspaniałe okno wystawowe Windsorów, drugą – podwórze ich królestwa.

Czy królowa to widzi, kontemplując szeroki imperialny Mall przez swoje zabezpieczone okna? Doradcy ani rodzina nie poinformują jej o problemach. Antropolog Nigel Barley twierdzi, że to i tak nie ma znaczenia:

– Ona ma być ponad tą graciarnią indywidualizmu. Nie jest taka jak my. Trzymając się z dala od codzienności, zapewnia ciągłość i historyczną trwałość narodu brytyjskiego. Królowa ma być od nas lepsza, lepsza od społeczeństwa – i w ten sposób dawać poczucie komfortu, potrzebne, by znosić życie w społeczeństwie.

Jedno jest pewne: kolejność sukcesji zostanie zachowana. Tego chce królowa. W imię legitymizmu nie przeskoczy pokolenia. Książę Karol powinien naturalnie wstąpić na tron i panować, choćby późno. Może będzie się musiał pogodzić z rolą króla tymczasowego czy przejściowego. Tak było w przypadku Edwarda VII, który zajmował pałac Buckingham niecałe dziesięć lat, na początku XX wieku, po tym jak Wiktoria zajęła to miejsce na długie sześćdziesiąt cztery lata. Jerzy VI był koronowany w wieku czterdziestu jeden lat, a zmarł, mając pięćdziesiąt sześć. Do myślenia powinien dać belgijski precedens. Zgodnie z konstytucją po śmierci Baudouina (w roku 1993) to nie bratanek, książę Filip, go zastąpił, lecz brat, książę Albert. Życzenie reformatorów, by w nowoczesnym społeczeństwie następca tronu był młody, nie zostanie spełnione. Książę Walii jest dzisiaj postrzegany jako dobry przyszły król, i to nawet przez tych, którzy kiedyś byli jego największymi wrogami. Ślub z Camillą przypieczętował zgodę następcy tronu z opinią publiczną. Ten, którego dewiza brzmi: „Służę", nie służy niczemu, tylko czeka, aż zwolni się miejsce, by mógł objąć funkcję, do której – jako absolwent historii na Cambridge i były dowódca podwodnego poszukiwacza min – jest dobrze przygotowany. Elżbieta II, chcąc bardziej dostosować swoje życie do wieku, zgodziła się, by książę miał większy dostęp do oficjalnych dokumentów i spełniał za nią niektóre obowiązki reprezentacyjne.

W zamieszaniu związanym z obchodami osiemdziesiątych urodzin królowej, 21 kwietnia 2006 roku, pewne zdarzenie nie zostało dostrzeżone. Szanowny Alex Galloway napisał do wszystkich pięciuset członków królewskiej Prywatnej Rady (musi się zebrać w ciągu dwudziestu czterech godzin od śmierci monarchy, by podpisać dokumenty akcesyjne), której jest sekretarzem, prośbę o uaktualnienie adresów e-mailowych i numerów telefonów – na wypadek nagłej konieczności. Przekaz jest jasny: musimy być gotowi do pogrzebu Elżbiety II i koronacji jej następcy.

„Królowa umarła, niech żyje król..." Splendor towarzyszący ostatniej podróży Elżbiety II, tłumy na trasie konduktu żałobnego, obecność w Opactwie Westminsterskim wszystkich koronowanych głów i szefów państw całej planety, wielki smutek w Zjednoczonym Królestwie i na świecie. Wszystko powinno wyglądać podobnie jak w roku 1952, podczas pogrzebu Jerzego VI. Katafalk będzie strzeżony przez członków straży pogrzebowej, którzy pochylą głowy na znak żałoby. Elżbieta II spocznie w kaplicy Świętego Jerzego na zamku w Windsorze obok rodziców i siostry, księżniczki Małgorzaty. Po pożegnaniu nastąpi koronacja nowego króla. Tak jak jej dziad i ojciec królowa dała do zrozumienia, że ta ostatnia ceremonia nie jest już jej sprawą. Organizacją pogrzebu zajmie się następca tronu. W roku 1953 zaledwie czteroletni książę Karol był obecny na ceremonii żałobnej w Opactwie Westminsterskim. Ponoć zachował z niej żywe wspomnienia. Ale tamten rytuał nie pasuje do Anglii XXI wieku. Nie ma już dziedzicznych członków Izby Lordów. Jak przez godzinę utrzymać uwagę publiczności przyzwyczajonej do nieustannego zmieniania kanałów? Widz, który będzie oglądał w telewizji koronację Karola III, nie ma nic wspólnego z tym, który z najwyższą powagą śledził koronację Elżbiety II. Przysięga religijna ma dla przyszłej głowy Kościoła anglikańskiego zupełnie inną wagę. Królowa zobowiązała się do „utrzymania w Zjednoczonym Królestwie religii protestanckiej usankcjonowanej prawem". Jedyną zmianą, jaką wprowadziła w stosunku do koronacji swego ojca, była obecność przedstawiciela Prezbiteriańskiego Kościoła Szkocji. Wierny swoim przekonaniom książę Karol będzie chciał nadać swojej koronacji wymiar ekumeniczny. Dlatego parę dni po przysiędze na wierność Kościołowi państwowemu odbędzie się ceremonia, na którą zostaną zaproszone inne wyznania.

Podobno król Egiptu Faruk jest autorem pewnego proroctwa. W Deauville, trzymając w dłoni talię kart, wykrzyknął: „Za parę lat będzie na świecie pięciu królów: ci z tej talii i król Anglii". Nie mylił się. Stracił tron. Korona Anglii jest dziś silniejsza niż kiedykolwiek. Dzięki Elżbiecie II. Ostatniej królowej.

Aneksy

Drzewo genealogiczne

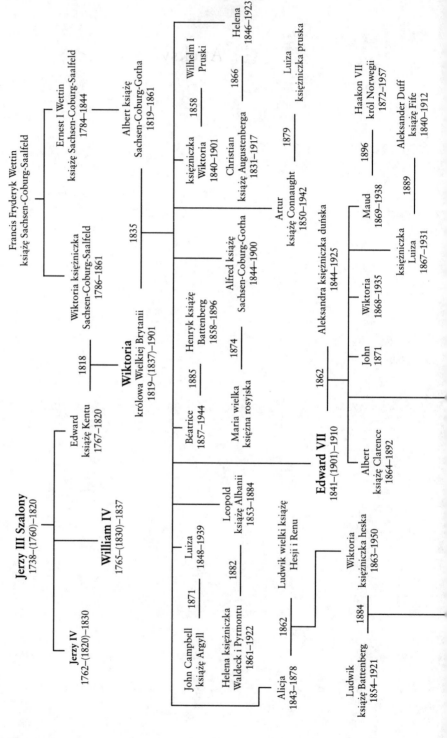

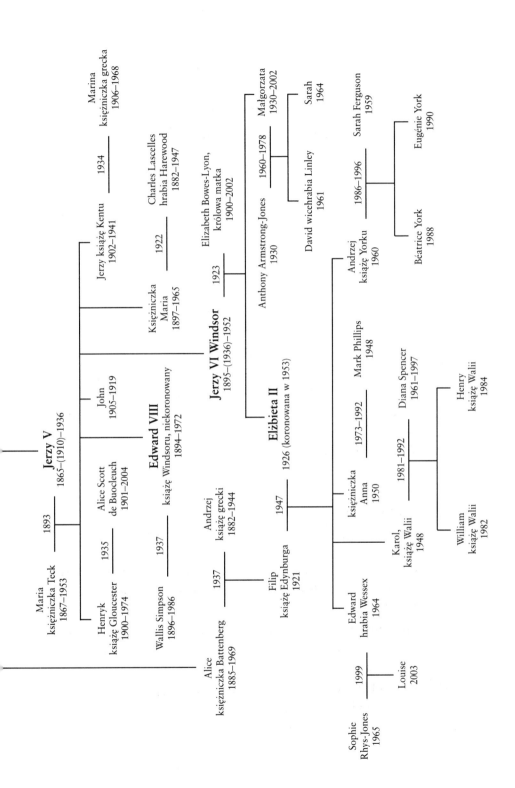

Maria
księżniczka Teck
1867–1953

— 1893 —

Jerzy V
1865–(1910)–1936

Marina
księżniczka grecka
1906–1968

Jerzy książę Kentu
1902–1941

— 1934 —

Charles Lascelles
hrabia Harewood
1882–1947

— 1922 —

Księżniczka
Maria
1897–1965

John
1905–1919

Henryk
książę Gloucester
1900–1974

— 1935 —

Alice Scott
de Buccleuch
1901–2004

Edward VIII
książę Windsoru, niekoronowany
1894–1972

— 1937 —

Wallis Simpson
1896–1986

Elizabeth Bowes-Lyon,
królowa matka
1900–2002

— 1923 —

Jerzy VI Windsor
1895–(1936)–1952

Anthony Armstrong-Jones
1930

Małgorzata
1930–2002

— 1960–1978 —

David wicehrabia Linley
1961

Sarah
1964

Andrzej
książę Yorku
1960

— 1986–1996 —

Sarah Ferguson
1959

Béatrice York
1988

Eugénie York
1990

Alice
księżniczka Battenberg
1885–1969

Andrzej
książę grecki
1882–1944

— 1937 —

Filip
książę Edynburga
1921

— 1947 —

Elżbieta II
1926 (koronowana w 1953)

księżniczka
Anna
1950

— 1973–1992 —

Mark Phillips
1948

Karol,
książę Walii
1948

— 1981–1992 —

Diana Spencer
1961–1997

William
książę Walii
1982

Henry
książę Walii
1984

Edward
hrabia Wessex
1964

— 1999 —

Sophie
Rhys-Jones
1965

Louise
2003

Znaczące daty
panowania Elżbiety II

1926, 21 kwietnia, narodziny w Londynie

1936, 20 stycznia, śmierć króla Jerzego V; 11 grudnia, abdykacja Edwarda VIII; Elżbieta zostaje następczynią tronu

1947, 20 listopada, ślub z księciem Filipem w Opactwie Westminsterskim

1948 narodziny księcia Karola

1950 narodziny księżniczki Anny

1952, 6 lutego, po śmierci Jerzego VI Elżbieta zostaje królową

1953, 2 czerwca, koronacja transmitowana przez telewizję

1955 księżniczka Małgorzata rezygnuje ze ślubu z Peterem Townsendem

1957 premier Anthony Eden podaje się do dymisji. Partia Konserwatywna, a nie królowa, wybiera jego następcę, Harolda MacMillana

1960 narodziny księcia Andrzeja, wizyta prezydenta de Gaulle'a i ślub księżniczki Małgorzaty z Anthonym Armstrongiem-Jonesem

1963 dymisja Harolda MacMillana, którego zastępuje Alec Douglas-Home, wybrany przez torysów

1964 narodziny księcia Edwarda

1965 śmierć Winstona Churchilla

1969 premiera filmu *Royal Family* (za namową księcia Edynburga)

1972 śmierć diuka Windsoru

1973 wstąpienie Wielkiej Brytanii do Wspólnoty Europejskiej

1974 Tedowi Heathowi nie udaje się stworzyć koalicji z liberałami. Do stworzenia rządu powołany zostaje Harold Wilson z Partii Pracy

1977 srebrne gody królowej

1979 premierem Wielkiej Brytanii zostaje Margaret Thatcher. Lord Mountbatten zamordowany przez Irlandzką Armię Republikańską

1981, 29 sierpnia, ślub księcia Karola z lady Dianą Spencer w katedrze Świętego Pawła

1982 narodziny księcia Williama. Wojna o Falklandy

1984 narodziny księcia Harry'ego

1986 królowa obawia się rozpadu Wspólnoty Brytyjskiej z powodu braku zgody premier Margaret Thatcher na nałożenie sankcji ekonomicznych na Afrykę Południową w proteście przeciwko prowadzonej przez jej rząd polityce rasowej

1991 jako głowa państwa brytyjskiego królowa wygłasza przemówienie w Kongresie Stanów Zjednoczonych

1992 *annus horribilis.* Seria skandali i katastrof: separacja księcia Andrzeja z Sarah Ferguson, rozwód Anny z Markiem; ukazuje się książka *Prawdziwa historia Diany*, w której Andrew Morton pisze o depresji księżnej i jej próbie samobójczej. 20 listopada, pożar w Windsorze. W grudniu premier John Major ogłasza separację Karola i Diany w wyniku „porozumienia stron". Królowa godzi się płacić podatki

1994 w słynnym wywiadzie telewizyjnym książę Karol przyznaje się, że zdradzał Dianę. W wydanej później autoryzowanej biografii związek Karola z Camillą zostaje potwierdzony

1995 Diana udziela wywiadu telewizyjnego, w którym mówi: „W tym małżeństwie było nas troje"

1996 rozwód Karola z Dianą

1997 śmierć Diany. Milczenie królowej wywołuje falę krytyki. Tony Blair przybywa na ratunek rodzinie królewskiej

2000   zamrożenie „listy cywilnej" na dziesięć lat
2002   złoty jubileusz; śmierć księżniczki Małgorzaty i Królowej
       Matki
2005, 9 kwietnia, ślub Karola z Camillą w ratuszu w Windsorze
2006   obchody osiemdziesiątych urodzin królowej
2007   obchody sześćdziesiątej rocznicy jej ślubu z Filipem

Najważniejsi członkowie
rodziny królewskiej i ich tytuły

Królowa Elżbieta II, starsza córka króla Jerzego VI. Królową została po śmierci swego ojca, 6 lutego 1952 roku, koronowana 2 czerwca 1953 roku. Jest królową Zjednoczonego Królestwa Wielkiej Brytanii i Irlandii Północnej, ale także piętnastu innych państw Wspólnoty Brytyjskiej. Jest także głową Kościoła anglikańskiego i zwierzchniczką brytyjskich sił zbrojnych.

Książę Filip, diuk Edynburga, od 20 listopada 1947 roku mąż królowej. Jest także hrabią Merioneth i baronem Greenwich. Urodzony 10 czerwca 1921, żeniąc się, zrezygnował z tytułu księcia Grecji i Danii i przybrał nazwisko Philip Mountbatten.

Królowa Elżbieta i książę Filip mają czworo dzieci i siedmioro wnuków:

Książę Karol (Charles Philip Arthur George Mountbatten--Windsor) jest najstarszym synem, pierwszym następcą tronu. Książę Walii jest także księciem Kornwalii i Rothesay, hrabią Chester i Carrick, baronem Renfrew, Lordem Wysp i Wielkim Stewardem Szkocji. Urodził się 14 listopada 1948 roku, ożenił w 1981, rozwiódł w 1996 i powtórnie ożenił w 2005. Powinien zostać królem Karolem III, ale podobno wolałby tytuł Jerzego VII. Jego pierwsza żona, **Diana Spencer**, w wyniku tego małżeństwa została księżną Walii, do czego doszły wszystkie tytuły jej małżonka (hrabina Chester, księżna Kornwalii…) W latach osiemdziesiątych i dziewięćdziesiątych była jedną z najsławniejszych kobiet świata, źródłem splendoru monarchii brytyjskiej, który zniknął wraz z nią. 31 sierpnia 1997 roku zginęła w wypadku samochodowym w Paryżu. Miała trzydzieści sześć lat.

Książę Walii William (William Arthur Philip Louis), starszy syn księcia Karola i Diany Spencer, urodzony 21 czerwca 1982 roku. Jeżeli kiedyś będzie koronowany, zostanie królem Williamem V.

Książę Walii Henry (Henry Charles Albert David Mountbatten-Windsor), nazywany Harry, brat Williama, urodzony 15 września 1984 roku.

Księżna Kornwalii Camilla (Camilla Rosemary Mountbatten-Windsor, primo voto Parker-Bowles), urodzona 17 lipca 1947 roku, jest drugą żoną księcia Karola. Pobrali się 9 kwietnia 2005 roku, po ponadtrzydziestoletnim związku. Camilla ma dwoje dzieci z pierwszego małżeństwa, Toma i Laurę.

Księżniczka Anna (Anne Elizabeth Alice Louise Mountbatten-Windsor) jest jedyną córką królowej i księcia Edynburga. Urodzona 15 sierpnia 1950 roku, rozwiodła się i ponownie wyszła za mąż. Z pierwszego małżeństwa z Markiem Phillipsem ma dwoje dzieci, Petera Phillipsa i Zarę Phillips, którzy jako jedyni nie mają żadnego tytułu. Ich rodzice odrzucili tytuły proponowane przez królową. Księżniczka Anna poślubiła komendanta Timothy'ego Laurence'a.

Książę Andrzej (Andrew Albert Christian Edward), urodzony 19 lutego 1960 roku, książę Yorku, hrabia Inverness i baron Killyleagh, jest drugim synem królowej Elżbiety. Rozwiódł się z Sarah Ferguson, z którą ma dwie córki: księżniczkę Béatrice York, urodzoną

8 sierpnia 1988, i księżniczkę Eugénie York, urodzoną 23 marca 1990 roku.

Książę Edward (Edward Antoine Richard Louis), urodzony 10 marca 1964 roku, hrabia Wessex, jest ostatnim dzieckiem królowej. W czerwcu 1999 roku ożenił się z Sophie Rhys-Jones (urodzoną w 1965 roku), która została hrabiną Wessex. Mają córkę, Louise Windsor, urodzoną 8 listopada 2003 roku.

Kolejność następców Elżbiety II

Jest ponad pięciuset pretendentów do korony brytyjskiej, w tym kilku monarchów europejskich. Niektórzy zostali skreśleni z listy, ponieważ: poślubili katolików, przeszli na katolicyzm, są nieślubnymi potomkami lub zostali adoptowani.

Oto pretendenci znajdujący się na początku listy:

Potomkowie królowej Elżbiety II
Książę Walii (ur. 1948), najstarszy syn Elżbiety II
Książę William (ur. 1982), starszy syn księcia Walii
Książę Henry (ur. 1984), młodszy syn księcia Walii
Książę Yorku Andrzej (ur. 1960), drugi syn Elżbiety II
Księżniczka Yorku Béatrice (ur. 1988), starsza córka księcia Yorku
Księżniczka Yorku Eugénie (ur. 1990), młodsza córka księcia Yorku
Hrabia Wessex Edward (ur. 1964), najmłodszy syn Elżbiety II
Księżniczka Wessex Louise (ur. 2003), jedyna córka hrabiego Wessex
Księżniczka Anna (ur. 1950), jedyna córka Elżbiety II
Peter Phillips (ur. 1977), jedyny syn księżniczki Anny
Zara Phillips (ur. 1981), jedyna córka księżniczki Anny

Potomkowie króla Jerzego VI
(1895–1952, panował w latach 1936–1952)
Wicehrabia Linley, David (ur. 1961), wnuk Jerzego VI
Charles Armstrong-Jones (ur. 1999), jedyny syn wicehrabiego Linleya
Margarita Armstrong-Jones (ur. 2002), jedyna córka wicehrabiego Linleya
Lady Sarah Chatto (ur. 1964), siostra wicehrabiego Linleya
Samuel Chatto (ur. 1996), starszy syn lady Sarah Chatto
Arthur Chatto (ur. 1999), młodszy syn lady Sarah Chatto

Potomkowie króla Jerzego V
(1865–1936, panował w latach 1910–1936)
Książę Gloucester Richard (ur. 1944), wnuk Jerzego V
Hrabia Ulsteru Alexander (ur. 1974), jedyny syn księcia Gloucester
Lady Davina Lewis (ur. 1977), starsza córka księcia Gloucester
Lady Rose Windsor (ur. 1980), młodsza córka księcia Gloucester
Książę Kentu Edward (ur. 1935), wnuk Jerzego V
Lady Marina Charlotte Windsor (ur. 1992), wnuczka księcia Kentu
Lady Amelia Windsor (ur. 1995), wnuczka księcia Kentu
Lady Helen Taylor (ur. 1964), jedyna córka księcia Kentu
Colombus Taylor (ur. 1994), starszy syn lady Helen Taylor
Cassius Taylor (ur. 1996), młodszy syn lady Helen Taylor
Heloise Taylor (ur. 2003), starsza córka lady Helen Taylor
Estelle Taylor (ur. 2004), młodsza córka lady Helen Taylor
Lord Frederik Windsor (ur. 1979), prawnuk Jerzego V
Lady Gabriella Windsor (ur. 1981), prawnuczka Jerzego V
Księżniczka Kentu Aleksandra (ur. 1936), siostra księcia Kentu
James Ogilvy (ur. 1964), jedyny syn Aleksandry, księżniczki Kentu
Alexander Ogilvy (ur. 1996), jedyny syn Jamesa Ogilvy'ego
Flora Ogilvy (ur. 1994), jedyna córka Jamesa Ogilvy'ego
Marina Ogilvy (ur. 1966), jedyna córka Aleksandry, księżniczki Kentu
Christian Mowatt (ur. 1993), jedyny syn Mariny Ogilvy
Zenouska Mowatt (ur. 1990), jedyna córka Mariny Ogilvy
Hrabia Harewood George (ur. 1923), wnuk Jerzego V

Wicehrabia Lascelles David (ur. 1950), najstarszy syn hrabiego Harewood

Alexandre Lascelles (ur. 1980), starszy syn wicehrabiego Lascellesa
Edward Lascelles (ur. 1982), najmłodszy syn wicehrabiego Lascellesa
James Lascelles (ur. 1953), młodszy syn hrabiego Harewood
Rowan Lascelles (ur. 1977), najstarszy syn Jamesa Lascellesa
Tewa Lascelles (ur. 1985), młodszy syn Jamesa Lascellesa
Sophie Lascelles (ur. 1973), starsza córka Jamesa Lascellesa
Jeremy Lascelles (ur. 1955), trzeci syn hrabiego Harewood
Thomas Lascelles (ur. 1982), jedyny syn Jeremy'ego Lascellesa
Helen Lascelles (ur. 1984), starsza córka Jeremy'ego Lascellesa
Amy Lascelles (ur. 1986), młodsza córka Jeremy'ego Lascellesa
Henry Lascelles (ur. 1953), prawnuk Jerzego V
Maximilian Lascelles (ur. 1991), jedyny syn Henry'ego Lascellesa

Następni w kolejności są **potomkowie króla Edwarda VII** (1841–1910, panował w latach 1901–1910), i **królowej Wiktorii** (1819–1901, panowała w latach 1837–1901).

Królowa szesnastu krajów

Królowa jest głową Wspólnoty Brytyjskiej i szesnastu państw, które są jej członkami (*Realms*). Są to:

Zjednoczone Królestwo, Antigua i Barbuda, Australia, Wyspy Bahama, Barbados, Belize, Kanada, Grenada, Jamajka, Nowa Zelandia, Papua Nowa Gwinea, Saint Kitts i Nevis, Saint Lucia, Saint Vincent i Grenadyny, Wyspy Salomona, Tuvalu.

Najstarsza z koronowanych głów

Od śmierci księcia Monako Rainiera (w roku 2005) królowa Elżbieta II jest najstarszym monarchą w Europie. Duńska królowa Małgorzata II panuje od stycznia 1972 roku, szwedzki król Karol XVI Gustaw od września 1973 roku, Juan Carlos, król Hiszpanii, od listopada 1975 roku, a Beatrix, królowa holenderska, od kwietnia 1980 roku.

Stosunkowo niedawno, bo w roku 1991, koronowani byli: Harald V Norweski, Albert II, król Belgów, w sierpniu 1993 roku, wielki książę Henryk Luksemburski w roku 2000, a książę Monako Albert w 2005. Alois Lichtenstein kieruje księstwem od 2004 roku, jego ojciec Hans-Adam II jest nadal księciem panującym.

Sześć królowych angielskich

Maria I Tudor
1553–1558
Urodzona w Greenwich w 1516 roku. Żona Filipa II Hiszpańskiego. Fanatyczna katoliczka, z powodu prześladowania protestantów miała przydomek Krwawa Mary. Utrata Calais, ostatniej posiadłości brytyjskiej we Francji.

Elżbieta I
1558–1603
Powstanie Imperium, klęska Wielkiej Armady, epoka Szekspira, przywrócenie protestantyzmu, egzekucja Marii Stuart.

Maria II Stuart
1689–1694
Panuje wspólnie z małżonkiem, królem Wilhelmem III Orańskim.

Anna Stuart
1702–1714
Żona duńskiego księcia Jerzego. Unia pomiędzy Anglią i Szkocją (1707). Ostatni monarcha, który przewodniczył Prywatnej Radzie i odmówił podpisu pod nowym prawem.

Wiktoria
1837–1901
Najdłuższe panowanie w historii monarchii brytyjskiej. Wspaniała epopeja imperialna, którą wysławiali Kipling i Disraeli. Porządek moralny oparty na szacunku, odpowiedzialności, prawości. Bieda klasy robotniczej.

Elżbieta II
1952–
Ostatnia królowa?

Królowe angielskie
pochodzące z Francji

Przez trzysta lat, od Henryka II (1152) do Henryka VI (1445), wszyscy królowie Anglii, bez wyjątku, wybierali żony we Francji.

Henryk II Plantagenet (1133–1189) w 1152 roku poślubił Eleonorę Akwitańską.

Henryk Młody (1155–1183) w 1160 roku poślubił Małgorzatę Francuską, córkę króla Francji Ludwika VII.

Ryszard Lwie Serce (1157–1199) w 1191 roku poślubił Berengarię, córkę króla Nawarry.

Jan bez Ziemi (1167–1216) w 1200 roku poślubił Isabelę d'Angoulême.

Henryk III (1207–1272) w 1236 roku poślubił Éleonorę, córkę księcia Prowansji.

Edward I (1239–1307) w 1299 roku poślubił Małgorzatę Francuską, córkę Filipa III Śmiałego, króla Francji.

Edward II (1284–1327) w 1308 roku poślubił Izabelę Francuską, córkę Filipa Pięknego, króla Francji.

Edward III (1312–1377) w 1328 roku poślubił Filipę, córkę Wilhelma I – hrabiego Hainaut.

Ryszard II (1367–1399) w 1396 roku poślubił Izabelę Francuską, córkę Karola VI, króla Francji.

Henryk IV (1366–1413) jako drugą żonę, w 1403 roku poślubił Joannę, córkę Karola II Złego, króla Nawarry.

Henryk V (1387–1422) w 1420 roku poślubił Katarzynę Walezjuszkę, hrabinę Vexin, córkę Karola VI, króla Francji.

Henryk VI (1421–1461) w 1445 roku poślubił Małgorzatę Andegaweńską, córkę René Dobrego, księcia Andegawenii.

A prawie dwa wieki później:

Karol I (1600–1649) w 1625 roku poślubił Henriettę Marię Burbon, córkę Henryka IV, króla Francji, siostrę Ludwika XIII.

Źródło: Henriette Walter, *Honni soit qui mal y pense*,
Éditions Robert Laffont, Paris 2001.

Perfidny Albion

Wbrew temu co sądzimy, to nie Bossuet wylansował powiedzenie „perfidny Albion". Mówi o „perfidnej Anglii" w *Kazaniu na obrzezanie*. W tym samym czasie pani Sévigné pisze w listach, że ten kraj jest „perfidnym królestwem". Określenie „perfidny Albion" pochodzi z czasów rewolucji francuskiej i zostało spopularyzowane przez pierwsze kalendarze rewolucyjne w październiku 1793 roku. Znajdujemy w nich wiersz autorstwa Augustina de Ximenesa, w którym czytamy: „Zaatakujmy perfidny Albion na jego wodach".

Źródło: Jean Guiffan, *l'Histoire d'anglophobie en France*,
Terre de Brume, 2004.

Królewski Londyn: Elżbieta

Romans monarchii z Londynem trwa od wieków. Miasto jest przesycone monarchią brytyjską, której obraz przyciąga londyńczyków i gości z zagranicy.

Zróbmy test. Gdybyśmy poprosili osobę, która nigdy nie była w Londynie, aby nam opisała, jaki obraz królestwa utrwalił jej się w pamięci dzięki kinu i telewizji, odpowiedź na pewno brzmiałaby: pałac Buckingham. Pałac jest i zawsze będzie wymarzoną dekoracją dla „Royal London", teatrem jednej z najstarszych monarchii na świecie.

W Queen's Gallery, jedynej części pałacu otwartej dla publiczności przez cały rok, zwiedzającego zaskakują kolory: czereśniowa czerwień dywanów, cukierkowy róż ścian i słomkowy kolor cegły. Zaskakująca jest też wszechobecność królowej Wiktorii, która z tego neoklasycznego budynku zrobiła (w roku 1837) swój dom z ciężkimi obrazami złotego wieku epoki kolonialnej, niezliczonymi porcelanowymi portretami, medalami i statuetkami uwieczniającymi fantastyczną epokę suwerenów.

Następnym etapem zwiedzania królewskiego Londynu jest National Portrait Gallery, do której wiedzie triumfalna aleja – Mall. Portrety pozwalają zrekonstruować narodową historię. Założona w 1856 roku Galeria gromadzi portrety królów i polityków. W sali poświęconej sztuce XX-wiecznej znajduje się surowy portret Elżbiety II w czerwonym płaszczu Orderu Łaźni, z roku 1970. Młoda i radosna kobieta z czasu koronacji w 1953 roku stała się zasadnicza i surowa, by nie powiedzieć więcej. Ale „prawdziwa wielkość jest smutna". To nie są słowa przyjaciela Korony Brytyjskiej, lecz Napoleona. Potwierdza tę prawdę wiejski portret księcia i księżnej Walii z roku 1991, a więc namalowany dziesięć lat po ich ślubie. Pełnia szczęścia, pełnia nieszczęścia. Wspaniałe dzieła wystawione są we wspaniałym miejscu, niedaleko Tamizy. Zachwycająca rzeka, szara i kręta, płynie wolno i majestatycznie, jakby w rytmie hymnu *God Save the Queen*. Jej złotawobrązowe kolory robią wrażenie.

W pełnym koszmarnych wspomnień, westchnień i krwi zamku Tower (Tower Hill) znajduje się część królewskiej kolekcji broni, a przede wszystkim biżuteria Windsorów i klejnoty Korony. Prawie wszystkie są oryginalne i bywają używane tylko podczas ceremonii koronacyjnych. Najjaśniejsza Pani nakłada koronę imperialną przed wygłoszeniem mowy w Westminsterze. Teraz możemy wsiąść na statek do Greenwich, gdzie znajduje się Akademia Morska i słynny południk, według którego obliczany jest czas na całym świecie. Królowa ustawia zegarki nam wszystkim.

Royal warrant – to magiczna formuła, dzięki której królowa patronuje sklepom i produktom niezbędnym do dobrego funkcjonowania Królestwa i resztek Imperium. Tels Turnbull & Asser (koszule), Holland & Holland (ubrania na wieś), Lock & Co (kapelusze), Smythson (papeteria), John Lobb (buty), Berry Brothers (wina). Księgarnia Hatchard na Piccadilly, założona w roku 1797, dzięki czarnym regałom i głębokim skórzanym fotelom przypomina klub dżentelmenów. Znajdujący się naprzeciwko Fortnum & Mason, z obsługą we frakach, słynie z działu spożywczego, a szczególnie z pomarańczowej marmolady *thick cut* (grubo krojonej), drogiej Jej Królewskiej Mości. Ryzykuje głową ten, kto pomyli ją z *thin cut* (cienko krojoną), *no peel* (bez skórki) czy *orange lemon* (pomarańczowo-cytrynową). A zorientować się w tych marmoladach wcale nie jest łatwo. *Royal warrant* wyróżnia również ulubioną herbatę królowej – Earl Grey.

Dworzec Waterloo. Ciuchcią do Windsoru, oddalonego od Londynu o sześćdziesiąt kilometrów. Pałac wprawia w zmieszanie i wzrusza; jest niejednolity architektonicznie, ale stanowi kwintesencję historii Anglii. Tutaj królowa spędza weekendy. Straż w futrzanych czapach gra dla zwiedzających muzykę wojskową, ale także popularne melodie z *Hair* czy *Evity*. Naprzeciwko znajduje się Eton, najbardziej prestiżowe z drogich gimnazjów angielskich; *public school*, gdzie uczyli się książęta William i Harry. Można tu spacerować do woli, ale budynki, w których mieszkają uczniowie, są niedostępne dla zwiedzających.

Londyn w cieniu Diany

Wytworne domy towarowe, eleganckie sklepy, gimnazjum, dwie czy trzy restauracje i może McDonald's – tak wygląda oprowadzanie po szykownym i konformistycznym światku cosy, w którym obracała się „królowa serc".

Odnalezienie w Londynie ulubionych miejsc Diany, które codziennie odwiedzała, uchwycenie jej osobowości wykraczającej poza blond włosy na kredowym papierze książek i pocztówek – to ambitne zadanie. Ale na pewno takim miejscem jest dzielnica South Kensington charakteryzująca się dyskretnym luksusem i subtelnym wyrafinowaniem, ma najbardziej ceniony w Londynie kod pocztowy – SW7. A inne miejsca?

W Londynie postępuje się jak londyńczycy, niezależnie od tego, czy jest się Królewską Wysokością, czy nie. Dianofil powinien zaopatrzyć się w plastikową torbę z domu towarowego, w której umieści codzienne *must*. Należą do nich: *travelcard*, czyli całodzienny bilet, plan ulic *A to Z*, parasol, kawałek czekolady Kit-Kat i egzemplarz tabloidu „The Sun". Torba jest symbolem praktycznego stylu *soft*, drogiego zmarłej. Przejęła go od dziennikarki Sinclair MacKay, która uważa się za arbitra elegancji.

Wszystkie drogi prowadzą do pałacu Kensington, który w lecie 1997 roku był niebem na ziemi. Budynek z czerwonej cegły, wzniesiony przez wielkiego architekta Christophera Wrena, wciąż jest celem pielgrzymek. Zwiedzanie ciepłych pomieszczeń „wielkich apartamentów", otwartych dla publiczności, pozwala wyrobić sobie opinię o otoczeniu, w jakim żyła Diana. Koniecznie należy rzucić okiem na fontannę w Hyde Parku, poświęconą zmarłej. Po szybkim cappuccino i dwóch sekundach w Oranżerii udajemy się w kierunku Kensington High Street, arterii handlowej z eleganckimi domami towarowymi, i Royal Garden Hotel. Po prawej stronie luksusowego hotelu Kensington Palace Gardens, na końcu prywatnej drogi obsadzonej platanami, dzień i noc czatują paparazzi. Po lewej Greens, szykowna sala gimnastyczna, w której Diana trenowała z instruktorem przez godzinę trzy razy w tygodniu. Jest także wiecznie zatłoczony McDonald's, w którym podobno bywała z synami w niedzielne wieczory. „Przychodziła czasem z chłopcami napić się koktajlu mlecznego" – powtarza szef małej Café Diana przy prowadzącej do pałacu Bayswater Road. Trudno jednak wyobrazić sobie księżną, która miała obsesję na punkcie diety i formy, pożerającą jajka na bekonie lub podziwiającą własne portrety pokrywające ściany.

Piętrowy autobus mija Royal Albert Hall, salę koncertową w stylu włoskiego renesansu, w której odbywają się słynne *proms*. To także siedziba English National Ballet, jednej z sześciu instytucji charytatywnych, którym księżna patronowała po podjęciu decyzji o wycofaniu się z życia publicznego w 1993 roku. Chciała zostać baletnicą, ale była zbyt wysoka.

Wysiadamy na Beauchamp Place. Styl życia księżnej opromienia uliczkę Knightsbridge. Na odcinku trzystu metrów sąsiadują ze sobą najlepsi londyńscy krawcy, którzy ubierali diwę *glamour*. Na przykład Bruce Olfield, który wypożyczał jej swoje suknie wieczorowe na gale charytatywne. San Lorenzo to rośliny, minimalistyczny wystrój, dostatnia klientela, kuchnia włoska, w której nie ma nic nadzwyczajnego. Tu księżna się stołowała, miała swój stolik na piętrze pod szklanym dachem, w części zarezerwowanej dla VIP-ów. Rachunek jest wysoki, a obsługa powolna. Taki jest Londyn…

Harrodsa nie trzeba przedstawiać. Dom towarowy Mohameda Al Fayeda zajmuje trzecie miejsce wśród atrakcji turystycznych Londynu, po katedrze Świętego Pawła i Big Benie. Dziennie zwiedza go średnio trzydzieści pięć tysięcy osób. Ma ponad trzysta *departments*, a wśród nich słynny dział spożywczy z dewizą: „Harrods służy całemu światu". Na piątym piętrze, obok działu sportowego, znajdują się prywatne biura właściciela, którego cały czas strzeże zastęp ochroniarzy. Przez szklane drzwi można zobaczyć świat jak z powieści i ilustracji Beatrix Potter: ryciny ze scenami z polowań, stare meble, ciężkie zegary, porcelana. Obok, wśród świec, wzniesiono ołtarz z portretami Di i Dodiego.

Problem polega na tym, że Diana nigdy nie bywała w Harrodsie, ponieważ uważała, że jest zbyt turystyczny i zbyt nowobogacki. Wytworne kobiety, takie jak księżna, wolą robić zakupy w mniejszym Harvey Nichols, który jest synonimem dobrego smaku. Bywają tu *Sloane Rangers* – młode osoby ze środowiska arystokratów, które zaludnia Chelsea i Kensington. W tym eleganckim miejscu pokazują się posiadacze starych i nowych pieniędzy. Jedynym jego rywalem jest General Trading Company na Sloane Street, gdzie Diana miała swoją listę prezentów ślubnych. Harvey Niks, jak mówią wtajemniczeni, to nie tylko odzież, meble czy pościel – to przede wszystkim elegancki sklep spożywczy, który mieści się na ostatniej kondygnacji. I jedna z najchętniej odwiedzanych herbaciarni, restauracja i bar sushi. Jest tu strasznie drogo *of course*.

Następny etap to Earl's Court i Coleherne Court na Brompton Road, gdzie Diana mieszkała przed ślubem z trzema koleżankami. Na rogu modna restauracja gejowska Balans West i pub Coleherne. Diana była pierwszą osobą z rodziny królewskiej, która podała rękę choremu na AIDS. Było to w 1987 roku. Od tamtej pory jest idolką mężczyzn, którzy gustują w mężczyznach.

Szóstego września 1997 roku królestwo złożyło Dianie ostatni hołd w Opactwie Westminsterskim (a miało się to odbyć w klasztorze benedyktynów). Wszyscy angielscy monarchowie, od Wilhelma Zdobywcy po Elżbietę II, byli koronowani właśnie w tej świątyni. Tu też są groby przodków jej byłej rodziny i paru nudnych poetów drogich jej byłemu mężowi. Opactwo – to symbol tego, co Diana znienawidziła.

W Londynie z Camillą

Spacer po brytyjskiej stolicy w poszukiwaniu ulubionych miejsc Camilli, księżnej Kornwalii, drugiej żony księcia Karola. Od krawca do sklepu myśliwskiego, przez rezydencję, w której odbywała tajne schadzki z królewskim kochankiem...

Chorągiew z krzyżem świętego Jerzego (czerwonym na białym tle), popiersie królowej matki, pożółkłe zdjęcia ze ślubu Elżbiety II, tapiserie, obrazy przedstawiające wiejskie pejzaże i ciężkie mahoniowe zegary – wygląda na to, że romans Hotelu Goring z monarchią ma długą historię. Autor bestsellera *Majesty*, historyk Robert Lacey uważa, że to miłe miejsce na Beeston Place, naprzeciwko królewskich stajni (czy to przypadek?), jest idealne, by zrozumieć świat Camilli. Tu odnajdujemy jej ulubione trasy w Londynie, które na pewno lepiej pozwalają uchwycić jej osobowość, jej wizerunek przedstawiany przez prasę.

Nie istnieje przewodnik turystyczny, który by opisywał Londyn księżnej Kornwalii. Agencje turystyczne jeszcze nie organizują zwiedzania jej ulubionych dzielnic. Zdaniem Roberta Laceya Camilla często bywała w Goringu, który jest karykaturalnym odzwierciedleniem wartości angielskiej *gentry*. „Podobała jej się gościnność z zachowaniem dyskrecji i wszelkich konwenansów. No i bliskość pałacu Buckingham..." – mówi to z wymownym wyrazem twarzy. Jednocześnie powoli, ledwie poruszając wargami, pochłania jajecznicę. Robi to z takim namaszczeniem, jakby to była hostia. Stwierdza lakonicznie: „Styl Camilli od najmniejszej ekscentryczności dzielą lata świetlne. W porównaniu z Dianą jest wręcz pułapką na wszelkie fantazje. Tym lepiej".

Zacznijmy więc od *shoppingu*. Kapelusznikiem Camilli jest Philip Treacy. Jego sklep znajduje się przy Elizabeth Street, w pięknej dzielnicy Pimlico. „Natchnieniem Philipa jest garderoba księżnej, zwłaszcza torebka. Cena kapelusza zależy oczywiście od jakości materiału, ale przede wszystkim od użytych piór. Właściwie noszone nakrycie głowy powinno muskać prawą brew" – wyjaśnia Gee de Coursson, asystentka młodego projektanta. Niektóre słomiano-tiulowe kapelusze wyeksponowane w tej magicznej graciarni są warte dziesięć tysięcy funtów. Przy Hornton Place 4, ładnej uliczce, oddalonej od Kensington High Street i jej komercyjnej wulgarności, bardzo bogatych klientów przyjmuje Robinson Valentine. Słońce filtrowane przez przymknięte okiennice roztacza światło tak delikatne, jak pastelowe kolory kreacji. Żółte, bladoniebieskie, złote, przypominające, o dziwo, wypieki i *jellies* podawane podczas przyjęć na wsi.

Wszystkie drogi wyższych sfer prowadzą na Sloane Square, do domu towarowego Peter Jones. W tym arcydziele art déco eksponowany jest wiejski tryb życia lepszego towarzystwa, który budzi tęsknotę za dawną Anglią. Zbliża się pora obiadowa. Kierujemy się do Saint James, gdzie znajduje się ulubiona restauracja księżnej, Le Caprice. Rollsy i jaguary grzecznie czekają, aż *ladies* zakończą pogaduszki w tej świątyni Londynu, który zniknął, choć udaje, że bywa w najmodniejszych miejscach. Kremowe ściany, na nich czarno-białe fotografie wykonane przez kuzyna królowej Davida Baileya, rośliny, trzcinowe krzesła i ciemne stoły w stylu Habitat... Goście jedzący obiad są zamożni i dobrze ułożeni. Dania są zwyczajne, ale rachunki wysokie. Jej stolik stoi z dala od spojrzeń, przy schodach prowadzących do *powder room*, czyli toalety, gdzie panie poprawiają urodę. Przy kieliszku chablis i daniu rybnym lubi spotykać się ze starymi znajomymi, pisarką Jilly Cooper, malarką Amandą Ward, antykwariuszką Jane von Westerholz czy miliarderką Lily Safrą.

Nasz wyimaginowany autobus dociera na Mall, szeroką aleję w cieniu platanów, z widokiem na pałac Buckingham. Po prawej stronie – Clarence House, królewska rezydencja, którą Camilla i książę Karol zajęli po śmierci Królowej Matki, w 2002 roku. Media już nazwały ten duży neoklasyczny budynek „dworem bis". Strzeże go żołnierz w futrzanej czapie. Po lewej stronie rozciąga się mocno związany z historią kraju Saint James Park, romantyczny ogród z jeziorem z łabędziami i kaczkami. Wydaje się, że natura odzyskała swoje prawa w samym centrum stolicy, ale to tylko złudzenie. Camilla nawet w Londynie uwielbiała hodować kwiaty i karmić zwierzęta.

To Apsley House – dawna rezydencja Wellingtona z korynckim portykiem – była przystanią zakazanej miłości Karola i Camilli. Przedtem Apsley House był znany londyńczykom jako Number One London, pewnie dlatego, że znajdował się najbliżej wjazdu do miasta. Obecny pan domu, markiz de Douro, od dawna przyjaciel następcy tronu, pożyczał zakochanej parze swoją sypialnię. W tej wojskowej atmosferze, w towarzystwie szabli i strzelb, pod plafonami zdobionymi herbami Żelaznego Księcia oraz insygniami Orderu Podwiązki para cudzołożyła przez dwa dziesięciolecia.

Pani Parker-Bowles dzieli z wielkimi rodzinami także pasję myśliwską. Ma ją we krwi. Konne polowania z psami należą do przeszłości. Teraz przestawiła się na polowania ze strzelbą. Dlatego wejdziemy do Purdey&Sons przy South Audley Street, w sercu ekskluzywnej dzielnicy Mayfair. To najlepszy sklep z bronią „na miarę". Najprostsza strzelba kosztuje pięćdziesiąt tysięcy funtów, od złożenia zamówienia czeka się na nią półtora roku. „W tym kraju polowanie to sport bardzo drogi i elitarny" – mówi sprzedawca rodem z Bretanii. W *long room* wystawiona jest czerwona skórzana torba na naboje wykonana dla Edwarda VII. Praprababka Camilli, Alice Keppel, przez dwanaście lat, od roku 1898 do 1910, była kochanką księcia Walii Edwarda VII. Parker-Bowles również mogliby mieć herb zarezerwowany dla dostawców dworu!

Na South Audley Street, u sprzedawcy porcelany Thomasa Goode'a, klientów wita muzyka z lat siedemdziesiątych: The Kinks, The Beatles i The Who. Czy to na cześć Karola i Diany? Jim Gill, ubrany we frak dyrektor, z dumą pokazuje talerz „Lord wysp", zdobiony osobiście przez księcia Karola. Jest w kolorach ciemnozielonym i złotym i „cieszy się największą popularnością, ponieważ część dochodu ze sprzedaży wspiera działalność dobroczynną Jego Królewskiej Wysokości".

Godzina piąta po południu. Jako szanująca się Angielka Camilla nie zapomina o popołudniowej herbacie. Można ją spotkać raczej w ceniącym się Fortnum & Mason na Piccadilly niż w Café Diana na Notting Hill Gate. To się rozumie samo przez się.

Organizacja Pałacu

Elżbieta II

Lord Szambelan Dworu Królewskiego
hrabia William Peel

Biuro Lorda Szambelana – Andrew Ford
Organizacja świąt, wizyt państwowych, ślubów, królewskich pogrzebów

Zarządca Domu Królewskiego – David Walker
Kieruje ekipą 285 osób odpowiedzialnych za wyżywienie i czystość w pałacu.

Kolekcja Królewska – Hugh Roberts
Organizuje, przechowuje i konserwuje pałacową kolekcję dzieł sztuki.

Biuro prywatnego sekretarza – Robin Janvrin
Doradza królowej w sprawach polityki wewnętrznej i zagranicznej, organizuje jej podróże. Odpowiedzialny za serwis prasowy, podróże i korespondencję.

Koniuszy – Simon Robinson
Odpowiedzialny za królewskie stajnie: transport koni, konie reprezentacyjne i wozy.

Skarbnik królewski – Alain Reid
Nadzoruje królewskie finanse, publiczne i prywatne.

Klejnoty Korony

Korona Świętego Edwarda – chodzi o króla Edwarda Wyznawcę –
ze złota, jest używana w czasie koronacji.
Wielka korona imperialna, zaprojektowana dla królowej Wiktorii,
z rubinem zwanym Czarnym Księciem i 317-karatowym dia-
mentem ofiarowanym przez Edwarda VII w 1907 roku.
Korona królowej matki ze słynnym Koh-I-Noorem (Świetlistą Górą)
Imperialna korona Indii z 6000 diamentów
Korony Marii z Modeny
Korona królowej Marii Stuart
Mała korona królowej Wiktorii, cała z diamentów
Korona księcia Walii

Piwnice Jej Wysokości

Piwnice pałacu Buckingham, urządzone w 1703 roku, nie są własnością królowej, lecz państwa. Czuwa nad nimi Strażnik Piwnic Królewskich (Yeoman of the Royal Cellars). Zakupami zajmuje się specjalny komitet składający się z ośmiu ekspertów.

Piwnica jest obficie zaopatrzona, ale niewiele tam *grand crus*. Wina czerwone pochodzą przede wszystkim z Francji. Najciekawsze butelki to: Château-Latour Pomerol (1995), Nuits-Saint-Georges (1996), Château-Leovide-Barton (1988), Château-Fonroque (1995), Château-Chasse-Spleen (1990), Château-Batailley (1994), Château-Meyney (1996), Château-Beau-Site (1995).

Jeśli chodzi o wina białe, prym wiedzie Nowy Świat: Chardonnay z Afryki Południowej i Sauvignon Oyster Bay z Nowej Zelandii. Podczas niektórych przyjęć królowa podaje angielskie wino musujące Nyetimber. W przypadku szampanów Krug i Dom Pérignon nie stosuje się systemu rocznikowego.

Piwnica Królewska ma wyśmienite porto, na przykład Fonseca Quinto do Naval 1963.

Najstarsza butelka to sherry ofiarowane Pałacowi w roku 1660, podczas inauguracji London Bridge.

Podziękowania

Podziękowania kieruję do prywatnego sekretarza Jej Wysokości Roberta Janvrina oraz Penny Russell-Smith, Samanthy Cohen i Ailsy Anderson z serwisu prasowego Pałacu Buckingham, bez których książka ta by nie powstała.

Dziękuję również historykom, specjalistom od prawa konstytucyjnego, ekspertom do spraw monarchii, byłym i obecnym ministrom, którzy oświecili mnie w kwestii osobowości monarchini. Specjalne podziękowania zechcą przyjąć Charles Anson, Philip Beresford, David Cannadine, Linda Colley, Robert Lacey, Roy Greenslade i pośmiertnie Harold Brooks-Baker, którzy nieśli mi cenną pomoc.

Wyrażam wdzięczność długoletnim przyjaciołom dziennikarzom, którzy wnikliwie przeczytali rękopis. Są to: Dominique Dunglas i François Turmel oraz John Shakeshaft i Jean-Luc Schilling. Dziękuję również moim kolegom z „Le Monde", Marine Jacot, Jean-Louis Andreani, specjaliście od hipiki, oraz Didier Rioux, szefowi działu dokumentacji, którzy pozwolili mi uściślić liczne detale i interpretacje. Muszę także wspomnieć o pomocy, której udzielił mi Paul Raw.

Podziękowania

Indeks nazwisk[1]

Abdullah II, król Jordanii 201
Aga Khan III (właśc. Shah Sultan Mo-
  hammad) 27
Airlie hrabia, zob. Ogilvy David George
Airlie hrabina, zob. Ogilvy Mabell
  Francess
Aitken William Maxwell („Max"),
  1. baron Beaverbrook 190
Akihito, cesarz Japonii 64
Al Fayed Dodi (właśc. Al Fayed Emad
  ad-Din Mohamed Abdel Moneim)
  108–111, 114, 121, 122, 192, 196,
  271
Al Fayed Heini, z d. Wathén 118
Al Fayed Mohamed Abdel Moneim 12,
  110, 111, 115, 118, 119, 121, 122,
  197, 270
Albert, książę Yorku, zob. Jerzy VI
Albert II, król Belgów 244, 260
Albert II, książę Monako 184, 260
Albert, książę małżonek królowej Wik-
  torii 44, 49, 91
Aleksander II Karadziordziewicz 184

Aleksander Patryk, hrabia Ulsteru 257
Aleksandra Duńska, królowa Anglii
  183, 241
Aleksandra, księżna Kentu, zob. Ogi-
  lvy Alexandra Helen
Alencon d' książę, zob. Jan I d'Alencon
Alexander Harold Rupert, 1. hrabia
  Alexander of Tunis 105
Alicja, z d. Battenberg, księżna Grecji
  60, 61
Alojzy III, książę następca tronu Lich-
  tensteinu 260
Amies Hardy (właśc. Amies Edwin
  Hardy) 31, 32
Anderson Ailsa 279
Anderson John 32
Andreani Jean-Louis 279
Andrzej, książę Grecji 60, 183
Andrzej, książę Yorku, hrabia Inver-
  ness, baron Killyleagh 24, 60, 62,
  80–84, 87, 96, 122, 124, 138, 197,
  228, 229, 232, 233, 240, 250, 251,
  254–256

---

[1] Indeks nie uwzględnia nazwisk z drzewa genealogicznego.

Anna Boleyn, królowa Anglii 100
Anna Stuart, królowa Anglii, Szkocji i Irlandii 261
Anna, princess royal, 1° voto Phillips, 2° voto Laurence, 27, 28, 36, 57, 60, 79, 80, 83, 84, 86, 87, 124, 152, 228, 229, 250, 251, 254, 256
Anouilh Jean 24
Anson Charles 190, 279
Armstrong-Jones Anthony Charles, 1. hrabia Snowdon 59, 75, 76, 190, 199, 200, 250
Armstrong-Jones Charles Patrick 257
Armstrong-Jones David Albert (znany jako Linley David), wicehrabia Linley 74, 230, 257
Armstrong-Jones Margarita Elizabeth 257
Armstrong-Jones Sarah, zob. Chatto Sarah
Ashton Frederick William 68
Asquith Herbert Henry, 1. hrabia Oxford and Asquith 107
Auriol Vincent 165

Bacon Francis 30
Bagehot Walter 23, 127, 153
Bailey David Royston 273
Baldwin Stanley, 1. hrabia Baldwin of Bewdley 70
Bandaranaike Sirimavo 214
Bardot Brigitte 108
Baring, rodzina 223
Barley Nigel 243
Barrington-Ward Simon 181
Baudouin I (Baldwin I), król Belgów 184, 238, 244
Beaton Cecil Walter 58, 68, 199
Beatrice, księżniczka Yorku 254, 256
Beatrix, królowa Holandii 65, 184, 221, 260
Beaufort, rodzina 131
Beaverbrook baron, zob. Aitken William Maxwell
Beckham David 218

Béjart Maurice (właśc. Berger Maurice-Jean) 36
Bellaigue Marie-Antoinette de, z d. Willemin 45, 46
Benedykt XVI (Ratzinger Joseph), papież 182
Benn Tony (właśc. Benn Anthony Neil), 2. wicehrabia Stansgate 147–149
Benson George 121
Berengaria z Nawarry, królowa Anglii 263
Beresford Philip 221, 226, 229, 279
Berlusconi Silvio 142
Bernhard van Lippe-Bisterfeld, książę Holandii 65
Blair Chérie, z d. Booth 141
Blair Tony (właśc. Blair Anthony Charles) 12, 102, 104, 109, 113, 115, 118, 124, 129, 135, 136, 140–142, 150, 164, 238, 241, 251
Blücher Gebhard Leberecht von 170
Blunt Anthony Frederick 154
Bogdanor Vernon 136, 152
Bolland Mark William 216–218
Bonaparte Ludwik Napoleon 171, 172, zob. też Napoleon III
Bond Jennie (właśc. Bond Jennifer) 188, 189
Borgia, rodzina 58
Bossuet Jacques 265
Botticelli Sandro (właśc. Alessandro di Mariano di Vanni Filipepi) 48
Bowes-Lyon David 46
Bowes-Lyon Claude George, 14. hrabia Strathmore and Kinghorne 39
Bowes-Lyon Elżbieta Angela Małgorzata, zob. Elżbieta, Królowa Matka
Brooks Rebekah, z d. Wade, 1° voto Kemp 216
Brooks-Baker Harold 279
Brown Gordon (właśc. Brown James Gordon) 241
Brunei sułtan, zob. Hassanal Bolkiah
Bryan Johnny (właśc. Bryan John) 82
Buccleuch, rodzina 106

Książki oraz bezpłatny katalog
Wydawnictwa W.A.B.
można zamówić pod adresem:
ul. Usypiskowa 5, 02-386 Warszawa
oraz pod telefonem 0 801 989 870
handlowy@wab.com.pl
www.wab.com.pl

Przełożył: Grzegorz Przewłocki
Redaktor serii: Adam Pluszka
Konsultacja: Dorota Babilas
Redakcja: Elżbieta Michalak
Korekta: Grażyna Mastalerz, Mariola Hajnus
Indeks zestawiła: Elżbieta Jaroszuk

Projekt graficzny serii: Studio *Page Graph*
na podstawie koncepcji graficznej **mama**studio
Fotografia na I stronie okładki: © Bettmann/CORBIS

Wydawnictwo W.A.B.
02-386 Warszawa, Usypiskowa 5
tel./fax (22) 646 01 74, 646 01 75, 646 05 10, 646 05 11
wab@wab.com.pl
www.wab.com.pl

Skład i łamanie: Studio *Page Graph*, Warszawa
Druk i oprawa: Drukarnia Wydawnicza im. W.L. Anczyca S.A., Kraków

ISBN 978-83-7414-767-5